Brugklassers!

Kijk ook op
www.ploegsma.nl
www.cajacazemier.nl
www.martineletterie.nl

Caja Cazemier, Karel Eykman
& Martine Letterie

Brugklassers!

Uitgeverij Ploegsma Amsterdam

De verhalen over Isa zijn geschreven door Caja Cazemier, de verhalen over Vera door Karel Eykman en die over Jesse door Martine Letterie.

ISBN 978 90 216 6671 6

© Tekst: Caja Cazemier, Karel Eykman en Martine Letterie 2002, 2006, 2008
Deze uitgave is een bundeling van de boeken *Naar de brugklas, In de brugklas* en *De brugklas door*
Het gedicht op blz. 77 is afkomstig uit *Mijn hoofd in de wolken* van Karel Eykman, Uitgeverij de Harmonie, Amsterdam 1994
© Omslagillustratie: Alice Hoogstad en Eva Wegman 2009
Omslagontwerp: Steef Liefting
© Deze uitgave: Uitgeverij Ploegsma bv, Amsterdam 2009

Mixed Sources
Productgroep uit goed beheerde bossen
en andere gecontroleerde bronnen
www.fsc.org Cert no. SCS-COC-001256
FSC © 1996 Forest Stewardship Council

Uitgeverij Ploegsma drukt haar boeken op papier met het FSC-keurmerk. Zo helpen we waardevolle oerbossen te behouden.

Inhoud

# *Toekomsttoets*

Vandaag was alles anders. Het begon al zodra Isa op school kwam. Van haar klas waren er meer kinderen zo vroeg, maar op deze grijze februariochtend was er geen geren en gevlieg op het plein. Ze klitten samen in hun hoek: Lisa, Vera, Claudia, Zora, Janneke en nog een paar meiden, en er was zelfs een aantal jongens bij. Isa liep naar hen toe. Ze praatten opgewonden, hun stemmen klonken hoger en scheller, met veel giechellachjes en zenuwkuchjes.

'Kon jij slapen gisteravond? Ik heb geen oog dichtgedaan vannacht!'

'Huh, huh, ik kon vanochtend geen hap door mijn keel krijgen.'

'Man, wat ben ik hyper.'

'O, ik héb het niet meer...'

'Hi, hi, ik pies in mijn broek van de zenuwen.'

Eenmaal tussen de andere achtstegroepers keek Isa van hen weg. Wilde ze dit allemaal wel horen? Hier werd ze dus niet kalmer van. Al had juf Sandra duizend keer gezegd dat zenuwen niet nodig waren, ook zij had bijna niet kunnen slapen of eten.

Om hen heen werd zorgeloos gehold, geschreeuwd en gespeeld door groep 3 tot en met 7. Zij hadden vandaag geen last van hun toekomst. Voor hen was het een dag als alle andere.

De bel riep hen naar binnen. Help, hun lokaal leek helemaal niet meer op hun lokaal! Ze wisten het wel, juf Sandra had gezegd dat ze de boel vast klaar zou zetten, maar toch schrok Isa van de losse tafels in keurige rijen. Iedereen werd meteen een stuk stiller. Ze zochten hun tafel op en zetten de meegebrachte mascottes, die geluk moesten brengen, voor zich neer. Ook gummetjes en puntenslijpers kwamen op tafel te liggen.

Isa verplaatste haar pandabeertje van links naar rechts naar het midden en weer terug, tot hij het juiste plekje had gekregen. De meeste meiden hadden een klein knuffeltje mee, haar beste vriendin Lisa een leeuwtje. Sommige jongens hadden ook iets bij zich: Jesse had een voetbalsleutelhanger op zijn tafel liggen, zag ze.

De Cito-toets, die als mist het lokaal vulde, drukte op hun schouders, en maakte dat ze zich ernstig en plechtig voelden. Stil luisterden ze naar juf Sandra.

'Jullie weten het, hè,' zei ze. 'De Cito-toets is geen examen, maar een hulpmiddel! De middelbare scholen waar jullie na de zomer heen gaan, willen nu eenmaal graag een cijfertje dat aangeeft op welk niveau je kunt leren. Maar ik weet allang wat jullie waard zijn, en meester John ook! Wij kennen jullie vrij goed! Ach lieve schatten, deze toets gaat waarschijnlijk aangeven dat wij gelijk hebben. Dus maak je niet druk, werk geconcentreerd, denk rustig na, doe gewoon je best, en meer dan je best kun je niet doen!'

Dit verhaal had Isa vaker gehoord. En natuurlijk hadden ze ook vaker zo gezeten, los van de groepjes waarin ze normaal zaten, net zo goed als ze vaker toetsen hadden gemaakt. Ze hadden zelfs oefentoetsen gehad, om te weten hoe de Cito-toets zou zijn, wat voor onderdelen er waren en wat voor vragen er werden gesteld.

Maar nu was het echt. Nu kwam het erop aan. Nú moesten ze laten zien wat ze konden.

Ondanks de woorden van juf Sandra werd Isa's keel dicht-geknepen door de zenuwen. Stel dat ze nu veel fouten maak-te, of dat ze de vragen ineens niet snapte... Dat kon toch? Had ze nou toch maar méér geoefend!

'Ach nee,' hoorde ze de echo van haar vaders bromstem in haar hoofd. 'Dat heeft geen zin. Er wordt gekeken wat je in de afgelopen acht jaar hebt geleerd, je wordt heus niet ineens slimmer door nu te gaan oefenen. Daar word je alleen maar zenuwachtig van.'

O ja? Maar juist van al die volwassenen die haar zo nodig moesten sussen, werd ze zenuwachtig. Het was háár toe-komst en die mocht ze niet verknallen.

'Goed, dan wordt het tijd om te beginnen,' besloot juf Sandra. 'Is er nog iemand die naar de wc moet? Want dat mag niet tijdens de toets.'

Ineens voelde Isa dat ze erg nodig moest. 'Ja, ik!'

'Ik ook!' riep Lisa.

Juf Sandra gaf met een gebaar van haar hand te kennen dat ze mochten gaan. 'Maar wel opschieten!' riep ze de meisjes achterna.

In de gang greep Lisa de hand van Isa en zo holden ze naar de meisjes-wc. Dat gaf Isa goede moed. Ze plaste, trok door, waste haar klamme handen met lekker veel zeep en wacht-te op Lisa. Hand in hand renden ze weer terug. Vlak voor de deur van groep 8 lieten ze los. 'Succes hè,' zeiden ze tegen elkaar.

Op haar bank lag een splinternieuw potlood, zag Isa. Ze pakte het op en drukte even met haar vingertop tegen de scherpe punt. Ook het antwoordenblad lag er al. Daar moest je de vakjes op inkleuren: A, B, C of D en soms E. Toen keek ze op naar juf Sandra, die met een stapel boekjes in haar hand de klas door liep om de opgaven uit te delen.

Ze moesten vanochtend eerst taal doen. Isa pakte haar pandabeertje op en wreef daarmee langs haar neus, terwijl ze de geur van de zeep die nog aan haar handen kleefde, opsnoof. Daarna pakte ze het potlood en draaide het even rond in haar vingers. Zo, ze kon beginnen, ze was er klaar voor.

Even later zaten ze allemaal over hun werk gebogen. Verschillende opgaven waren het, spelling, grammatica, van alles wat. Het begon gemakkelijk en Isa kon de eerste hokjes zonder aarzelen zwart kleuren. Veertig minuten de tijd kregen ze ervoor, en Isa keek af en toe op haar horloge om te zien hoe laat het was.

Het was stil in het lokaal. Iedereen was geconcentreerd aan het werk. Soms hoorde je iemand kuchen. Of iemand haalde zijn neus op. Vera gumde zo hard dat het blad ervan kreukte. In groep 7 naast hen was het ook stil, die hadden zeker opdracht gekregen rustig te zijn. Slechts heel af en toe hoorde je de stem van meester Ronald of hoorde je de klas even rumoeren.

Hoe verder ze kwam, hoe moeilijker het werd, dus Isa gokte ook maar wat en probeerde niet in paniek te raken. In haar hoofd hoorde ze juf Sandra zeggen: werk eerst maar verder, dan ga je op het laatst terug naar de opgaven die je niet wist om daar nog eens rustig over na te denken. Terwijl ze bleef hopen dat haar nog een antwoord te binnen schoot, vulde Isa de laatste minuten met naar buiten staren terwijl haar vingers aan de oortjes van haar beertje plukten.

Toen de tijd om was, haalde juf Sandra de antwoordbladen op. Er was een mooi patroon van zwarte hokjes ontstaan. Als dat nou maar goed was, dat patroon! Maar Isa schudde haar hoofd. Ze wist het ook wel: je kon de toets niet goed of slecht maken, je kon geen onvoldoende halen. Die toets zei gewoon wat je kon. En je kon wat je kon en niet meer. En ook niet minder. Daar moest Isa in haar eentje om lachen.

Om haar heen werden haar klasgenoten even heel druk. Juf Sandra liet ze een paar minuten begaan, toen was het tijd voor het volgende onderdeel.

'Nou, dat viel best mee, hè? En dan nu rekenen. Je hebt vijfendertig minuten de tijd.'

'Getallen en bewerkingen' stond op het boekje. Isa hield van rekenen, en de moeilijke sommen met inhoudsmaten kwamen later pas, wist ze. Het waren dezelfde sommen als in het rekenboek. Het begon weer gemakkelijk: de eerste sommen wist ze allemaal. Vlot achter elkaar kleurde ze de hokjes zwart. Algauw dacht ze niet meer bij elk hokje: als ik het nu maar goed invul. Ze maakte sommen, net als altijd. In haar lijf werd het een stuk rustiger.

Voor ze het wist, had Isa de sommen af. Op het laatst zaten er een paar moeilijke bij, maar ze had al wel gedacht dat ze ze niet allemáál zou kunnen maken. In het boek waren er ook altijd een paar sommen te moeilijk voor haar. Het was dus eigenlijk net als anders. Ze probeerde het nog wel even, maar gaf het toen op. Ze sloeg het boekje dicht en pakte haar leesboek, zoals hun gezegd was.

In de pauze aten ze hun fruit met kabaal maat XL. Daarna renden ze met XXL-lawaai naar buiten. Op het plein werd druk vergeleken. Lisa en Vera vroegen alsmaar aan elkaar: 'Wat had jij bij die vraag? En bij die?'

Isa en Claudia stonden erbij. Om de beurt riepen ze: 'O, die heb ik fout!' Of: 'O, wat heb ik het slecht gemaakt!' Tot Isa er helemaal gek van werd.

'Hou op!' riep ze uiteindelijk. 'Ik wil het niet weten! Kom op, we gaan tikkertje doen.'

Dat was beter, ze vergaten even helemaal waar ze mee bezig waren en zolang de pauze duurde, leek het een gewone ochtend. Bezweet ging Isa weer op haar plaats zitten, vast van plan zich de rest van de tijd niet meer mee te laten slepen door dat zenuwachtige gedoe!

Voordat ze verdergingen, deelde juf Sandra druivensuiker uit. Voor extra energie. Dat hadden ze misschien wel nodig. Ze kregen nog meer taal – ze moesten teksten schrijven – en ook nog wereldoriëntatie. Drie ochtenden zouden ze zo werken aan hun toekomsttoets. Morgen was meester John er, zou die ook druivensuiker uitdelen? Isa zoog erop en dacht: ach, het had ook wel iets bijzonders, zo samen in de klas aan hun toekomst zitten werken.

En als alles klaar was, wist juf Sandra nóg beter wat zij later zou kunnen. Deze toets gaf immers aan op welk niveau zij het beste haar middelbare school kon kiezen. Later? Al over een paar maanden zouden ze afscheid nemen van Woutertje Pieterse, hun oude, vertrouwde basisschool! Zo groot waren ze nu... Dan gingen ze naar de brugklas! Stoer zeg! Ineens had Isa hartstikke zin in die toekomst. Buiten brak de zon door en een straal prikte de klas in.

En vanmiddag lekker creatief, dacht Isa tevreden.

Mega-giga-groot

'Wat groot! Wat mega-giga-groot!'

Vol ontzag bleef Isa een moment staan kijken naar het schoolgebouw dat zich voor haar uitstrekte in de heldere winterzon. Ze wierp een blik naar links en ze wierp een blik naar rechts. De ingang was in het midden en ze moest dus echt haar hoofd draaien om te zien waar de school ophield.

Isa haalde heel diep adem. Dus dit was het Max Havelaar College. Een groot, wit schoolgebouw met een rij ramen beneden en evenveel ramen boven. Hoeveel lokalen waren dat? En hoe kon je nou ooit...

'Hé, blijf je hier overwinteren soms?'

De ongeduldige stem van haar zusje werd gevolgd door een pijnlijke elleboogstoot in haar zij. Automatisch stompte Isa terug. 'Het is mijn school, hoor, als je dat maar weet!'

'Dat weet je nog helemaal niet,' antwoordde Marije. 'En als je op de stoep blijft staan, kom je het ook nooit te weten.'

Als het aan Isa had gelegen was Marije helemaal niet meegegaan; maar het moest van haar moeder. 'Dat is leuk,' had ze gezegd. 'Dan kan zij zich ook vast een idee vormen van de middelbare school.'

Stom! Wie ging hier nu naar de middelbare school? Zij toch zeker! Zij en Lisa. Isa had de laatste tijd wel vaker een meningsverschil over 'leuk' en 'niet-leuk' met haar moeder. Met Marije trouwens ook.

Lisa trok aan de mouw van Isa's jas. 'Max Havelaar!' riep ze. 'Hier komen we!'

'Aanstellers!' hoorde Isa achter zich. 'Dat is trouwens een dooie vent!'

Toen liep Isa door, te midden van al die andere achtste-groepers met haar ouders en haar zusje achter zich aan. Isa probeerde niet te veel om zich heen te kijken, ineens bang hun blik te ontmoeten. Dan zie je ze zo denken: 'Dat die naar de middelbare school gaat?' Maar de zwarte pijpen van haar nieuwe spijkerbroek zwiepten geruststellend om haar benen.

In de hal stonden kinderen die al op deze school zaten. Ze deelden stoffen tassen uit met het logo van de school erop gedrukt.

'Waar is die voor?' vroeg Isa.

'In die tas kun je alle papieren doen die je vanmiddag krijgt. Er zit al een plattegrond van de school in en een blaadje waarop staat hoe laat en waar de proeflessen zijn. Je kunt nu eerst daar gaan zitten,' wees een jongen met allemaal kleine vlechtjes in zijn haar.

Ze liepen door naar de lawaaierige kantine, waar het al aardig vol zat.

'Hé, Isa en Lisa, hier!'

Dat was Claudia, ook uit hun klas. Ze schoven naast haar op een stoel. Zittend durfde Isa wel om zich heen te kijken, dan viel het minder op dat ze zo klein was. Kijk, daar waren de anderen uit haar klas: Jesse, Kees, Janneke, Martijn, Zora en Vera. En hun ouders natuurlijk. Isa keek opzij naar het gezicht van Lisa, die met haar en haar vader en moeder mee was gekomen. Zoals gewoonlijk deed ze alsof het de normaalste zaak van de wereld was dat zij haar ouders niet bij zich had.

Het werd stil om Isa heen. Ze luisterde naar de welkomstwoorden van de man achter de microfoon en probeerde zich groot te voelen. Dat ging bijna vanzelf op zo'n school! Ze keek met een trots gevoel om zich heen. Mooie kantine hier, al zou die normaal wel anders ingericht zijn met tafeltjes erbij. Zo gek dat je straks niet meer naar huis ging om te eten! Nou ja, straks... Het duurde nog een half jaar! Wat haar betrof begon de middelbare school volgende week, zo'n zin had ze. En dan kon juf Sandra nog zo hard roepen dat het leuke, drukke maanden waren tot de zomervakantie die snel om zouden vliegen...

'Voor je het weet, is het zover,' had ook meester John gezegd. Daar geloofde zij dus niks van. Tijd kan niet omgaan zonder dat je het in de gaten hebt.

'Weet je al naar welke proefles je wilt?' vroeg haar moeder in haar oor.

Isa schrok op. Ze had niet opgelet! Begon dat nu? Ze keek naar het papier in haar hand en voelde haar hart sneller gaan. Wiskunde. Geschiedenis. Nederlands. Biologie. Informatica. Dat klonk toch allemaal veel beter dan taal en rekenen! Veel volwassener.

Isa boog zich opzij naar Lisa. 'Waar gaan we heen?'

'Nederlands,' zei Lisa, die van taal hield.

'En wiskunde,' besliste Isa.

'Ik wil wel naar biologie, dat lijkt me leuk,' zei Marije.

'Dat doe je over twee jaar dan maar,' zei Isa. 'Wij bepalen waar we heen gaan.'

Achter elkaar liepen ze de kantine uit en de achtstegroepers verspreidden zich door de school.

'Wat een doolhof!' Isa kreunde. 'Waar is dat wiskundelokaal?' Een raar gevoel nestelde zich in haar buik terwijl ze door de gangen liep met de plattegrond in haar handen en haar blik gericht op de nummers van de lokalen. Hoe moest je hier ooit de weg onthouden?

'128, hier dus,' zei Lisa tevreden.

Toen ze het lokaal binnengingen, riep Isa: 'Alle tafels staan in rijen, wat stom!'

Lisa knikte, terwijl ze zich naast elkaar op een stoel lieten vallen. 'Dat is hier overal zo.'

Isa's moeder ging met Marije achter hen zitten en haar vader bleef aan de zijkant tegen een muur staan leunen. Het lokaal zat helemaal vol met kinderen en ouders, maar het werd gauw stil toen de leraar groene kopietjes uitdeelde.

'Dus dat is een leraar en geen meester,' fluisterde Lisa. 'Twee ogen, één neus, twee armen, ik zie geen verschil.'

Isa begon te lachen. 'Sst, hij begint.'

Op het groene vel papier stond een paar sommen en de leraar legde kort iets uit. Daarna gingen ze ermee aan de slag.

'Puzzels, dus,' zei Isa en trok haar neus op. 'Geen wiskunde!'

'Hoe weet je dat nou?' vroeg Lisa. 'Je hebt nog nooit wiskunde gehad!' Enthousiast begon ze te rekenen.

Isa keek naar haar eigen vel met opgaven, maar haar hoofd zat zo vol indrukken dat ze zich niet goed kon concentreren. Zo voelde het dus, een les op de middelbare school. Nee, toch niet, want er zijn allemaal ouders bij. En Lisa zat naast haar... Isa slikte. Ze zou zo graag bij Lisa in de klas willen zitten...

Maar Lisa kon veel beter leren en zou waarschijnlijk een hoger advies krijgen. Zij, Isa, hoopte op een vmbo-t advies. Dus dit zouden de enige lessen zijn die ze samen met Lisa volgde. Zou ze het redden zonder haar vriendin?

Ze ging rechtop zitten. Natuurlijk! Dat moest. Ze zou zich niet op haar kop laten zitten. En al konden ze niet naar dezelfde klas, ze gingen wel naar dezelfde school. Tenminste, waarschijnlijk. Lisa aarzelde nog omdat ze op het IJsselstein College veel aan muziek deden. De meesten van hun groep wilden naar het Max Havelaar. Daar hadden ze het al zo vaak over gehad! Dat was een veel leukere school dan het IJsselstein, dat hoorde je van iedereen. Natuurlijk zouden ze wel met elkaar op fietsen.

Achter zich hoorde Isa de stemmen van haar moeder en Marije, die driftig aan het rekenen waren. Ze moest ook wat doen nu, straks had haar zusje wel de antwoorden en zij niet. Dat kon natuurlijk niet, ook al kon Marije honderd keer beter leren dan zij.

Toen de leraar even later de sommen besprak, had Isa niet overal een antwoord op, maar dat gaf niet. Nog niet. Hoe streng zijn die leraren eigenlijk? En als je nou iets niet snapte? Kon je dan gewoon naar hen toe?

De proefles was afgelopen en ze liepen nu door de school. Overal stonden de deuren open en ze liepen alle lokalen even binnen.

'Wat mooi geverfd zijn de gangen,' zei Isa's moeder. 'Vrolijk, dat geel en blauw.'

Isa keek Lisa met gefronste wenkbrauwen aan en gaf met een knikje van haar hoofd aan dat ze dat een totaal foute opmerking vond. Ze pakte Lisa bij haar arm en snel glipten ze het volgende lokaal binnen. Dit was duidelijk het biologielokaal. Een jonge leraar stond iets uit te leggen aan een groepje kinderen.

'Leuke vent,' zei Isa, die een glimp van hem kon opvangen.

Lisa grinnikte. 'Wie? Hij of die ernaast?'

Dat kon zij natuurlijk niet zien. 'Wie staat er nog meer dan?' vroeg Isa.

Aan de grijns op Lisa's gezicht te zien was het de moeite van het kijken waard en dus wurmde Isa zich tussen de kinderen door die in een kring om de biologieleraar heen stonden. Dat was het voordeel van klein zijn: niemand protesteerde toen Isa voor de anderen ging staan. Nu zag ze wat Lisa bedoelde: op de tafel naast de biologieleraar stond een pop met een open borstkas, die wel een hoofd maar geen armen en benen had. Organen had hij evenmin, die lagen stuk voor stuk naast zijn lege borst- en buikholte. Twee kinderen waren bezig longen, hart, maag, lever, darmen en nieren terug te plaatsen. Van alle kanten kregen ze aanwijzingen.

'Nee, daar niet, sukkel, het hart zit aan de andere kant!'

'Ja, bij jou misschien, maar dit is wel links, hoor, draai je maar eens om.'

'Is het een mannetje of een vrouwtje?' werd er geroepen.

'Goede vraag,' zei de biologieleraar. 'Wat is het?'

Terwijl de kinderen gniffelden en grinnikten, probeerden ze erachter te komen. Hoe zag het binnenste van een vrouw er precies uit? En van een man?

'Je moet aan de buitenkant kijken,' zei een jongen die de buikwand oppakte, die naast de pop lag.

Iemand riep: 'Grijp hem bij zijn kloten!'

Maar de jongen schudde zijn hoofd en hield de kale buik omhoog. 'Dat kan niet, kijk maar. De boel is er gewoon afgesneden.'

Er werd gekreund en de biologieleraar lachte. 'Het is geen man en geen vrouw. Aan de buitenkant is het onzijdig, maar vanbinnen is hij wel degelijk een man.' Hij haalde de darmen er weer uit. 'Kijk, hier lopen de zaadleiders, zie je wel?'

Isa zag ze aan de zijkant van de buikholte liggen. 'Zo lang?' vroeg ze.

De biologieleraar knikte. 'Ongeveer een halve meter. Het zijn smalle, buigzame buisjes, net gekookte spaghetti! En hier lopen ze door de buikwand heen naar het scrotum.'

Toen haalde de leraar ook alle stukken uit de borst en vroeg: 'Wie nu?'

'Ik! Ik!' riepen een paar kinderen. Ze wilden allemaal de pop weer in elkaar zetten. De leraar wees twee van hen aan. Haar natuurlijk niet, haar zagen ze wel vaker over het hoofd. Maar wel Marije! Nu pas zag Isa dat haar zusje erbij was komen staan. Ze wilde haar mond opendoen om te zeggen dat haar zusje nog maar tien was en voor nep mee, maar toen ze de stralende ogen van Marije zag, bedacht ze zich. Die moest nog langer wachten op de middelbare school. Ze kon zich de vergissing wel voorstellen, het gebeurde zo vaak dat Marije voor ouder werd aangezien. Gelukkig bracht ze het er goed van af en kreeg de pop al zijn organen op de juiste plek in borst en buik. Nou ja, je kon ook niet anders verwachten van zo'n bolleboos.

Lisa wenkte Isa. Ze bleven nog even staan kijken bij de vitrinekast met botten en glazen potten met een heldere vloeistof waarin vreemde wezentjes dreven.

Isa haalde haar neus op. 'Gatsie,' zei ze.

'Leuk!' zei Lisa. 'Kom op, we gaan verder.'

'Ze liepen de bibliotheek binnen, ze beantwoordden vragen in het Franse lokaal, ze zaten achter de computer en ze stonden in de rij voor de hometrainer van gymnastiek om hun conditie te meten. Het stoffen tasje dat over haar schouder hing, raakte vol en bungelde tegen haar heup. Af en toe kwamen ze iemand van hun groep tegen.

'Leuke school, hè?' zeiden ze dan tegen elkaar.

'Ja!' zei Lisa. 'Ze hebben hier leuke leraren!'

Isa giechelde. 'Die biologieleraar was tof! Die gecastreerde dan.'

Ze eindigden hun ronde door de school weer in de kantine. Ze hoorden de band al in de hal spelen.

Lisa trok Isa mee. 'Wauw! Gaaf, kom gauw!'

Op het podium stonden zes leerlingen, allemaal van verschillende leeftijden, schatte Isa: een bassist, een drummer, nog een gitarist, eentje die op de saxofoon speelde, een keyboardspeler en een zangeres. Wauw, te gekke school was dit! De muziek gleed als een lekker en vertrouwd jasje om haar schouders en haar heupen, middel en schouders bewogen als vanzelf mee met het ritme. Naast haar stond Lisa met glanzende ogen en met een bewegende mond te luisteren. Die zag zichzelf natuurlijk al meezingen!

Het was nu half donker in de kantine en heel sfeervol door een paar gekleurde lampen. Veel kinderen stonden te luisteren en klapten enthousiast als een nummer was afgelopen.

En ineens wist Isa het zeker: dit was haar school.

JESSE
Het advies

Jesse zat op de bank te zappen, maar hij zag eigenlijk niks van wat er voorbijkwam. Voor de zoveelste keer keek hij op zijn horloge: zijn moeder zat op dit moment op school bij juf Sandra en meester John. Nu hoorde ze welk advies Jesse kreeg voor de middelbare school. Hij had zijn Cito-score al gezien, maar toch... Juf Sandra deed altijd alsof hij nog een kleine jongen was die veel begeleiding nodig had. Dat kwam natuurlijk omdat hij groep 2 overgedaan had. Hij was te onzeker en te speels volgens de kleuterjuf, en dat droeg hij nu al zijn hele schooltijd met zich mee.

'Zullen we jeugdjournaal kijken?' Jesses kleine broertje Paul kwam naast hem op de bank zitten. Naast Pauls benen leken Jesses benen extra lang. Jesse had zijn pet in gedachten achter op zijn hoofd geschoven.

Jesse zette de tv op 3. Het jeugdjournaal begon net en Jesses gedachten dwaalden weer af. Het kwam allemaal eng dichtbij, nu. Het hele jaar voelde zo anders dan vorig jaar. In groep 7 wist je dat je voorlopig nog op school zat. En nu... Ze waren met zijn allen echt de oudsten van de school. Juf Sandra en meester John hadden het de hele tijd over volgend jaar. 'Je schrift thuis laten liggen? Dat kan op de middelbare school niet meer.'

En dan dat gezenuw over de Cito-toets! Jesse had niet gedacht dat hij zo zenuwachtig zou zijn. De nacht tevoren kon hij niet slapen: de hele tijd zag hij de oefenbladen van de Cito voor zich. En dan hoorde hij juf Sandra's stem weer: 'Jesse, je hoeft niet onzeker te zijn.'

Hij voelde zich een dweil toen hij de eerste Cito-ochtend naar school ging. Er hing zo'n plechtige sfeer, heel anders dan anders. Alle tafeltjes stonden los van elkaar in nette rijen en niet in groepjes. Veel meiden hadden een knuffeltje als mascotte meegenomen. Bij Isa zag hij een pandabeertje op tafel staan. Hij had zijn voetbalsleutelhanger op de hoek gelegd. Die had hij in groep 1 van Kees gekregen en die bracht volgens hem echt geluk. Verder mocht je alleen je pen op tafel hebben.

Juf Sandra had de toetsboekjes uitgedeeld. Jesses vingers trilden toen hij het boekje opensloeg. Hij begon de eerste vraag te lezen. Die was makkelijk! Jesse zuchtte van opluchting. En op dat moment verdwenen zijn zenuwen als sneeuw voor de zon. Dit ging lukken, nu wist hij zeker dat hij dit kon.

Dat gevoel was niet meer weggegaan in de dagen die volgden. Elke ochtend had hij zich scherp en helder gevoeld en hij had zich door niets laten afleiden. Zelfs niet toen Kees misselijk naar de wc was gegaan. Lullig voor Kees, maar dit was zíjn Cito. Hij wist daarom ook zeker dat hij de toets goed gemaakt had.

Het jeugdjournaal was afgelopen. Een reclame schetterde Jesse tegemoet en haalde hem uit zijn gedachten. Nu pas merkte hij dat Paul niet meer naast hem zat. Hij zat te computeren aan het bureau in de hoek van de kamer.

Er klonk een sleutel in het slot. Daar was zijn moeder! Jesse hoorde hoe ze haar jas op de kapstok hing en haar tas op het kastje in de gang zette. Hij zette de tv uit, maar bleef onderuitgezakt op de bank zitten. De kamerdeur ging open.

'Paul! Jij mocht niet meer computeren vandaag! Dat wist je best. Waarom heb jij niks gezegd, Jesse?' Die keek zijn moeder verdwaasd aan. Hij begreep even niet waar ze het over had.

Er gleed een glimlach over zijn moeders gezicht. 'Paul, ga jij vast naar boven om je uit te kleden. Ik moet even alleen met Jesse praten.'

Mopperend vertrok Paul naar boven en zijn moeder ging aan de tafel zitten. Ze wenkte Jesse bij zich.

'Ik heb uitgebreid met juf Sandra en meester John gesproken.' Ze aarzelde even. En Jesse knikte onzeker. Dat had hij gemerkt, want ze was veel later terug dan hij had verwacht.

'Hun advies is vmbo-t. Je Cito-score was natuurlijk heel hoog, maar juf Sandra zegt dat je meestal erg onzeker bent. Als je het niet meer weet, leg je meteen je pen neer. Ze vinden het allebei verstandig als je rustig aan begint. Als er meer in zit, komt het er vanzelf wel uit, zeggen ze. Dan kun je altijd nog vwo gaan doen. Je bent ook meer een jongen om iets met je handen te doen, of op een vrachtwagen te rijden. Net als je vader, zeggen ze.' Zijn moeder keek lief en haar gezicht stond op verstandig. Zij was het er wel mee eens, zag Jesse.

'Ik had 544, mam,' zei Jesse. 'Met 545 mag je naar het gymnasium. Waarom mag ik dan niet naar havo/vwo?'

'Het lijkt de juf beter als je rustig aan begint. Haar broer had ook zo'n hoge score, en die heeft het later niet gered.'

'Ik ben toch niet de broer van juf Sandra!' schreeuwde Jesse. Boos stond hij van tafel op en hij rende naar boven. Het was dat zijn zolder geen deur had, anders had hij hem hard dicht geknald. Bij gebrek aan beter stampte hij maar eens flink op de grond. Stomme juf Sandra! Dat hij iets met zijn handen moest doen, hoe kwam ze daar nou bij? Hij deed nooit iets met zijn handen. Het kwam vast doordat zijn vader vrachtwagenchauffeur was. Zo vader zo zoon, dachten ze zeker. Zo hadden ze al die jaren dus naar hem gekeken! En zelfs nu hij zo'n hoge score had gehaald, wilden meester John en juf Sandra hun beeld niet bijstellen. Ze vonden hem een slome, dat was wel duidelijk.

De volgende dag was Jesse nog steeds chagrijnig toen hij naar school fietste. Iedereen hoorde hem natuurlijk aankomen op zijn oude rammelbak. Kees stond hem al op te wachten bij het hek.

'En?' vroeg hij.

'Vmbo-t,' zei Jesse en hij kwakte zijn fiets in het rek.

'Leuk man! Dat heb ik ook! Dan kunnen we naar dezelfde klas!' Kees sloeg hem van plezier op zijn schouder. En Jesses woede smolt weg, want Kees was een wereldkerel. En het zou toch heel gezellig zijn om bij hem in de klas te komen.

Samen liepen ze langs de meiden. Lange Lisa en korte Isa stonden druk met elkaar te kwekken. Jesse ving een flard van een gesprek op.

'Ik heb een havo/vwo-advies,' zei lange Lisa. 'Eigenlijk had ik op een gymnasiumadvies gehoopt, want ik had 544. Dat scheelt maar één punt. Op het IJsselstein heb je zo'n creatief vwo met veel muziek en zang, dat leek me super...'

De woede in Jesse vlamde weer op. Hier! Lange Lisa had wel

een havo/vwo-advies met dezelfde punten! Waarom mocht hij daar niet heen? Zo'n onzekere sukkel was hij toch ook weer niet?

Het hele plein gonsde van de gesprekken over de adviezen tot de bel ging.

Na school stond zijn moeder hem op te wachten bij het hek.

'Ik ga met Kees mee,' zei Jesse en wilde doorfietsen. Op een of andere manier was hij ook kwaad op haar, terwijl ze er eigenlijk niks aan kon doen.

'Nee, Jesse, wacht. Ik heb met papa gebeld en ik wil met je praten. Dat kunnen we beter thuis doen.'

Jesse keek naar haar vastbesloten gezicht en hij voelde een sprankje hoop. Als ze met pa had gebeld, vond ze het ook belangrijk. Hij reed op Italië en was alleen de weekenden thuis. Zijn vader en moeder belden elkaar door de week niet vaak, omdat het anders te duur werd.

Kees stond inmiddels naast hem en keek hem vragend aan.

'Ik kan niet,' zei Jesse. 'Zullen we morgenmiddag na de voetbaltraining samen spelen?'

'Prima!' Kees was al weg.

Zijn moeder begon er onderweg naar huis al over en dat was niets voor haar. Het zat haar blijkbaar ook hoog. 'Papa snapte goed dat je kwaad was. Hij vond dat je het toch moest kunnen proberen. Toen heb ik het Max Havelaar College gebeld en met de directeur gesproken, die in de toelatingscommissie zit. Hij vond dat je een kans moest krijgen. Ik ga vanavond met juf Sandra en meester John praten en als we er niet uitkomen, belt de directeur de school.'

Zijn moeder hijgde ervan, want ze trapte intussen nog behoorlijk door. Jesse keek haar aan en voelde zich warm worden vanbinnen.

Die mama! Dat was toch een echte power-mother! Gelukkig maar dat zijn vader het er niet bij wilde laten zitten.

VERA
Een tuttenjas

'Voor een nieuwe school heb je een nieuwe jas nodig,' had Vera's moeder gezegd. 'Ik moet toch voor de bibliotheek naar de stad. Ga je mee? Dan zoeken we wat uit.'

Zo liepen ze die middag door het winkelcentrum te slieren op zoek naar een niet-fout jack. Bij Zeeman wilde Vera niet naar binnen omdat Zeeman echt niet kon qua merk, en bij Replay wilde haar moeder niet naar binnen omdat Replay echt niet kon qua geld. 'Bovendien zie je 't er niet eens aan af, hoe duur het is,' vond ze. Tja, daar zat wat in.

Ze gingen zaak in, zaak uit, bladerend in de rekken, totdat de winkeljuffrouw kwam vragen: 'Kunt u het vinden of kijkt u alleen even rond?'

Vera had de hoop al opgegeven dat ze ooit van haar leven nog iets zou vinden wat een beetje behoorlijk was, toen ze verzeild raakten in C&A. Er was daar een neplegerafdeling en daar hing een stel superjacks. Vanaf de schouders was alles strak lichtgevend geel met overdwars brede witte banden, ook van reflecterend spul, de bovenste knoop was van rood achterlicht gemaakt. Vlach was het merk.

Vera moest er meteen één in haar maat proberen. In de spiegel zag ze er niet bepaald slank in uit, maar wel ruig of stoer. Wauw! Alsof je van de ordedienst in het stadion was, of verkeersagent bij een demonstratie, of reddingsbrigade bij een watersnood of wist zij veel. Zoiets in ieder geval.

Ze keek haar moeder aan. 'Het is ook nog goed voor 3VO,' zei ze. 'Dan zien ze me aankomen in het donker en dan gaan alle auto's voor mij opzij.'

Haar moeder glimlachte. Ze keek in de spiegel naar Vera en ze keek naar Vera zelf. Daarna keek ze naar het prijskaartje onderaan.

'Ja,' zei ze. 'Op zich kan het wel. Maar weet je zeker dat je het wilt dragen?'

Daar had Vera nog niet speciaal over nagedacht. Ze keek nu opeens een beetje onzeker in de spiegel en dat stond minder goed bij dit glitterjack. Stel je voor dat niemand anders op de Max Havelaar zo'n jack had. Dan val je wel heel erg op, in zo'n glimmende outfit, dan ben je niet als de anderen, dus dan lig je eruit. Dan word je alleen maar uitgelachen.

Razendsnel deed Vera het jack weer uit en hing het terug in het rek.

'Stom jack,' zei ze kortaf.

'Zo bedoelde ik het ook weer niet,' zei haar moeder. 'Is er wat? Wat heb je opeens?'

'Er is niks,' snauwde Vera. 'En ik heb ook opeens niks. Laten we maar ergens anders gaan kijken.'

Ze beende zo snel mogelijk de afdeling af.

In de C&A hing genoeg dat niet echt tuttig was, maar ook weer niet erg cool. Er was iets neppigs van Miss Here & There en iets saais van Palomino. Vera koos ten slotte maar voor een waterdicht jack dat Force 10 heette. Er stond maar in kleine letters aan de binnenkant dat het van C&A was. Het was gewoon een gewoon jack, een beetje legerkleur, een mouw links, een mouw rechts, een zak links, een zak rechts en een rits in het midden, een jack zoals andere jacks, er was niets mis mee. Je kon ermee voor de dag komen zonder uit de boot te vallen. Het was een jack van niets meer en niets minder.

'Deze maar doen, dan?' zei haar moeder en keek op haar horloge. 'Hou hem maar meteen aan, dan doen we je oude jas in de nieuwe C&A-tas. Ik moet nog even naar de bibliotheek, maar jij hoeft niet mee. Kun je vast je nieuwe jack uitproberen. Je moest toch nog schriften en een agenda hebben? Ik zal je wat geld meegeven, dan zien we elkaar over een uur in de bieb. Goed?'

Even later liep Vera in haar eentje in haar nieuwe jas door de winkelstraat. Ze zag zichzelf langskomen in de etalageruiten. Ze bleef stilstaan en bekeek zich nog eens goed. Wat een sloom tiep stond daar eigenlijk. Wat stom! Waarom had ze niet de moed gehad om dat lichtgevende jack te nemen? Waarom moest ze zo nodig uitgerekend dat brave gewone jasje kiezen? Tja, als je apart wilt zijn, lig je eruit. Dan ben je eenzaam, en dat wilde Vera niet. Ze wilde bij de groep horen en dan moet je je aanpassen aan de anderen, dat is nou eenmaal zo. Maar als die anderen stom zijn, word je zelf ook een beetje stom. Het liefst wilde ze gewoon zichzelf zijn, maar als ze zo in die etalage keek, viel dat niet mee.

Kwaad stapte ze verder, haar vuisten in haar zakken, haar rug gebogen. Ze beet op haar lippen om niet hardop te lopen vloeken, ze schold zichzelf uit om niet zielig te gaan huilen. Waarom wist ze de laatste tijd niet meer goed wat ze nu eigenlijk zelf wilde? Nu zat ze aan dat suffe jack vast.

Om niet meer in de etalageruit te hoeven kijken, liep Vera maar de AKO in om een agenda uit te zoeken. Dat was evengoed een hopeloze klus. Je kon als beginnende brugsmurf niet met Teletubbie-, Tweety- of Snoopy-agenda's aankomen, dat begreep ze best. Ze wilde dat kinderachtige spul ook niet eens. Maar ja, wat moest ze dan? Een Ajax-agenda? Haar vader zou haar zien aankomen. Die was voor Sparta en daar waren geen agenda's van natuurlijk. Madonna dan? Madonna was te oud voor haar, die had haar moeder kunnen zijn. Madonna was natuurlijk wel goed, maar ook wel een beetje bejaard.

Er lag ook een hele stapel O'Neill. Dat was wel erg gaaf. Het probleem was alleen dat er al zo veel kinderen waren die de O'Neill agenda hadden. Janneke had er een en Rinske ook. Als je daarmee aankwam, dan moest je er eigenlijk ook kleren van hebben, dan was je echt helemaal O'Neill. En Vera wilde juist niet O'Neill zijn, ze wilde zichzelf zijn.

Ze zuchtte. Welke agenda ze ook koos, ze zou altijd bij een club horen. Zo kon je nooit bij jezelf horen.

Toen zag ze een stapel in rood linnen gebonden boekjes. 'Dummy's' stond erbij. Ze pakte er een op en bladerde erin. Het was een boek waar niks in stond. Geen foto's, geen dagen of data, geen lijst van nationale en christelijke feestdagen, alleen maar niets en niets, alleen maar schone witte bladzijden. En het was nog niet eens duur ook. Vera kreeg een prachtig idee. Ze kocht een dummy, liet hem mooi inpakken en liep er trots mee naar buiten.

Toen ze thuiskwamen, ging Vera meteen naar haar kamer om aan haar agenda te werken. Met haar liniaal trok ze keurige strakke strepen. Op iedere dubbelpagina zevenmaal, voor elke dag een streep en dat wel 52 keer, het hele jaar door. Bij elke dag schreef ze met paarse viltstift de datum, de zon- en feestdagen kregen een bloemetje met blauwe viltstift en haar eigen verjaardag kreeg een glimmerglinster vlindersticker. Achterin maakte ze een bladzijde voor namen en adressen, en haar eigen naam, adres, postcode en telefoonnummer zette ze alvast bovenaan. Daarna nog een bladzijde voor handtekeningen van Bekende Nederlanders, met haar eigen zelfontworpen handtekening breeduit voorin. Ten slotte schreef ze op de eerste bladzijde met zeven kleuren viltstift en een krul aan iedere letter: 'Ik ben de Agenda van de enige echte Vera van Markestijn!!'

Ziezo. Dat stond er tenminste op. In de hele wereld was er geen agenda zoals deze, want er was maar één Vera en dat was zij.

Max Havelaar, tot volgend jaar!

Jesse werd wakker met een schok. Er was iets leuks vandaag, iets feestelijks. Was hij jarig? Nee, dat was het niet. Vanmiddag na school was de kennismakingsmiddag op het Max Havelaar. Vandaag zou hij de klas zien die volgend jaar zijn leven zou bepalen. Hij voelde een golf van zenuwen door zijn lijf gaan en alles tintelde. Het was een fijne golf. Hij vond het heerlijk dat zijn leven ging veranderen. Hij was er klaar voor.

Het was nu juni en hij was zijn oude klas en meester John en juf Sandra helemaal zat. Gek was dat. Aan het begin van het jaar had hij er nog niet aan moeten denken, afscheid nemen. En nu kon het hem allemaal niet snel genoeg gaan.

Met een sprong stond hij naast zijn bed en hij denderde naar beneden. Als hij snel was, kon hij nog voor mam onder de douche.

Die stak glimlachend haar hoofd om de hoek van haar slaapkamer. 'Nou zeg! Je bent er klaar voor, vanmorgen!'

Hij lachte naar haar en griste zijn handdoek van het rek.

'En ik ben lekker eerder dan jij.'

De morgen duurde eindeloos lang. Meester John vond het ineens hoognodig om de werkwoordspelling te herhalen. 'Als je op de middelbare school zit, mag je dit soort fouten niet maken,' zei hij steeds. En Jesse droomde weg bij de heerlijke zomerlucht die het lokaal binnenstroomde.

Eindelijk was het zover: kwart over twaalf en de school ging uit. Het was stralend weer en de zon schitterde in de ramen van de lokalen. Op het schoolplein verzamelden alle achtste-groepers zich. Ook de kinderen die naar het IJsselstein College of het Waterland gingen, hadden vanmiddag kennismakingsmiddag. Als vanzelf gingen de verschillende scholen bij elkaar staan.

Er heerste een opgewonden stemming. Iedereen praatte door elkaar heen. Sommige kinderen lieten elkaar hun nieuwe etui zien, dat ze speciaal voor vandaag hadden meegenomen. Jesse baande zich met zijn fiets een weg naar Kees. Natuurlijk zouden ze samen fietsen. Uit zijn ooghoek zag hij dat lange Lisa en kleine Isa elkaar al hadden gevonden. Net als Kees en hij waren die twee al jaren dik met elkaar. Even schoot het door Jesse heen: zou hun vriendschap het houden volgend jaar als ze niet meer in één klas zaten? Onmiddellijk schudde hij de gedachte van zich af. Natuurlijk! Een vriendschap vanaf groep één, die kon niet meer kapot.

Kees hing over zijn stuur en nam een hap van zijn boterham. Volgend jaar zou het ook zo gaan, bedacht Jesse. Met elkaar brood eten en niet meer thuis.

'Zullen we gaan?' riep Kees zodra hij hem zag.

Jesse liet zijn blik over de groep glijden. Zo te zien was iedereen er. Hij knikte.

'We gaan!' Kees liet zijn stem expres galmen.

'We gaan!' echode lange Lisa en de stoet zette zich in beweging.

Natuurlijk fietsten ze vaker met de klas. Naar het zwembad of naar de bibliotheek. Maar nu leken ze wel een stel koeien die in het voorjaar voor het eerst de wei in mochten. Kees steigerde en hield zijn voorwiel in de lucht, Lisa en Isa fietsten met losse handen en Jesse reed op zijn trappers staand de hele groep voorbij.

'Max Havelaar, here we come!' riep hij.

Die anderen belden zo hard ze konden met hun fietsbel.

Toen ze eenmaal de stad bereikten, werden ze wat kalmer. Gedwee reden ze nu twee aan twee.

In een mum van tijd stonden ze voor de grote witte muren van het Max Havelaar College. Wat voelde Jesse zich ineens klein. Hoe zou het gaan bij het binnenkomen? Zouden ze de weg wel kunnen vinden? Buiten stond een stel jongens te roken. Die zaten zeker al in de vijfde of de zesde. Ze leken meer op volwassenen dan op kinderen. Zou hij daar over een paar jaar ook staan? Jesse kon het zich niet voorstellen. In ieder geval zou hij niet gaan roken!

Ze waren veel te vroeg. Hun fietsen zetten ze tegen een hek tegenover de school. De meesten van hen zochten een plek op de stoeprand. Intussen kwamen er groepen kinderen aanfietsen van andere basisscholen. Allemaal te vroeg, allemaal zenuwachtig net als zij.

Jesse viste een geplette boterham uit het zakje in zijn jaszak. Zwijgend at hij hem op. In zijn andere zak zat een pakje sap. Niet zo kinderachtig als een beker, tenminste. Dat had hij al wel tegen mam gezegd, dat hij volgend jaar geen beker meer mee naar school wilde. Dat had niemand op de middelbare school, dat wist hij zeker.

Kees had wel een beker bij zich. Het leek net alsof hij veel sneller dronk dan anders. Heel snel verdween zijn beker weer in zijn tas en toen keek hij om zich heen of niemand het gezien had. Jesse wiebelde met zijn wenkbrauwen en liet zijn pakje zien. Kees knikte. Zo te zien vond hij dat een goed idee.

Tien minuten voordat het tijd was, kwam er een meester naar buiten. Pardon, dat heet een leraar! dacht Jesse.

'Jullie mogen je fiets in het rek achter de school zetten,' zei de man vriendelijk. Hij was niet al te groot en had kort donkerblond haar. Op zijn lip prijkte een snorretje dat iets donkerder was.

'Volgend jaar is dat verplicht. Dan kun je er vast aan wennen. Loop maar om, dan wacht ik op jullie bij de achterdeur.'

Dicht bij elkaar dromde het groepje van de Woutertje Pieterse naar het hek dat de leraar hun gewezen had. Fijn dat ze samen waren, vond Jesse ineens. De andere groepen bleven ook als kluitjes bij elkaar.

Zoveel lawaai als de Woutertje Pieterseleerlingen daarstraks gemaakt hadden, zo stil waren ze nu. Als makke schapen liepen ze naar de achterdeur waar dezelfde leraar hen opwachtte.

'Ik ben Van Dijk, de coördinator van de brugklassen,' legde hij uit. 'Met mij zullen jullie volgend schooljaar veel te maken hebben. Ik zal je nu bij je mentor van volgend jaar brengen. Als het goed is, stond je klas vermeld in de brief die je gekregen hebt.' Jesse knikte, net als de anderen.

'Daar staan de mentoren en ze dragen een bordje waarop hun klas staat. Zo weet je bij welke mentor je hoort.'

Kees en Jesse keken elkaar aan. Hier zouden hun wegen scheiden.

'Veel plezier,' zei Jesse flink.

'Zullen we op elkaar wachten bij de fietsen?' stelde Kees voor. Hij keek de groep rond. Zodra dat afgesproken was, verdeelden de Woutertje Pieterseleerlingen zich over de mentoren met de bordjes.

Jesse liep samen met Lisa en Vera naar de leraar die het bordje 1b droeg. Er stonden al meer kinderen bij hem. Verlegen namen ze elkaar op. Jesse kreeg het er warm van. Ineens was hij al zijn zekerheid kwijt. Hij voelde zich ongemakkelijk met zijn lange slungelige lijf. Zouden die andere kinderen hem niet raar vinden?

Het wachten duurde gelukkig niet lang. Al Jesses nieuwe klasgenoten waren keurig op tijd. Sommige keken onderzoekend rond, andere staarden verlegen naar hun schoenpunten. Ze vinden het allemaal net zo eng als ik, bedacht Jesse. En meteen voelde hij zich een stuk meer op zijn gemak.

'We gaan,' zei de mentor. 'In mijn lokaal kunnen we rustig kennis met elkaar maken.'

Hij liep voor hen uit een gang in. Zijn lokaal was niet ver. Met een uitnodigend gebaar gooide de man zijn deur open.

'Treed binnen in mijn domein!'

Jesse had geen idee wat een domein was, maar de leraar zou zijn lokaal wel bedoelen.

'Voor deze keer heb ik de tafels in een carré opgesteld. Normaal gesproken staan ze in rijtjes. Zoek een plekje.'

Niemand zei wat en Vera giechelde ineens zenuwachtig. Op dat moment klapte de deur open en kwam er een vrouw binnen met een groot fototoestel om haar nek. Ze had zwartgeverfd haar dat alle kanten op stond. Sommige plukken waren spierwit geverfd. Haar lippen waren knalrood.

'Cruella de Vil,' fluisterde Jesse veel te hard tegen Lisa.

'Zo noemen ze me allemaal,' zei de vrouw opgewekt, terwijl ze Jesse recht aan keek.

'Ik ook,' zei de mentor en ineens was het ijs gebroken. Alle nieuwe klasgenoten begonnen tegelijkertijd te praten.

'Je moet vaker langskomen,' zei hun mentor. 'Zet ze maar meteen op de foto. Zo staan ze er schattig op.'

Cruella klom op de tafel en in de vensterbank. Ze maakte foto's in de vreemdste houdingen en Jesses nieuwe klas lag dubbel van het lachen.

'Straks kom ik terug met afdrukken. Dan kunnen jullie je namen erbij schrijven. Heb je wat om te oefenen in de zomervakantie.'

En weg was ze weer.

Eindelijk stelde de leraar zich voor. Wissel heette hij, en hij gaf Engels. Hij was al jaren brugklasmentor, dus hij kon deze nieuwe klas met gemak door de woelige baren van het nieuwe schooljaar loodsen. Daarvan raakte Jesse die middag steeds meer overtuigd. Ze kregen een rondleiding door de school, een proefles en een heerlijke high tea met taartjes en hapjes, verzorgd door ouderejaars. Toen Jesse aan het eind van de middag met zijn verse klassenfoto weer buiten stond, wist hij zeker dat hij een leuke klas, een aardige mentor en een geweldige school had.

Naast Kees fietste hij de straat uit. Hij keek nog één keer om naar zijn nieuwe school. In een opwelling stak hij zijn hand op. 'Max Havelaar, tot volgend jaar!'

'Yes!' gilde Kees.

VERA
De musical

En toch was ze zenuwachtig, terwijl er niets was om over in de zenuwen te zitten. Vera had de rol van zesde kabouter in de musical 'Sneeuwwitje'. Vanavond hadden ze de grote uitvoering op hun afscheidsavond van school.

'Wie heeft er van mijn bordje gegeten?' was het enige wat Vera in de musical hoefde te zeggen. Die ene regel had ze stevig uit haar hoofd geleerd met de bijbehorende gebaren, dus dat was het probleem niet. Bij de repetities in de klas was het ook altijd goed gegaan. Maar bij een echte opvoering was het toch wel even anders. Dan had je speciale kleren aan en echt schmink op je gezicht, dan waren er spots op je gericht, dan waren er ouders in de zaal, en vooral ook je eigen ouders. Dat was niks voor Vera, ze stond niet graag in de schijnwerpers. Dat was meer iets voor Isa.

Kleine Isa was de eerste en kleinste kabouter en dat deed ze fantastisch. Haar vriendin Lisa moest op hoge hakken Sneeuwwitje zijn. Die had wel twintig regels uit haar hoofd moeten leren plus het slotlied. Vera was blij dat zij de hoofdrol niet had.

Die avond ging het eigenlijk heel goed. Er was vaak applaus en er werd veel gelachen. Vera keek de donkere gymnastiekzaal in om te kijken waar haar ouders zaten. Opeens werd ze aangestoten door Zora, die vijfde kabouter was. Zora had haar hoofddoekje onder haar kaboutermuts omgehouden.

'Wat is er?' vroeg Vera.

'Jij bent!' siste Zora.

O ja, dat was waar ook. 'Wie heeft er van mijn bordje gegeten?' riep Vera.

Slome Jesse, de zevende kabouter achter haar, zei meteen daarop: 'En wie heeft er in mijn bedje geslapen?'

'Zul jij niet weten,' riep lollige Kees achter in het koor, 'met wie jij in je bedje slaapt!'

Arme Jesse kreeg een kop als vuur. De ouders in de zaal wisten niet of dit erbij hoorde. Maar toen een dikke vader op de eerste rij in lachen uitbarstte, kreeg Jesse groot applaus. Vera had ook de grootste moeite om niet de slappe lach te krijgen, maar verder liep alles goed in de musical.

Meester John was beretrots op zijn achtste-groepers en juf Sandra had voor ieder kind een bosje bloemen. De ouders bleven maar klappen en juichen. Allemaal gingen ze staan voor de artiesten.

Nu alles voorbij was en goed was gegaan, had Vera er wel plezier in. Haar vader kwam ook met bloemen aanzetten, een grote bos rozen. Er hing een kaartje aan: Van een trouwe fan, je vader. Vera kreeg er bijna een kleur van. Dit was toch wel heel bijzonder, ze had nog nooit eerder rozen van een man gekregen, papa was de eerste.

Na afloop was er nog dansen en cola.

'Papa en ik gaan alvast naar huis,' zei haar moeder. 'Kijk je goed uit met je fiets in het donker?'

'Ik fiets wel met Vera mee,' zei Jesse, die ernaast stond. 'Ik moet toch die kant uit.'

Shit, daar zit ik dus aan vast, dacht Vera.

Het afscheidsfeestje was verder best gezellig. Alleen hadden de jongens op een gegeven moment een slome schuifel-cd opgezet en schuifelen, daar deed Vera niet aan. Dat was meer iets voor pubers, vond ze. En ze was beslist geen kind meer, maar puberteit, dat hoefde nou ook weer niet zo nodig. Dus ze stond maar zo'n beetje langs de kant aan haar cola te lurken terwijl ze toekeek hoe Isa steeds weer probeerde Kees bij het dansen van zich af te duwen als hij te close werd.

Zora stond naast haar, ook met een cola. 'Uitslovertjes hè, die jongens,' zei ze. Ze moesten er allebei om lachen. 'Het gaat door,' ging Zora verder. 'Goed hè?'

Vera wist niet waar ze het over had.

'Ik ga vwo doen, namelijk,' zei Zora. 'Daarom gaat het door. Ik ga chirurg worden namelijk, dat weet ik zeker. Dan ga ik allemaal mensen helemaal beter maken, namelijk. Ook mijn vader en moeder als ze oud zijn. Maar mijn moeder vond het eerst niet goed. Zij houdt er niet van in andere mensen te snijden met een scherp mes. Zij vindt dat eng, maar ik durf best. Misschien is ze bang dat ik knapper word dan zij, want zij heeft alleen lagere school. Maar als ik groot ben, ga ik niet op mijn moeder neerkijken. Dat doen wij gewoon nooit. Nou, en toen mocht het niet en toen zijn meester John en juf Sandra bij ons thuis wezen praten. En ze hebben mij vwo-advies gegeven en toen was mijn vader trots op mij. Zodoende ga ik nu vwo doen, namelijk.'

Vera keek Zora aan. Zora was altijd al een aardig kind, met haar grote bruine ogen en haar zwarte hoofddoekje, en je kon nog met haar lachen ook. Maar ze zei nooit erg veel, ze had niet echt een grote mond. En nu praatte ze ineens honderduit over thuis en over haar grote plannen voor de toekomst. Dat verwonderde Vera nog het meest, dat zo'n bescheiden meisje als Zora zo kon volhouden en zo goed wist wat ze wou.

Zelf wist Vera nog helemaal niet wat ze wilde worden. Bibliotheekjuf of astronaute of iets daar tussenin, of zo. Ze zou wel zien. 'Het gaat papa en mij er helemaal niet om of je een mooie carrière maakt,' had haar moeder gezegd, 'als je maar je eigen brood kunt verdienen en als je maar lekker in je vel zit.'

Het feest was afgelopen. Meneer Verhoeven, de conciërge, deed het bovenlicht aan en door die tl-buizen was het in één klap niet gezellig meer in de gymzaal. Zora liep met een kaarsrecht ruggetje de gang door en de school uit, zonder om te kijken.

Vera niet, Vera bleef nog even hangen. Ze slenterde wat rond en zo kwam ze langs haar klaslokaal, waar ze nooit meer zou komen. Gek eigenlijk. Niet dat ze er sentimenteel over was, helemaal niet, ze had nu lang genoeg op de Woutertje Pieterse school gezeten. 'Jij bent toe aan een nieuwe uitdaging,' had haar vader met een brede grijns gezegd. Dat was ook wel een beetje waar. Maar toch vond ze het maar raar, zo'n laatste keer Woutertje Pieterse.

Ze namen allemaal echt officieel afscheid van juf Sandra en meester John, sommigen onhandig en mompelend, anderen met een heus kusje op de wang.

'We komen nog wel eens langs, voor de gezelligheid,' zei eigenwijze Janneke nog.

'Welnee, meid,' zei meester John lachend. 'Maak dat de kat wijs. Over een paar maanden zijn jullie stoere brugpiepers,

44

dan zijn jullie van het Max Havelaar College en Max Havelaar voelt zich veel te groot voor Woutertje Pieterse. Let op mijn woorden.'

Vera stond buiten aan haar fietsslot te morrelen, toen Jesse aan kwam rijden.

'Zullen we dan maar?' vroeg hij.

Dat was waar ook, Jesse zou met haar mee rijden naar huis.

'Goed,' zei Vera.

Zwijgend fietsten ze door het donker. Vera keek strak voor zich uit en luisterde naar het geruis van haar dynamo.

'Was best leuk vanavond, hè?' zei Jesse.

'Kun je wel zeggen, ja,' zei Vera.

'De musical ging best goed, hè,' zei Jesse.

'Kun je wel zeggen, ja,' zei Vera.

'Gek idee dat we nu van school af zijn.'

'Kun je wel zeggen, ja.'

'Nou ja, we blijven elkaar toch zien na de vakantie? Dat zou ik best goed vinden, tenminste. Dan fietsen we met zijn allen samen iedere ochtend naar de stad, naar Max Havelaar, Kees en ik en Janneke en Isa en Zora en jij natuurlijk.'

'Zora gaat naar het vwo,' zei Vera.

'Maakt niet uit,' zei Jesse. 'Het is toch hetzelfde gebouw.'

'Maar het is evengoed een groot gebouw.'

Ze waren intussen bij Vera's flat aangekomen.

'Doei,' zei Vera en hees haar fiets in het berghok.

'Mazzel,' bromde Jesse en reed weg.

'Is het nog leuk geweest op school?' vroeg haar moeder. 'Je zult wel moe zijn na de voorstelling. Ga maar gauw naar bed.'

In bed lag Vera nog een tijdje naar het plafond te kijken en naar haar knuffelbeesten in de vensterbank. Ze had nog helemaal geen slaap. Ze dacht over haar tijd op Woutertje Pieterse. Ze dacht erover hoe ze eruit zou zien op Max Havelaar. Nu zou het menens worden. Ze had vandaag niets ernstigs meegemaakt, alleen maar vrolijke dingen eigenlijk. Hoe kwam het dan dat ze nu opeens toch een beetje bang en droevig was?

Nou ja, een heel klein beetje maar.

Achter het deurtje

'Nee, pap, we hebben de verkeerde plank! Kijk dan, zo komt het deurtje aan de achterkant te zitten!'

Bijna wanhopig wees Isa naar het kastje van haar nieuwe bureau. Nee, corrigeerde ze zichzelf: van wat misschien haar nieuwe bureau werd. Als het hun lukte hem in elkaar te zetten, had ze straks een nieuw bureau. Of morgen. Of anders overmorgen. En dat terwijl ze zó hadden gepuzzeld en nagedacht. Nu moest de plank weer losgeschroefd worden. Isa keek om zich heen. Overal lagen stukken hout van verschillende afmetingen en op de vensterbank lagen keurig gesorteerde hoopjes schroeven.

Ze pakte een andere plank die even groot was. 'Kijk, deze hadden we moeten hebben. Hier zitten de gaten voor de scharnieren aan deze kant en dát is de goede kant. Zie je wel?'

Isa pakte de schroevendraaier uit haar vaders handen.

'Laat mij maar.' Ze had zo het idee dat haar ruimtelijk inzicht een pietsie groter was dan dat van haar vader. Hij was lief hoor, en het was goed bedoeld van die nieuwe kamer, maar erg handig was hij niet.

Isa keek met een zucht naar de puinhoop om hen heen. Langs de wanden lagen oude kranten uitgespreid en in een hoek van de kamer stonden halflege potten met gele verf, de gebruikte rollers en kwasten ingepakt in folie ernaast. Omdat ze niet direct voor een tweede keer konden gaan verven, had haar vader voorgesteld het nieuwe bureau vast in elkaar te zetten. Dus hadden ze allebei gele vlekken op hun billen omdat ze per ongeluk tegen de pas geverfde muur aan waren gebotst. Nou ja, ze hadden toch oude kleren aan.

Haar vader was met het idee gekomen. Restyling, had hij het genoemd. 'Je gaat nu naar de middelbare school,' had hij plechtig gezegd. 'Dus het wordt tijd voor restyling. Een brugklasser maakt veel huiswerk en zit vaak op zijn kamer. Je moet een nieuwe kamer die past bij je leeftijd. Die ouwe kan echt niet meer.'

Eerst wilde Isa niet. Wat was er mis met haar oude kamer? En er ging al zo veel veranderen! Maar later bedacht ze dat hij misschien inderdaad wel wat kinderachtig was met die bloemetjes. Daar had ze dus niet zelf voor gekozen toen ze klein was, maar ze was er wel aan gewend. En nu moest ze een eigen stijl bedenken. En welke dan?

Maar toen ze met haar ouders naar de meubelboulevard ging, verdwenen haar twijfels als sneeuw voor de zon. Mooie slaapkamers hadden ze. Haar vader had gelijk: ze was groot nu ze naar de brugklas ging en daar hoorde een andere kamer bij, mét een groot bureau. Maar toen kwam het volgende probleem: wat wil ik? Romantisch wit, koel blauw, stoer rood, allemaal kleurtjes, of een kamer met manen en sterren? Alles kon. Ze wist eigenlijk veel beter wat ze niet wilde: roze met oranje.

Uiteindelijk had ze voor hout met geel gekozen en in die combinatie kreeg ze een nieuw bureau en een boekenkast. Verder kozen ze een bureaustoel, een lamp en nog wat kleine dingetjes in geel om haar kamer op te leuken. En er werd besloten om het oude behang te verven.

48

Isa had de foute plank losgeschroefd en zette de andere op die plek. Dat was beter. Zo kwamen de scharnieren tenminste aan de binnenkant en paste de extra plank ertussen. Nu de scharnieren zelf nog vastschroeven en het deurtje zat! Ja, dat paste uitstekend zo. Trots klapte ze de deur open en dicht en nog eens open en dicht. Klaar!

Ze had altijd gedacht dat haar vader zo veel kon... Isa bleef de schroevendraaier stijf vasthouden.

'Waar is de bouwtekening? Kijk, pap, nu gaan we de andere kant in elkaar zetten, en de laden. Waar zijn die?' Isa keek op de bouwtekening en daarna naar de voorraad planken om hen heen. Zeker van haar zaak wees ze. 'Die moeten we hebben. Pak jij ze even...?'

Twee dagen later was haar nieuwe kamer klaar. Haar bed was het enige wat oud was, maar met een nieuw dekbedovertrek in bijpassende kleuren toch ook een beetje nieuw. Isa keek opgetogen om zich heen. De muren waren mooi geel en ze hadden de kozijnen en de deurpost ook een nieuwe kleur gegeven: oranjerood. Het nieuwe bureau stond te pronken tegen de pas geverfde wand.

Isa ging op de stoel zitten. Het was er zo een die je kon verstellen in hoogte. Ze probeerde alle standen uit en draaide vervolgens in het rond. Haar kamer kwam een paar keer voorbij.

Nu moest hij weer ingericht worden. Isa had al haar spullen in dozen gedaan en die zolang op de gang gezet. Nu sleepte ze ze de drempel over. Een voor een pakte ze de dozen uit. Ze legde haar kleren in de kast, haar boeken in de boekenkast, de cd's een plank lager, haar pennen in een la van het bureau, haar knuffels...

Isa stopte met uitpakken. Haar knuffels. Ze zakte door de knieën en ging op de grond zitten nadenken.

Haar knuffels moesten worden ontslagen. Ze ging naar de brugklas, ze had een nieuwe kamer, daar pasten toch geen knuffels meer bij!

Ze zuchtte en pakte ze een voor een op. Deze beer had ze voor haar verjaardag gekregen toen ze vijf of zes werd. En die rooie van haar oma toen ze naar het ziekenhuis moest voor haar amandelen. Die gekke aap met zijn lange armen en staart kwam uit de Apenheul en had ze van haar eigen zakgeld gekocht. Zo wist ze nog precies van alle knuffels waar ze vandaan kwamen. Ze nam ze allemaal in haar handen en raakte ze even aan, een soort streling, een afscheid. Af en toe aarzelde ze, maar ze wilde niet toegeven. Ze was te groot geworden.

Bij Minnie aarzelde ze wel heel erg. Kon Minnie niet nog even blijven? Alleen Minnie? Háár Minnie, die haar hele leven bij haar was geweest?

Nee, besloot Isa streng, dan zouden de andere maar jaloers worden. Ze moesten allemaal weg.

Dus werd Minnie ook terug in de doos gelegd. Daarna bracht ze, voor ze zich kon bedenken, de doos naar beneden.

'Weet je het zeker?' vroeg haar moeder nadat Isa had uitgelegd waarom de knuffels weg moesten. 'Ik vind niet dat je al te groot bent voor knuffels, hoor.'

'Ja, ik weet het zeker.'

'Nou, zet ze zolang maar in de schuur, dan bedenken we er een nieuw tehuis voor.'

Isa snoof. Kinderachtig zeg! Maar goed, de doos ging naar de schuur.

Daarna zette Isa nog wat laatste prulletjes op hun plaats en klaar was haar nieuwe kamer. Tevreden keek ze in het rond. Heel even had ze het gevoel dat er iets ontbrak, maar dat duwde ze gauw weg. Ze zette een cd op en ging achter haar bureau zitten. Daarna streek ze met haar handen over het nog lege bureaublad. Hier zou ze over een paar dagen zitten werken. Huiswerk maken. Hoe zou dat zijn? Ineens kreeg ze de zenuwen. Zou het veel zijn elke dag? Zou ze het aankunnen? Zou vmbo-t niet toch te zwaar voor haar zijn? Moest ze wel of niet haar best op het huiswerk doen? Want stuud-achtig mocht je niet overkomen, dat was helemaal verkeerd natuurlijk. Lastig hoor, om te weten hoe je je moest gedragen. Wat was hot en wat not? Daar hadden zij en Lisa het steeds over, deze laatste dagen voor de brugklas begon.

Isa boog naar links en klapte het deurtje open en dicht en boog daarna naar rechts om alle laden naar voren en terug te schuiven. Daarna haalde ze een kladblok en een pen tevoorschijn en schreef een paar keer haar naam op. Isa Verbruggen. Ze deed dat steeds een beetje anders, alsof ze aan het oefenen was met haar handschrift. Zomaar vanzelf ontstond een mooie handtekening. Tjee, die moest ze bewaren! Die had ze vast ook nodig in haar nieuwe leven.

De eerste nacht in haar nieuwe kamer kon Isa niet slapen. Ze had heel lang naar haar kamer gekeken en nu lag ze in slaaphouding opgerold met haar ogen stijf dicht. Maar slapen lukte niet.

Ze wist best waarom. Dat had niks met de nieuwe kamer te maken. En ook niet met de brugklas die gauw begon. Of toch ook weer wel. Ze miste Minnie. Bij al die nieuwe dingen ook nog eens slapen zonder Minnie...

Nee, kom op, ze was nu groot!

Isa draaide zich om. Was het wel een goed moment geweest om haar knuffels te ontslaan? Had ze niet beter kunnen wachten tot... Ja, wat was dan wel een goed moment?

Opnieuw draaide ze zich om, ging toen uit bed om een slokje water te drinken en kroop weer onder haar nieuwe dekbed. Ja, ze was best blij met haar kamer.

Hoe laat was het? Half twaalf al. En al die tijd lag ze te woelen. En te piekeren. Ze hoorde haar ouders naar bed gaan. En toen kon ze nog niet slapen.

Dit was te gek. Vastbesloten stond Isa op. Zachtjes deed ze haar kamerdeur open en liep ze de trap af. Daarna de keuken door en naar de bijkeuken en toen naar de schuur. Daar durfde ze het licht wel aan te doen. Haar blik vloog meteen naar de doos, die nog in de hoek stond waar zij hem vanmiddag had neergezet. Snel maakte ze hem open en met een zucht haalde ze Minnie eruit. Eventjes drukte ze de blauwe beer tegen haar borst. Daarna deed ze de doos weer dicht. Nee, wacht! Kon ze niet meer knuffels redden? Peinzend bleef ze een moment over de doos gebogen staan. Toen nam ze nog zes van haar liefste knuffels mee.

Zachtjes sloop ze weer naar boven. Op haar kamer knipte ze het bedlampje aan en keek besluiteloos rond. Toen viel haar blik op het nieuwe bureau. Links een kastje, rechts de laden. Ze deed het deurtje van het kastje open en zette de vijf knuffels erin. Zo, achter het deurtje waren ze er niet en toch ook weer wel.

Minnie ging mee onder het dekbed. Isa zuchtte nog een keer en liet zich heerlijk wegzakken in slaap.

VERA
33 minuten fietsen

Vera zat alleen thuis en had niets te doen. Meestal als ze niks te doen had, ging ze lekker zitten niksen, hangen op de bank, zappen op tv, of chatten op de computer. Maar dit keer was ze daar te onrustig voor. Dat had ze wel vaker de laatste tijd, dat ze zich zo ongedurig voelde.

Ze wilde alleen maar de deur uit, even uitwaaien, een frisse neus halen. Dus legde ze een briefje op de keukentafel: 'Ben even ommetje', deed haar nieuwe jack aan, haalde haar fiets uit het berghok beneden en reed haar straat uit.

Hoe nu verder, was de vraag. Ze freewheelde wat rond en kreeg opeens een idee. Ze zou de route naar haar nieuwe school gaan fietsen, de ronde van Max Havelaar. Ze keek op haar horloge, haar tijd ging nú in.

Het was nog een behoorlijk eind, wist ze: zo'n zes, zeven kilometer. Na de rotonde bij het tankstation aan het eind van de Hoofdstraat was het even zoeken. Ze was hier wel vaker geweest en ze wist het Max Havelaar wel zo'n beetje te vinden, maar ze dacht dat je verderop rechtsaf kon slaan om een stukje af te snijden zodat je niet constant lans de kale autoweg hoefde te rijden. Ze gokte de tweede straat rechts en dat liep goed af. In de verte zag ze de hoge witte wanden van het Max Havelaar College. Het kon niet missen, het stond er met grote letters op: Max Havelaar.

Toen ze er was, keek Vera op haar horloge, 15.09 uur. Ze had er dus 33 minuten over gedaan, dat moest toch ook in 26 of 27 minuten kunnen, daar zou ze de komende zes jaar hard op gaan trainen.

Ze bleef even naar het gebouw staan kijken. Dit was wel even wat anders dan de éénverdieping-lokaaltjes naast elkaar van de Woutertje Pieterse. Links en rechts waren hier twee verdiepingen hoog klaslokalen met strak glas, zonder Nijntjes erop geschilderd zoals ze gewend was. Dit zag er gewoon ongezellig uit. Dit was geen schooltje meer, dit was een leerflat.

Ze fietste een keer om dat enorme schoolgebouw heen, gewoon om alvast te wennen. En daarna nog een keer en nog een keer, terwijl ze Max Havelaar goed in de gaten hield. Ze bleef maar rondjes om de school heen draaien, alles bij elkaar wel zevenmaal.

Ziezo, nu begon het een beetje haar eigen school te worden. Ze fietste zo hard als ze kon terug om onder die 33 minutengrens te komen.

Nog nahijgend kwam ze ten slotte thuis. Haar moeder was al bezig in de keuken.

'Wat zie jij er verwaaid uit,' zei ze. 'Waar was je? Wil je thee?'

'Gewoon, even een ommetje,' zei Vera alleen maar. Shit, nu was ze vergeten om op haar horloge te kijken. Ze zou pas in september haar persoonlijk record scherp kunnen stellen.

JESSE

Dinges

'Ben je al klaar?' Kees stond beneden in de gang. Mam had hem zeker binnengelaten.

'Bijna. Nog even een handdoek pakken.' Jesse keek bezorgd in de spiegel. Hij zag net voor het eerst die enorme pukkel op zijn neus. En dan had hij ook nog zijn schouders vol met rode punten. Dat ze nou net vandaag naar het zwembad gingen! Nou ja. Ze hadden afgesproken met alle kinderen van groep 8, de oude klas. Die kenden hem toch van haver tot gort.

Jesse griste een grote handdoek uit de kast, propte die in zijn tas en denderde naar beneden. 'Mijn zwembroek heb ik al aan.'

Kees stak zijn duim op. 'Ik ook! Scheelt weer een keer voor gek staan in de kleedkamers. Heb jij geld bij je?'

O ja. Niet aan gedacht. 'Even wachten nog.' Jesse stormde weer naar boven en wurmde vijf euro uit zijn spaarpot. Dat moest genoeg zijn. Hij had een abonnement en zelf eten en drinken bij zich. Weer de trap af. 'We gaan, mam!'

'Eindelijk,' zuchtte Kees en hij trok een komisch gezicht.

Naast elkaar fietsten ze de straat uit. Het was prachtig weer, echt een dag om naar het zwembad te gaan. Jesse verheugde zich erop om zijn oude klasgenoten weer te zien. Eigenlijk hoorden ze niet meer bij elkaar. Afscheid hadden ze immers uitgebreid genomen, met de musical. Als Jesse daaraan dacht, leek het alsof ze een toneelstukje hadden opgevoerd. Hij kon zich helemaal niet voorstellen dat ze na de zomervakantie niet meer bij elkaar in de groep zouden zitten. Bovendien had hij zijn nieuwe klas pas één keer gezien. En die voelde op zijn zachtst gezegd nog niet vertrouwd.

Het was druk bij het zwembad. Er stond een rij bij de kassa. Jesse zag dat Lisa vooraan stond. Wat stond ze toch te klungelen? Zeker haar abonnement vergeten. Dat had zij minstens drie keer per jaar. Dat soort dingen wist hij van iedereen in groep 8. Fijn als je elkaar zo goed kende.

Lisa kwam weer naar buiten, zich langs de rij wringend.

'Abonnement vergeten?' vroeg Kees toen ze langs hen kwam.

Lisa kreeg een kleur en haalde haar schouders op. 'Deze zomer is het me nog niet eerder gebeurd, hoor,' zei ze verdedigend.

Langzaam schuifelden de jongens naar voren. Jesse rekte zijn hals uit om te zien wie er nu aan de beurt was. Een meisje dat hij niet kende. Of toch? Hij dook achter de jongen voor hem. Dat kind zat bij hem in zijn nieuwe klas! Hoe heette ze ook alweer? Hij had geen flauw idee. Jesse kreeg het er warm van.

Kees gaf hem een por. 'Loop eens door, slome! We zijn bijna aan de beurt.'

Jesse hield zijn abonnement voor het raampje van de kassa. Badmeester Martin stak zijn duim op. Hij mocht doorlopen.

'Waar zitten we?' vroeg Kees, terwijl hij zijn abonnement weer in zijn tas stopte.

'Weet niet.' Jesse keek turend om zich heen om te zien of

hij bekenden zag. 'Tweede veldje, denk ik. Daar zitten we altijd.'

Op hun blote voeten liepen ze langs het zwembad naar het veldje erachter, Kees voorop. 'Daar is Vera,' wees hij.

Hun oude klasgenoten zaten in een grote kring bij elkaar. Allemaal hadden ze hun grote handdoeken uitgespreid. 'Hier is nog een plekje!' Isa klopte naast zich op het gras. Jesse legde zijn handdoek neer. 'Ben je alleen gekomen?'

Isa lachte. 'Nee, met Lisa. Maar die moest nog even terug naar huis.' Ze giechelde. 'En ik mocht niet met haar mee. Ze schaamde zich dood.'

Kees liet zich naast Jesse zakken terwijl hij druk met een onbekende jongen stond te kletsen.

Jesse deed zijn broek uit. Hij had een nieuwe zwembroek, een donkerblauwe met wat langere pijpen. Niet zo opvallend, gelukkig. Zijn moeder had hem er een aan proberen te praten met wilde bloemen erop. Meer iets voor een meisje, vond hij.

Net toen hij zijn T-shirt uit wilde trekken, zag hij dat er vlak bij hen een andere groep zat. Eén meisje voerde het hoogste woord. Haar schelle stem klonk door alles heen. Het was zijn nieuwe klasgenote. Dinges.

Jesse voelde zich rood worden. Dat ze zo dichtbij zat! De pukkels op zijn rug voelden als lichtgevende bulten. Zijn T-shirt deed hij mooi niet uit! Razendsnel liet hij zich zakken en hij ging plat op zijn buik liggen. Hij keek om zich heen. Niemand leek iets te merken.

Lisa kwam weer aan lopen met een rood hoofd, wapperend met haar abonnement. 'Ik had het wel klaargelegd op de keukentafel,' zei ze verontschuldigend.

'Het is een begin!' lachte Kees.

'Gaan jullie mee het water in?' Isa sprong op. 'Ik heb het zo heet!' Zonder een antwoord af te wachten rende ze naar het zwembad. Kees sprintte achter haar aan en Lisa haalde hem makkelijk in met haar lange benen.

De rest bleef gelukkig ook liggen. Jesse moest er niet aan denken om zijn T-shirt uit te doen en voor iedereen zichtbaar in het water te liggen. Dat nooit.

Door zijn oogharen bestudeerde hij zijn nieuwe klasgenote. Verbeeldde hij het zich, of keek ze ook af en toe stiekem naar hem? Zou ze ook weten wie hij was? Hij kon het zich nauwelijks voorstellen. Hij was niet direct opvallend, nooit haantje-de-voorste. Nee, dan Dinges zelf. Zou dat kind nooit haar klep houden? Ze schetterde maar door, rende tussen de handdoeken door, kietelde haar groepsgenoten en heel af en toe keek ze naar Jesses groep.

Gelukkig, ze verdween in de richting van de kleedhokjes. Jesse haalde opgelucht adem. Misschien ging ze wel naar huis, of moest ze naar de orthodontist of zo. Zou best kunnen, toch? Ze had tenslotte een beugel.

O nee. Daar was ze weer, nu samen met een vriendin. Ze hadden ballonnetjes met water gevuld. Jesse voelde de bui al hangen. En hij kreeg gelijk. Binnen de kortste keren vlogen de ballonnetjes door de lucht. Eerst werden alleen kinderen uit Dinges' eigen groep geraakt, maar toen vloog er een ballon in zijn richting. Jesse stond op, draaide zich om en werd vol op zijn rug geraakt. Zijn T-shirt was in één keer doorweekt.

Op dat moment kwam Kees net terug uit het zwembad. 'Hé,

opzouten!' Hij rende op Dinges af en zwaaide woest zijn hoofd heen en weer. Met zijn natte haren spetterde hij haar van boven tot onder nat. 'En nu bij je eigen groep blijven!' zei hij stoer en hij keerde terug naar Jesse.

'Snelle actie,' zei die bewonderend.

'Raar kind,' zei Kees droog. 'Ik zou bijna denken dat ze op je valt. Heb je haar wel eens eerder gezien?'

'Weet niet.' Jesse liet zich weer op zijn drijfnatte handdoek zakken.

'Moet je je T-shirt niet uitdoen?' Isa was ook terug uit het water.

'Nee...' Jesse deed alsof hij iets in zijn tas zocht. Daarna ging hij liggen, op zijn buik, hoofd op zijn armen, ogen dicht. Zo dacht iedereen vast dat hij sliep. Wat voelde dat afschuwelijk, dat natte T-shirt en die natte handdoek! Dit moest hij nog uren volhouden...

'Het werd tijd!' hoorde hij Kees roepen. Jesse deed één oog open. Dinges stond haar kleren aan te trekken.

'Mijn moeder haalt me op. Ik moet naar de orthodontist!' riep ze.

Wat een wonder! Dat ze nou echt naar de orthodontist moest!

Jesse deed zijn ogen weer dicht. De volgende keer dat hij ze opendeed, was ze verdwenen. Stom kind. En wat was hij zelf stom, dat hij zich zo veel van haar aantrok, bedacht hij opeens.

'Doe jij nu eindelijk dat T-shirt uit?' zei Isa naast hem. 'Dat stomme kind is weg. Of had het daar niks mee te maken? Volgens mij zit het hartstikke vervelend.'

Jesse ging rechtop zitten en deed zijn T-shirt uit. Hij voelde zich ineens enorm opgelucht. Het zware gevoel dat hij had vanaf het moment dat hij Dinges bij de kassa zag, was verdwenen. Hij sprong op en schreeuwde: 'Wie het eerst in het water is!'

Isa, Lisa en Kees, en nog drie anderen renden achter hem aan. 'Ik! Ik!'

Toen Jesse met zijn tenen op de rand van het zwembad stond, voelde hij een hand in zijn rug. Hij kreeg een zet, maar wist van zijn te watergang nog een mooie sprong te maken. Toen hij bovenkwam, zag hij Dinges weglopen, met haar kleren al aan. Zij had hem in het water geduwd.

'Volgens mij vindt dat kind je echt leuk,' zei Kees. 'Waar ken je haar toch van?'

'Ze zit in mijn nieuwe klas.' Jesse dook meteen weer onder en zwom een stuk onder water, naar de overkant. Met zijn armen hees hij zich half op de rand. Hijgend wachtte hij op Kees.

Die kwam naast hem naar boven. 'Goh, jij hebt ook van die rode punten, net als ik. Baal jij er ook zo van? Ik wou vandaag eerst niet gaan, maar mijn moeder zei dat het dan juist goed is om in de zon te zitten.'

Jesse grijnsde. In één keer werden grote dingen klein, als je erover praatte.

Kees ging aan de rand naast Jesse hangen. 'Hoe heet dat kind uit jouw nieuwe klas?'

'Dinges.' Jesse sprak het woord uit alsof het een heel gewone naam was. Hij was er zelf in ieder geval al helemaal aan gewend.

Kees proestte het uit. 'Dinges! Dat wordt echt wat, jij in die nieuwe klas!'

'Ik hoop het wel,' zei Jesse, en hij lachte voor het eerst die dag.

ISA
(G)een Eastpak

'Weet jij hoe het moet?'

Isa keek Lisa vragend aan. Ze zaten samen in de achterkamer bij Isa thuis met twee stapels schoolboeken en twee rollen kaftpapier voor zich op tafel. Vanochtend hadden ze de boeken opgehaald! Eindelijk hadden ze hun rugzakken mogen gebruiken en voor het eerst het gewicht aan hun schouders gehangen. En jeetje, wat was dat stoer om alweer om elf uur 's ochtends van school naar huis te fietsen! Nu lag hun nieuwe leven voor hen uitgestald. Isa raakte het bijna eerbiedig allemaal even aan: het lesrooster, de nieuwe agenda – ze had de Elle Girl-agenda uitgekozen – en natuurlijk de boeken, die ze eerst nieuwsgierig hadden doorgebladerd en die ze nu zouden gaan kaften.

'Ik heb nog nooit een boek gekaft, jij?' zei Lisa. Ze begonnen te lachen.

'Dát hadden we bij creatief moeten doen!' zei Isa. 'Meester John heeft vergeten ons kaften te leren.'

'Volgens mij is er niks creatiefs aan, maar je moet wel even weten hoe het moet. Nu, we komen er wel achter.'

Dapper pakte Lisa de bruine rol en de schaar. Isa nam haar eigen rol in handen. Ze pulkte het plakkertje eraf en schoof de rol heen en weer in haar handpalm, wat lekker glad aanvoelde. Het was mooi zwart papier met haar naam erop gedrukt. Ze was er heel blij mee. Ze wilde graag iets bijzonders hebben en dat was gelukt ook! Een buurvrouw wist van die papierzaak in de stad waar ze letters op het kaftpapier konden drukken. Nu stond overal haar naam in zilveren letters: Isa, Isa, Isa.

'Volgens mij,' zei Lisa scherp, 'is kaftpapier niet zo belangrijk. Die boeken zitten toch in je tas, die zie je niet zo vaak. De tas! Die is belangrijk!'

Isa knikte. 'Mee eens,' zei ze. 'Maar dit is heel handig kaftpapier: je kunt er hele verhalen opschrijven als je je verveelt onder de les.' Haar blik viel op de effen bruine rol van Lisa, die graag kaftpapier van de Looney Tunes had willen hebben. Ze had alles van Tweety willen hebben, wist Isa: pennen, schriften, agenda, multomap. Haastig liet ze erop volgen: 'Dat van jou trouwens ook. Kun je helemaal volschrijven.'

'Op bruin papier kun je schrijven, ja, op zwart niet,' zei Lisa.

'O, jawel.' Isa haalde haar nieuwe gelpennen uit haar etui. 'Met deze kleuren kun je ook op zwart schrijven.'

Lisa haalde haar schouders op. 'Volgens mijn nichtje zijn gelpennen alweer uit.'

'O ja?' Geschrokken keek Isa Lisa aan. Ze waren duur en ze was blij geweest dat ze ze toch mocht hebben. 'Waar moet je dan mee schrijven?'

'Met van die bicpennen, de blauwe.'

Lisa zou haar nooit zomaar wat voorliegen. En ze kende haar nichtje wel, die ging al naar de derde. Maar gelpennen uit? Claudia en Vera hadden ze ook. Dat zegt ze maar omdat ze jaloers is, dacht Isa. Over die tas had ze eerst ook heel wat anders beweerd. Lisa had niet van die pennen. Mocht ze niet. Te duur. Zoals ze eerst ook geen Eastpak mocht. Onzin, vond Lisa's moeder, als je ook een rugzak voor twintig euro kon kopen, gaf ze er niet het driedubbele aan uit. Bij Lisa hadden de tranen in de ogen gestaan, herinnerde Isa zich, en Lisa had heel hard op haar lip gebeten. Want janken, daar deed ze niet aan.

Het was vlak voor de zomervakantie en iedereen in groep 8 was vol over de spullen die je moest kopen voor de middelbare. Isa zou met haar moeder naar de stad gaan en om te kijken wat er allemaal was, was ze die woensdagmiddag met Lisa naar de stad gefietst. Isa wist al welke rugzak ze wilde. Ze wees hem aan toen ze voor de etalage van 'De tassengevel' stonden.

'Het moet wel een Eastpak zijn,' zei Isa vol overtuiging. 'Iedereen heeft een Eastpak.'

'Ik mag toch zeker zelf weten wat voor tas ik kies,' zei Lisa.

'Iedereen zegt dat je gepest wordt als je geen Eastpak hebt. Er zijn gasten op de nieuwe school die als er niks te pesten valt, je dan maar met je tas gaan pesten.'

'Puh!' Lisa snoof. 'Die tas verandert niks aan mij of jou, moeten die pesters eens wat verder kijken dan die tas.'

Ik voel me groter met die tas, dacht Isa. Dat had Lisa niet nodig met haar 1.75 m. Ze keek omhoog naar haar vriendin, die op haar beurt strak naar de Eastpaktassen in de etalage keek.

Isa zei: 'Eigenlijk zijn de spullen die je uitkiest een soort visitekaartje.'

Lisa snoof weer. 'Ik ga geen vrienden maken om de spullen.'

'Toch wil ik er één,' hield Isa vol. 'Voor de zelfverzekering.'

Plotseling klonk er een raar soort snik naast haar en met grote stappen liep Lisa van haar weg.

'Lisa! Wacht!' riep Isa, maar Lisa begon te hollen. Wat was er met haar? Isa zette het ook op een rennen, maar met haar lange benen was Lisa niet in te halen. En ineens was ze verdwenen. Waarnaartoe? Hijgend stond Isa stil en keek om zich heen. Nergens een spoor van Lisa. Wat nu?

Langzaam liep Isa terug naar de winkelstraat. Ze liep weer langs de etalage van 'De tassengevel'. Ze wilde een zwarte Eastpak. Prachtig was die. Ze wilde dat ze hem nu al kon kopen en dan morgen mee naar meester John, maar dat zouden haar ouders nooit goedvinden. Hij moest nieuw blijven voor de brugklas. Ze zou ook nog nieuwe kleren krijgen. Ze wist ook al dat ze zwarte kleren wilde. Voor de eerste schooldag. En schoenen met hakken. Haar moeder had altijd gezegd: als je naar de middelbare school gaat, mag je hakken. Ze maakte zich wel zorgen over de kleren: omdat ze zo'n kleine maat had, waren ze vaak zo kinderachtig.

Ze kon wel vast gaan kijken. Alhoewel, zonder Lisa was er niets aan. Isa zuchtte, terwijl ze langzaam de winkelstraat door slenterde. Af en toe wierp ze een blik in de etalages. Bij de meeste dingen kies ik mijn eigen mening, dacht ze, maar ik wil er toch wel bij horen. Hè, het was wel ingewikkeld allemaal. En dan Lisa nog...

Wat moest ze nu? Ze kon hier eindeloos rond blijven lopen, maar misschien was Lisa al wel naar huis. Ze besloot ook naar huis te gaan en liep naar de plek waar ze hun fietsen hadden neergezet. Lisa zat ineengedoken op de stoeprand naast de fietsen.

'Hé, Lisa, waar zat je nu?'

Ze schrok toen ze de kapotte onderlip van Lisa zag. Ineens begreep ze het. Stom dat ze dat niet eerder snapte. En helemaal stom dat ze vervolgens zo stond te kwijlen voor de etalage van 'De tassengevel'.

'Je mag geen Eastpak, hè?' vroeg ze.

Lisa schudde haar hoofd. 'Te duur.'

'Nou,' zei Isa zo opgewekt mogelijk, 'een andere is vast ook goed. Je hebt eigenlijk wel gelijk. Het gaat toch niet alleen om de tas?!'

'Net zei je heel wat anders.'

'Sorry.'

Lisa kwam overeind en pakte Isa's hand. 'Jij kunt er ook niks aan doen. Ga nog even mee naar de Hema. Schriften kijken.'

Even later stonden ze bij de schappen naar schoolspullen te kijken, waar verschillende stapels schriften lagen.

'Je moet duur en goedkoop een beetje afwisselen,' zei Lisa alsof ze de keus had. Liefkozend liet ze haar hand over een Tweetyschrift gaan.

'Je krijgt er gewoon een paar van mij,' beloofde Isa. 'Ik zeg wel tegen mijn moeder dat ik véél schriften nodig heb.'

Lisa lachte alweer. 'Voor de zelfverzekering.'

'Hé, hallo, waar zit jij met je gedachten?' Er zwaaide iets heen en weer voor haar ogen. Het was lang en zwart. Erachter verscheen het gezicht van Lisa. 'Ik krijg het niet voor elkaar. Ga je vader eens roepen.'

Lisa sloeg met haar platte hand op het boek dat open voor haar op tafel lag. Er zat bruin kaftpapier omheen.

'Niet slecht, hè? Ik krijg alleen het boek niet meer dicht.' Lisa demonstreerde haar probleem. Het kaftpapier zat er keurig omheen, maar het zat te strak.

Isa lachte. Tegelijk schoot door haar heen: ik had ander kaftpapier moeten kopen, dan had ik met Lisa kunnen delen. Zij kan moeilijk met mijn naam op haar boeken lopen.

Ze schoof haar stoel naar achteren. 'Ik haal mijn vader.'

Nadat Isa's vader had laten zien hoe het moest, gingen ze druk aan het werk. Isa legde de gekafte boeken op een stapel voor zich op tafel, Lisa liet ze met een brede grijns in haar rugzak glijden. Een echte Eastpak, een rode. Na veel zeuren en tegen inlevering van al haar zakgeld tot aan de herfstvakantie had Lisa er uiteindelijk ook een mogen uitzoeken.

Maar de chagrijnige trek om haar mond was nog niet verdwenen. Isa pakte een van haar gelpennen uit haar etui en een vast op maat geknipt stuk kaftpapier. Vervolgens schreef ze met een zilverkleurige krul overal een sierlijke L voor haar eigen naam. Zo, nu stond er LIsa.

Ze hield Lisa het stuk papier onder haar neus. 'Wil jij ook wat van mijn kaftpapier?'

Toen klaarde Lisa's gezicht op. 'Wil jij dan wat van het mijne? En dan schrijven we er nú alvast verhalen op. Wat moeten we anders doen vanmiddag?'

JESSE
De eerste dag

Om zes uur was Jesse in één klap klaarwakker. Zijn hart ging als een gek tekeer. Vandaag moest hij om tien uur op school zijn om zijn rooster op te halen. Hij beheerste zich en sprong niet meteen zijn bed uit. Dan bonkte hij zijn moeder namelijk ook meteen wakker, want die sliep direct onder hem.

Zijn tas had hij gisteren al gepakt, met alles wat hij voor vandaag nodig had. Dat was niet veel, want ze hoefden alleen hun rooster op te halen en de boeken van het boekenpakket. Hij moest in lokaal 12 zijn, daar wachtte zijn mentor op hem: meneer Wissel, leraar Engels. Die deelde het rooster uit, meer wist Jesse ook niet.

Gelukkig had hij meneer Wissel al een keer gezien voor de zomervakantie. Toen was er een kennismakingsdag voor alle nieuwe brugklassers. Daar hoorde Jesse dat hij in 1b kwam en dat meneer Wissel zijn mentor zou worden. Alle kinderen van 1b gingen samen op de foto en die kreeg je dan mee naar huis. Wie er in zijn klas zat, wist hij nu dus uit zijn hoofd. Zo vaak had hij ernaar gekeken in de zomervakantie. De enigen die hij kende waren lange Lisa en Vera, maar dat waren meiden en daar had je dus niks aan.

Jesse luisterde naar de kraaien die in de dakgoot luidruchtig in bad gingen. In huis was alles nog stil, alleen het tikken van de klok in de gang beneden kon hij horen. Hij keek op zijn wekker: tien voor half zeven. Jesse draaide zich om en probeerde in slaap te vallen, maar dat lukte natuurlijk voor geen meter. Weer keek hij op zijn wekker. De minuten kropen voorbij.

Eindelijk was het zeven uur. Zijn moeder kwam uit bed en ging Paul wakker maken. Hij hoorde haar voetstappen op de zoldertrap. Toen stak zijn moeder voorzichtig haar hoofd om de hoek.

'Ik dacht dat je nog sliep! Vandaag is de grote dag, hè? Kom je eruit? Dan kun je nog even rustig douchen.' Jesse knikte en sprong zijn bed uit.

Hij probeerde alles op zijn dooie gemak te doen. Toch was hij om acht uur echt helemaal klaar.

'Hoe laat hebben jullie afgesproken bij het tankstation?' vroeg zijn moeder. Bij het tankstation verzamelden zich al jaren alle kinderen die naar het Max Havelaar fietsten.

'Om kwart voor negen.' Jesse had geen idee wat hij in de tussentijd zou gaan doen.

'Maar jullie fietsen het in een half uur!' Zijn moeders stem sloeg bijna over van verbazing. Jesse haalde zijn schouders op.

'We komen de eerste dag liever niet te laat.' Wat zag hij daar aan zijn moeders gezicht, lachte ze hem uit?

Om half negen ging de bel. Daar zou je Kees hebben.

'Ben je nou nog niet klaar?'

Jesse zei niets en pakte zijn tas. Zijn fiets had hij al klaargezet in de tuin. Hij schoof zijn nieuwe tas onder de snelbinders. Man, die was stinkend duur geweest en daardoor de schrik van de week voor de vakantie.

'We gaan!' Jesse sprong op zijn fiets en reed als eerste de tuin uit. Kees spurtte achter hem aan.

Bij het tankstation waren ze niet eens de eersten. Om tien over half negen leek de groep compleet. 'Klaar om te rijden?' riep een van de oudere jongens.

'Gaat Claudia niet mee?' riep een van de meisjes.

'Misschien moet zij een uur later. Ik hoorde van mijn zus dat niet iedereen op hetzelfde moment op school moet zijn,' zei een ander terug. En toen gingen ze.

Zijn moeder had gelijk gehad, maar dat zou ze niet te horen krijgen. Ze waren om kwart over negen op school. Gelukkig had Kees geld bij zich, daarvan kochten ze een gevulde koek en een beker thee. Ze gingen in een vensterbank zitten: nu maar wachten tot het eindelijk tijd was.

'Ik zit in 1c,' zei Kees. Jesse knikte, dat had hij nu al drie keer gezegd. Anders hadden ze elkaar altijd genoeg te vertellen, maar nu leken ze volledig uitgepraat.

In stilte keken ze naar de lange jongens en meisjes die aan hun vensterbank voorbijtrokken.

'Hé kijk, verse brugwuppen,' riep er een en wees op hen.

'Ik zie geen verschil met basisbiggen,' was het antwoord.

Jesse voelde zich rood worden. Leuk begin, het was te hopen dat ze dit niet bleven doen.

Toen stootte Kees hem aan: 'Kijk, daar is Claudia!'

Jesse keek op zijn horloge: het was tien over half tien. Claudia moest dus ook om tien uur haar rooster ophalen. Dat was pas stom, hadden ze haar de eerste dag alleen laten fietsen.

Claudia zag hen zitten en liep op hen toe.

'Waarom hebben jullie niet op mij gewacht? Ik had gisteren nog speciaal Janneke gebeld om te zeggen dat ik mee zou rijden. Nu moest ik alleen fietsen.'

Claudia's gezicht was rood en het leek alsof ze gehuild had. Jesse had medelijden met haar. Het zal je maar gebeuren op de eerste dag!

'Wat lullig!' zei hij. 'Iemand vroeg nog of we niet op jou moesten wachten. Maar niemand zei wat. Ik dacht dat je misschien later moest dan wij. Maar waarom was je dan niet op tijd? We gingen om kwart voor negen weg.'

Claudia haalde haar schouders op. 'Janneke had gezegd dat we om negen uur zouden gaan.' Ze draaide zich om en liep weg.

Ineens sloeg Jesses hart een slag over. Hij stootte Kees aan. 'Kijk, dat is Wissel, die leraar Engels die mijn mentor is!'

'1b, verzamelen in lokaal 12!' riep Wissel.

Jesse sprong op en pakte zijn spiksplinternieuwe Eastpakrugzak. 'Wachten we op elkaar bij het fietsenrek?'

Kees knikte afwezig en keek ingespannen in de verte. 'Daar is mijn mentor, mevrouw Wierink. Ik zie je straks!'

Van het ene op het andere moment was het een drukte van belang. Iedereen probeerde zo snel mogelijk in zijn nieuwe lokaal te komen. Jesse had het idee dat hij zich een weg door de jungle moest banen.

Toch was hij als een van de eersten in lokaal 12. Meneer Wissel stond bij de deur en gaf hem een hand. Hij keek Jesse ingespannen aan en toen keek hij op de foto in zijn hand.

'Jesse!' zei hij toen trots. 'Kom zitten, jongen, dan wachten we op de rest.'

In het lokaal stonden drie rijen banken. Jesse koos een bankje in het midden van de muurrij. Dat leek hem een neutrale plek.

Ingespannen keek hij hoe de anderen binnenkwamen. Een voor een koos iedereen een plek uit. Stom dat hij al zat, nu moest hij wachten tot iemand hém koos om naast te zitten.

Toen hoorde hij een plof. Een donkere jongen met een vriendelijk gezicht knalde zijn tas naast hem op de bank. 'Mag ik naast jou zitten?'

Wissel begon met het uitdelen en uitleggen van het rooster. Ingespannen maakte Jesse aantekeningen. Er was zoveel te bespreken dat het uur voorbijvloog. De jongen naast hem heette Chris. Hij kende ook geen van de jongens in de klas, dus dat schiep alvast een band.

Toen Jesse na het uur weer op de gang stond met zijn tas vol boeken, had hij een goed gevoel. Dit ging vast een leuke klas worden.

Toen zag hij Claudia voorbijlopen. Ze keek een stuk opgewekter dan vanochtend, maar helemaal weg was het nog niet.

'Claudia! Kees en ik wachten bij het fietsenrek voor het terugfietsen,' riep Jesse in een opwelling.

Claudia keek hem dankbaar aan. 'Oké, ik kom er zo aan.'

Jesse grijnsde. Dat was toch een kleine moeite. Zo moeilijk als die meiden soms tegen elkaar konden doen! Hij was blij dat Kees en hij elkaar dat soort streken niet leverden. Zijn eerste dag was tenminste top verlopen, zo.

Nu begint het serieus

Zo'n introductiedag, dat is natuurlijk allemaal leuk en aardig, maar dat is alleen maar rondneuzen. Nu was het tijd voor het serieuze werk. Vandaag zou de eerste echte lesdag op het Max Havelaar zijn, met interessante lessen waar je wat aan had, echte middelbareschoollessen. Vera was benieuwd. Eerst kregen ze een paar mentoruren, maar dan zou het in het derde uur toch echt beginnen.

Het was ingewikkeld om het lokaal te vinden waar ze moest zijn. *1b: Wiskunde. Hr. J. van Kleef. Lok. 112.* Ja, dat was duidelijk, maar hoe vond je in godsnaam lokaal 112 in dit enorme blok van een gebouw? Dat was lastig, dat je niet je eigen vertrouwde lokaal meer had, zoals op je oude basisschool. Hier had ieder vak en ieder uur zijn eigen lokaal, dat was even zoeken.

Gelukkig was Vera niet de enige die de weg niet wist, er waren er meer van klas 1b die liepen te zoeken.

'Die eerste 1 van 112 betekent eerste verdieping,' wist er een. En zo stommelden ze met z'n allen via overvolle trappen, tussen bomen van knullen en stoere meiden uit de zesde klas door, naar de goede verdieping en daar was lokaal 12 snel gevonden.

Vera keek een beetje verloren rond in dit vreemde lokaal. Waar zou ze gaan zitten? Het liefste wilde ze achterin gaan zitten, maar er waren er meer met dat idee en die waren haar voor. Niets aan te doen. Ze plofte zomaar ergens neer en keek eens om zich heen. Ze kende hier niemand, alleen Lisa en Jesse, die kende ze nog van haar oude Woutertje Pieterseschool. Hoe zou ze hier ooit vriendinnen kunnen maken?

Lang om hierover na te denken had ze niet, want meneer Van Kleef, de wiskundeleraar, kwam binnen. Het was een nogal klein mannetje met een smal brilletje in een bruin colbert met een donkerblauwe stropdas, echt een keurig persoon.

'Goedemorgen jongelui,' begon hij, 'ik geloof om te beginnen dat het handiger is als iedereen die achterin zit hier vooraan komt zitten. Want in de Bijbel staat al: "De laatsten zullen de eersten zijn", en dat staat er niet voor niets.' Dat was blijkbaar als grapje bedoeld, want hij moest er zelf om lachen.

Toen de achtersten met tegenzin vooraan waren gaan zitten ging hij verder: 'Ik zal jullie uitleggen hoe het hier toegaat. Als iemand zich niet gedraagt, schrijf ik zijn naam op het bord bij de lijst van losers. Dat betekent dat je voor straf na schooltijd de kantine moet helpen schoonmaken. Wie van jullie kan er mooi schrijven?'

Na een tijdje stak een nogal stoer uitziende jongen op de voorste rij zijn vinger op.

'Goed, schrijf je naam maar op het bord.'

De jongen schreef in keurige koeienletters: 'Dennis de Bruin' en ging weer zitten.

Meneer Van Kleef schreef daar nu boven: 'Losers'. Daar moest hij alweer om grinniken met zijn valse grijns.

'Maar meneer, ik heb niks gedaan!' riep Dennis verontwaardigd.

75

'Precies,' zei meneer Van Kleef. 'Daarom ben je een loser, want het is hier de bedoeling dat je wél wat doet.' En opnieuw moest hij heel hard lachen om zijn eigen grap.

Is dit normaal? dacht Vera verbijsterd. Wat is dit in godsnaam voor raar figuur?

Toen gebeurde er ineens iets geks. Dennis ging met Van Kleef meelachen, steeds harder. Hij sloeg zich op zijn dijen van de pret, hij bescheurde zich zowat. Langzamerhand begonnen de anderen ook te lachen. Ha ha ha, alsof het een superleuke mop was van die meneer Van Kleef. Ze hadden het gewoon niet meer. Ook Vera deed mee. Ha ha, ha ha, ha ha ha!

Meneer Van Kleef stond er een beetje beduusd bij. Ten slotte veegde hij de naam van Dennis van het bord en zei, toen het eindelijk stil was, kortaf: 'Zo is het wel genoeg. Pak je wiskundeboek. We beginnen bij Blok 1, les 1, opdracht A. Maar eerst lezen jullie de inleiding op pagina 6, dan kunnen we daar de volgende keer meteen mee aan de slag.'

Vera ging maar lezen in haar gloednieuwe boek. Daar stond: 'Na ieder blok maak je in het differentiatiewerkboek een diagnostische toets, daarna kun je aan de slag met de verdiepingsstof waarbij je...'

Ja, hallo zeg, dacht Vera. Waar ben ik mee bezig? In wat voor school ben ik terechtgekomen? Toen merkte ze pas dat ze het voorwoord van haar nieuwe taalboek voor Nederlands aan het lezen was. Dat kon nog wat worden...

Het vierde uur hadden ze inderdaad Nederlands in lokaal 103 met uitzicht op het dak van de fietsenstalling. Hun leraar was

ene meneer Berkman, een beetje dikke, zo te zien vriendelijke man, een beetje kaal, in een slobbertrui.

'Wat jullie hier op school gaan leren,' zei hij, 'is met teksten
omgaan. Je hebt bijvoorbeeld teksten die in de krant staan, je
hebt verhalen in een leesboek en er zijn gedichten en liedjes.
Dat leerboek *Taal totaal* hebben we vandaag nog niet nodig,
we beginnen eerst met het leukste: een gedicht.'

Wat je maar leuk noemt, dacht Vera nog.

Meneer Berkman deelde aan iedereen een vel papier met
een gedicht uit, van een schrijver van wie Vera nog nooit gehoord had. Ze moesten het eerst allemaal lezen.

Stel je voor:
Eén stofje in de kamer
van een huis in een straat,
Straat in een stad van een land
op deze wereld
Zo klein als dat stofje op de aarde
zo klein zweeft heel de aarde in het heelal

En die ster die je zag
is zoveel jaar licht van ons vandaan.
Een knipoog van die ster aan de hemel
die duurt hiernaartoe zo lang,
Dat is om duizelig van te worden
en ook bang.

Tja, Vera vond het maar een raar gedicht met al die korte zinnetjes die niet eens rijmden. Wat moest je daar nou mee? Toch

vond ze het op een of andere manier wel mooi, al wist ze niet zo gauw hoe dat kwam.

Meneer Berkman las het nu nog eens voor, niet eens extra voordrachtachtig, maar juist heel gewoon, alsof hij de krant voorlas.

'Dit is dus een gedicht,' zei hij, 'al rijmt het niet. Waaraan kan je zien dat dit een gedicht is en geen krantenbericht? Wat denk je?'

De hele klas staarde hem glazig aan. Dit soort vragen waren ze geen van allen gewend.

Opeens keek hij Vera aan. 'Hoe heet je?' vroeg hij vriendelijk.

'Vera.'

'Vera,' vroeg hij, 'weet jij het verschil tussen een krant en een gedicht?'

Ze kreeg een kop als vuur. Wat moest ze nou zeggen?

'Nou ja, weet ik veel,' stotterde ze, 'een krant, nou ja dat is gewoon wat er in de wereld gebeurt, gewoon. En een gedicht, ja dat is meer, hoe zeg je dat, wat er gebeurt in je hoofd. Of zo.'

'Precies,' zei Berkman. 'Heel goed. Jij zegt het werkelijk uitstekend. Een gedicht gaat over wat er in je hoofd gebeurt, over wat je voelt. En weten jullie over welk gevoel dit gedicht gaat? Nee? Kijk maar naar het laatste woord van dit gedicht: bang. Het gaat over bang zijn, dus. Schrijf nu allemaal in het kort op je blaadje hoe je dit gedicht vindt. Niet alleen of je het mooi, leuk of stom vindt, maar ook waarom je dat vindt. Ik wil ook weten of je jezelf herkent in zo'n gedicht, of je zelf wel eens bang bent geweest door dat enorme heelal. Ga je gang. Je krijgt er tien minuten voor, durf eerlijk te zijn.'

Vera vond dit maar een vreemde opdracht. Nu moest ze opschrijven of ze 'zichzelf herkende'. Zou je daar dan ook een cijfer voor krijgen? Hoe kon dat dan?

Ze beet wat op haar balpen. Ze herinnerde zich nu dat ze op haar elfde van opa uit Rotterdam een verrekijker had gekregen. Toen had ze 's nachts uit haar slaapkamerraam met die kijker naar de maan gekeken. Ze was zelfs op een stoel gaan staan om dichter bij de maan te zijn! Daar kon ze nog steeds om lachen. Toen had ze voor het eerst beseft hoe groot het heelal was en hoe piepklein de mensen. Dat ging ze maar eens opschrijven voor meneer Berkman.

Dat is eigenlijk wel bijzonder, bedacht ze: dat er gedichten zijn die over jezelf gaan. Dat is toch heel wat anders dan Dikkertje Dap op de basisschool.

Toen ze het aan het eind van het uur inleverde en wegging naar het volgende uur, zei meneer Berkman: 'Dag, Vera.'

Nu al kende iemand haar bij naam op deze school.

ISA
Weer de kleinste

Isa had er vaak aan gedacht hoe zwaar haar tas zou worden. Ze had het gewicht horen noemen: tien kilo, twaalf kilo, zelfs twintig kilo, maar ze had zich nooit gerealiseerd hoe zwaar al die kilo's aanvoelden als je ze optilde en aan je arm voelden trekken. Met een plof liet Isa de rugzak vallen.

'Boink,' zeiden de kilo's.

Ze tilde hem met haar andere hand op en met een krachtige zwaai sjorde ze hem over één schouder. Moest kunnen, ze had genoeg spieren in haar lijf door het dansen. Jacco, van wie ze streetdanceles had, zei altijd vol verbazing: 'Zo'n ukkepuk, en dan zo veel kracht.' Hij was de enige die dat mocht zeggen. Hardop zei Isa, als een bezwering: 'Alleen hij mag dat zeggen! Hij alleen!'

In het midden van haar kamer bleef ze staan, scheef door het gewicht van haar tas. Had ze alles? Ze wierp een blik op haar horloge. Het kon nog wel. Ze liet haar rugzak weer op de grond zakken – 'Boink,' herhaalde hij zichzelf – en voor de zekerheid keek ze alles nog een keer na. Agenda? Ja. Etui? Ja. Geodriehoek? Ja. Rekenmachine? Ja. Boeken? Ja. Woordenboeken? Ja. Ze keek of er niets op haar nieuwe bureau was achtergebleven en gespte haar Eastpak dicht.

Weer hees ze hem over haar rechterschouder. Of zou ze toch...? Ze deed haar linkerarm door de andere draagband en voelde het gewicht nu aan beide schouders trekken. Dat was vast niet stoer, maar het voelde wel beter.

Ze keek naar haar spiegelbeeld boven de wastafel, maar zag alleen het bovenste deel van zichzelf. Ze wist dat de tas eigenlijk lager moest hangen, maar ze had nu al het gevoel bijna achterover te kieperen. Zou je gepest worden als je Eastpak in je nek hangt? Och, bij haar hing de tas eigenlijk vanzelf op haar billen.

'Isa! 't Is tijd!' hoorde ze haar moeder beneden roepen.

Precies. Tijd. Tijd om te stoppen met piekeren. De anderen wachtten op haar bij het tankstation.

Nog één laatste blik op haar spiegelbeeld dat vijf centimeter hoger was dan normaal... Haar nieuwe kleren waren precies goed voor de eerste echte lesdag: een zwarte broek op de knieën, een strak zwart-wit gestreept truitje met een kort vestje eroverheen, ook zwart. En dan nog haar nieuwe schoenen met hakken! Haar haar had ze gisteren met een kleurspoeling gewassen en glansde mooi donkerrood. Ze had zich opgemaakt, maar niet te. Oké, ze was er klaar voor.

Ze deed de deur van haar kamer open. Hier had ze zo lang naar uitgekeken en nu zag ze ertegen op, dacht ze terwijl ze langzaam de trap afliep. Als haar vader nu zijn favoriete grapje ging maken, sprong ze uit haar vel: 'Waar gaat die grote tas met dat kleine meisje naartoe?'

Maar hij zei gelukkig alleen: 'Dag, grote meid, veel plezier.'

Ook haar moeder zei niet te veel: 'Een goede dag vandaag, ik ben heel benieuwd met wat voor verhalen je vanmiddag thuiskomt.'

Ze fietsten met zijn allen op: Lisa, Jesse, Kees, Vera, Janneke, Martijn en Zora. Claudia was er gelukkig nu ook bij. Ze was wel erg sneu geweest gisteren. Allemaal gingen ze naar het Max Havelaar College, maar ze zaten niet allemaal meer in dezelfde klas. Wat vreemd, dacht Isa, eerst weet je alles van elkaar en nu doet iedereen wat anders. Er waren ook een paar van hun oude klas naar het IJsselstein College gegaan en drie kinderen gingen zelfs naar het gymnasium. Die moesten nog verder fietsen. Of misschien gingen ze nu al met de bus.

Het was ruim een half uur fietsen. Martijn deed weer eens gek, Vera, Claudia, Lisa en zij hadden de slappe lach en toen waren ze er zomaar. Hun mentor, van wie ze op de eerste dag al 'les' hadden gehad, had hen verteld waar de eersteklassers hun fietsen moesten stallen. Ze waren ineens stil toen ze het schoolplein op fietsten. Ze hadden het er vaak over gehad hoe het zou zijn om weer de kleinsten te zijn. Van alle kanten kwamen leerlingen aanfietsen – grote kinderen – wat een drukte ineens!

Isa keek naar niemand speciaal, maar luisterde scherp. Ja hoor, daar had je het al.

'Hé, brugmuggen! Zie je dat? Ze worden ieder jaar kleiner, die brugpiepers!'

Was dat tegen haar? Plotseling lag er iets zwaars in haar maag, alsof ze een baksteen had gegeten vanochtend in plaats van een cracker. Ze keek naar Lisa, die haar fiets tussen twee andere in wurmde. Die had natuurlijk niets gehoord. Die hoefde ook nergens bang voor te zijn, ze zag er al uit als een derdeklasser.

Isa haalde haar rugzak onder de snelbinders vandaan. Ze wankelde even op haar hakken. Ze dacht: weet je nog wat je je hebt voorgenomen? Je doet net alsof het je niks kan schelen dat je in iemands ogen weer een koter bent. Best. Het is niet anders. Vergelijk het met de kleuters op de basisschool, maar wij pesten in de hogere groepen geen kleuters, dat vinden we zielig.

'Lisa! Claudia! Wacht!' Zo snel ze kon liep ze achter de anderen aan het schoolplein over in de richting van de blauwe deuren die uitnodigend openstonden. Eerste twee uur mentorles in lokaal 101 repeteerde ze in haar hoofd. Dan pauze. Derde uur biologie in 23, vierde uur Nederlands in 116; dan weer pauze. Vijfde uur... eh... wat had ze ook alweer het vijfde uur?

In de grote hal nam ze afscheid van Lisa, die naar haar eigen klas moest en les had in lokaal 6. Ineens moest Isa aan haar eerste schooldag op de Woutertje Pieterse denken. Ze waren in de zomervakantie in het dorp komen wonen voordat zij naar groep 6 ging. Op de eerste schooldag werd ze door haar moeder gebracht en al in de deuropening hadden ze iets te zeggen over haar lengte. Of ze wel in de goede klas was. In de pauze kwam zij iets later naar buiten dan de rest, omdat de juf het een en ander van haar had willen weten van haar vorige school. Ze wist nog precies hoe het gegaan was: het is een eng, stom en raar gevoel als die kinderen zo naar je kijken als je eraan komt lopen, want je bent toch kleiner dan zij allemaal. Ze maakten zwijgend plaats voor haar. Een van de jongens, Martijn was dat, zei toen: 'Je bent verkeerd. Daar is het plein voor de kleuters.'

De klas begon te lachen, maar ineens had Lisa in het midden van de kring gestaan. Ze stak minstens een kop boven de langste jongens uit en zei kwaad tegen Martijn, die zelf ook aardig lang was: 'Zeg bullebak, neem iemand van je eigen lengte!'

Dat de klas ontzag voor Lisa had, was onmiddellijk duidelijk: vanaf dat moment werd er niet meer over haar lengte gepraat en had zij een vriendin gevonden.

Nu moest ze het zonder Lisa doen.

Maar dat kon ze wel! Natuurlijk kon ze dat. Ze was hier tenslotte niet alleen. Ze liep met Claudia de trap op naar de eerste verdieping en samen gingen ze lokaal 101 binnen. Even aarzelden ze voor ze een plek uitkozen: zou je zelf mogen weten waar je ging zitten?

Alsof mevrouw Wierink, hun mentor, hun gedachten kon lezen, zei ze: 'Zoek maar een plaatsje uit.'

Claudia en zij kozen een bank ergens in het midden. Voor hen kwamen Martijn en Kees te zitten.

Een mentor lijkt nog het meest op een juf of een meester, had haar moeder verteld. Zij kent de kinderen van de nieuwe klas beter dan de gewone leraren en je moet eerst naar haar als je problemen hebt.

En nu ging het dan toch echt gebeuren! Ze moesten hun agenda's pakken en mevrouw Wierink legde uit hoe je die moest invullen. Nieuwsgierig keek Isa naar de agenda's van de anderen. Er waren er meer met Elle Girl-agenda's. Verder zag ze agenda's van O'Neill, Hello Kitty en de Hitkrant. En de meesten hadden een Eastpak. Haar eigen Eastpak was wel heel dik, zag ze nu. Had ze niet te veel meegenomen?

Ze boog zich naar Claudia. 'Jouw tas is dunner dan die van mij. Hoe kan dat?'

Claudia boog zich opzij over de tafel om naar Isa's tas te

kunnen kijken. 'Lieve help, wat heb je allemaal mee dan?'

'Alles!'

'Wat?! Hoezo alles?'

'Nou, alle boeken, en mijn geodriehoek en...'

Claudia onderbrak haar. 'Maar we hebben helemaal geen wiskunde vandaag!'

Ineens begon Isa een vermoeden te krijgen. 'Hoef je dan niet...' mompelde ze.

'Nee!' zei Claudia. 'Nou ja, die geodriehoek is niet zwaar.'

'Nee,' fluisterde Isa, 'maar die woordenboeken wel.'

'Wat?! Heb je ook je woordenboeken...'

'Claudia! Isa!' De stem van mevrouw Wierink haalde hen weer bij de mentorles. 'Ik wil geen gepraat als ik aan het woord ben.'

Met een kleur boog Isa zich over haar werk. Stom! Hoe kon ze zo stom zijn! Natuurlijk hoef je alleen die boeken mee te nemen die je nodig hebt, zij had vanochtend alles in haar tas gestopt.

'Niks tegen de anderen zeggen, hè?' fluisterde ze nog.

Intussen keek ze om zich heen om te zien of iemand soms gehoord kon hebben waar zij het over hadden. Ze wilde er niet uit liggen. Het was heel belangrijk een goede indruk te maken die eerste dagen.

Terwijl mevrouw Wierink verder vertelde over hoe je het huiswerk moest opschrijven, wierp Isa af en toe een blik de klas rond. Zes kinderen kwamen van de Woutertje Pieterse. Hoe lang zou het duren voor zij iedereen zou kennen? Zouden ze hier net zo'n hechte groep kunnen worden als op de basisschool? Gelukkig had niemand van de klas toen ze hun boeken en zo ophaalden, een vervelende opmerking gemaakt over haar lengte. Alleen één meisje had gezegd: 'Goh, wat ben jij klein!' Nou, dat kon ze moeilijk ontkennen. Zij was de kleinste van de klas. Misschien was zij wel de kleinste van de hele school. Het gaf haar ineens een soort gevoel van trots.

De mentorles duurde twee lesuren. Ze werden na het eerste uur opgeschrikt door de bel en ze mochten even vijf minuten pauze nemen. Daarna ging de les door.

En bij het voorbijgaan van de les dacht Isa aan al die deuren in de gangen die bij elke leswisseling open zouden gaan en aan al die kinderen die de lokalen in en uit zouden komen en opgepropt door de gangen moesten lopen. Als brugklasser word je nogal eens aan de kant geduwd, werd er gezegd. Ben je ouder, dan mag je eerst, lijkt de regel. Heel oneerlijk. Heel ondemocratisch. Ben je langer dan gemiddeld, dan lijk je ouder en krijg je vanzelf ook meer ruimte. Lisa had mazzel met haar lengte. Hoe zouden haar eerste uren zijn?

Toen de bel ging, stapte Isa met haar hoofd vol informatie en haar zware tas op haar rug samen met Claudia, die ook niet groot maar nog altijd een kop groter dan zijzelf was, voorzichtig de gang op. Hier viel het nog wel mee, ze konden gewoon doorlopen, maar hoe dichter ze bij het trappenhuis kwamen, hoe drukker het werd. Van alle kanten kwamen leerlingen aangelopen, de meeste met hun rugzak nonchalant over één schouder. En dat moest allemaal tegelijk de trap af en de kantine in?

Claudia grinnikte. 'Jeetje, een heuse file! Zou dit normaal zijn? Kom op, Isa, gewoon doorlopen, wij hebben net zoveel recht hier te lopen als ieder ander.'

Ze waren boven aan de trap gekomen en moesten even inhouden voor ze door konden lopen. Toen konden ze de trap af. Drie, vier treden waren ze gedaald toen Isa ineens geen grond meer onder haar voeten voelde. Hè, wat gebeurde er? Ze wilde doorlopen, maar het enige wat ze kon doen was met haar benen in de lucht trappelen. Ze bungelde boven de grond, iemand had haar opgetild!

Om haar heen werd gelachen en er werd geschreeuwd. Was zij dat zelf?

'Hé, zet me neer!'

Maar naast zich hoorde ze ook Claudia gillen.

Toen merkte Isa dat ze daalde. Even voelde ze vaste grond onder haar voeten, toen een ruk aan haar tas. Ze verloor haar evenwicht en viel keihard op haar billen. Ze schoof een paar treden de trap af en botste tegen de benen van de leerlingen die een paar treden lager stonden. Ze lachten.

'Hé, stomme braadworst, kleuterachtige vissenbek, stinkende vuilniszak!' hoorde Isa Claudia boven haar hoofd tekeergaan. 'Dat is gemakkelijk tegen zo'n kleintje!'

Weer werd er gelachen. Isa beet hard op haar lip. Ze had haar kont zeer gedaan, maar dat liet ze niet merken. Plotseling was het alsof er een soort beschermende kooi om haar heen viel waardoor ze een ijzige kalmte voelde. Ze rees als een koningin omhoog en zei op hooghartige toon tegen de lange slungel die haar had opgetild en die nog steeds hoog boven haar uittorende: 'Wat zielig ben jij, dat je zoiets leuk vindt.'

Toen ze zich omdraaide en de trap afliep, kreeg ze alle ruimte.

Claudia kwam snel achter haar aan. 'O, Isa, wat goed!!!'

Ook de anderen van haar klas volgden.

In de kantine was het gedaan met Isa's kalmte. Ze trilde als een rietje, wreef zo onopvallend mogelijk over haar zere stuitje en grijnsde naar haar nieuwe klasgenoten die verontwaardigd om haar heen kwamen staan en allemaal door elkaar riepen.

'Hoe durft-ie!'

'Wat een stomme gozer!'

'Wat denkt-ie wel?!'

'Heb je nu ooit zoiets meegemaakt! Niet te filmen, zeg...'

'Dat heb je goed gezegd, Isa,' vond Kees.

Verschillende kinderen knikten.

'Hoe lang ben jij eigenlijk?' vroeg een meisje, dat zelf ook niet erg lang was. Rachida heette ze.

Isa glimlachte in zichzelf voor ze antwoord gaf. De vraag was niet hoe klein, maar hoe lang ze was...

'Een meter negenendertig.'

'Hoe is dat om een meter negenendertig te zijn?' vroeg Patrick, een nogal lange jongen.

'Soms best fijn,' begon Isa. 'Je mag overal vooraan staan, je kunt lekker voordringen en je hebt niet gauw ruzie, want de meeste kinderen vinden je wel grappig.'

Isa keek de kring rond. De hele klas stond om haar heen te luisteren! Snel ging ze verder: 'Een nadeel van klein zijn is dat je nooit in sommige attracties kunt. Bijvoorbeeld in de Efteling of in Disneyland. Ik wilde heel graag in de Space Mountain, maar ik mocht er niet in. Nou, en verder behandelen de meeste mensen me naar mijn lengte en niet naar mijn leeftijd. Dat is niet leuk, hoor. En dan heb je nog van die engerds die je gaan optillen!'

Er werd gelachen.

'Ik wil wel voor lijfwacht spelen,' bood Patrick aan.

Kees zei er snel achteraan: 'Ik ook wel!'

Ze praatten nog even door over hoe het is om lang te zijn en daarna begonnen ze over de mentorles. Geen van hen had zin om in de rij te gaan staan bij de balie, waar je wel van alles kon kopen, wist Kees te vertellen. Hij had een oudere broer hier op school. Isa had een flesje water meegenomen en ineens bleken de meesten van hen een pakje drinken in de tas te hebben zitten. Een paar haalden een blikje uit de automaat.

Al snel was de pauze voorbij. Er ontstond alweer een dringen bij de deur naar de hal, zagen ze. En in haar maag begon het ook weer te kriebelen, maar toen zei Patrick: 'Ik loop wel voorop!'

'Weet je waar we naartoe moeten?' vroeg Rachida hem.

'Eh...' Patrick aarzelde. 'Wie weet het?'

'Lokaal 23,' zei Isa die haar mooie, maar veel te zware Eastpak weer op haar rug hees.

'En wie weet waar dat is?' vroeg Patrick.

'Ik!' zei Kees.

'Bij elkaar blijven, hoor!' zei Rachida.

En met Claudia aan haar ene zij en Rachida aan haar andere liep Isa achter de twee jongens aan. De rest van de klas volgde.

Wat moet je eigenlijk aan als je met alle brugklassers tegelijk naar het 'introductiekamp' van school gaat? Moet je op glitter of moet je op stoer? Moet je trendy of moet je sportief? Ze wist het niet, Vera. En ze had eigenlijk helemaal geen zin in van die opgefokte kennismakingsdagen.

'Dat is toch leuk?' had haar moeder nog gezegd. 'Dan leer je elkaar eens van een andere kant kennen.' Nou, dat hoefde van Vera ook niet. Ze vond het Max Havelaar College zo al moeilijk genoeg.

Ten slotte had ze van alles door elkaar in haar weekendtas geplempt: afgedragen trui, zwart glimmend bloesje, gerafelde spijkerbroek en zelfs het kleine T-shirt waar met grote letters *F*ck you* op stond, dat ze nog nooit gedragen had. Zelf had ze zich maar in haar blauwe trainingspak gestoken, dat kon nooit kwaad.

Haar moeder was nog meegegaan om Vera uit te zwaaien toen ze de bus in ging. Vreselijk vond ze dat, het ging toch niet om een schoolreisje van de Woutertje Pieterse school! Ze ging naar conferentieoord Woudzicht, helemaal bij Zeist, dat was heel wat anders.

Er waren ook andere ouders gekomen om hun kinderen weg te brengen, maar evengoed geneerde Vera zich dood. Zodra ze eenmaal in de bus zat, keek ze recht voor zich uit en ze deed of ze haar moeder buiten niet zag staan.

Eenmaal onderweg begon het meteen al goed. De chagrijnige buschauffeur riep om te beginnen door de intercom dat in zijn wagen geen 'medegebrachte eet- en drinkwaren genuttigd mochten worden', maar de jongens die zo snel mogelijk de achterbank hadden bezet, dachten daar heel anders over.

Dikke Jaap zat er met opscheppertje Dennis en geinponem Jorg, en Jesse met Kees. Jaap haalde om te beginnen een paar zakken paprikachips tevoorschijn. Verstopt achter de stoelleuningen deelde hij er rijkelijk van uit en hij was zo aardig om ook de meisjes vóór hem wat te geven: Vera, Isa, Lisa en Claudia.

Dennis begon met volle mond hardop *Daar staat een páárd in de gang* te zingen, om de stemming erin te houden, zoals hij zei.

En: *Janus, Janus, pak me nog een keer*
Pak me nog een keer!
Janus, Janus, pák me nog een keer
als je 't nou niet doet, dan kán je het niet meer!
Vera vond het vreselijk ordinair.

Voorin zaten mevrouw Prenger, van Frans; meneer Wissel, hun mentor; meneer Berkman, van Nederlands; en meneer Hesbrink, van biologie.

De buschauffeur had zich kennelijk ook geërgerd, want mevrouw Prenger kwam naar achteren en zei: 'Sorry jongens, maar de chauffeur vraagt of het wat zachter kan!'

'Dat vroeg mijn vriendin vannacht ook,' zei Dennis nog.

Intussen begon Isa zachtjes te zingen: *Je mag er alleen maar naar kijken, maar aankomen niet!*

Lisa en Claudia vielen ook in terwijl ze naar de jongens keken. Vera deed ten slotte ook mee. Ze hadden de grootste lol. Zo duurde de tocht naar Woudzicht niet lang.

Dat Woudzicht stelde niet veel voor, vond Vera. Het was een groot landhuis met een rieten dak en kleine ramen, waardoor het binnen overal nogal donker was. Zo te zien was het lang geleden omgebouwd tot een soort jeugdherberg met goedkope klapstoeltjes en kale houten tafels. Overal in het huis rook het naar keuken met boontjes en aardappel. Net zoals bij opa in Rotterdam eigenlijk, maar dan ongezellig.

Die middag moesten ze eerst een lange wandeling maken naar de Piramide van Austerlitz. Dat was niet meer dan een oenig heuveltje dat ze in de bossen nog voor Napoleon hadden neergezet. Daar zal Napoleon blij mee zijn geweest, zeg, dacht Vera. Dat ze dat bezienswaardig durven te noemen. Maar het ergste vond Vera nog die jongens, die voortdurend vlak achter Claudia en haar aanliepen en de hele tijd flauwe opmerkingen maakten. Natuurlijk was het Dennis weer met dikke Jaap en nog een paar knullen.

'Met een van die twee daar zou ik best het bos in willen duiken, nu we toch in het bos zijn,' zei Dennis, zonder erbij te vertellen of hij nu Vera of Claudia bedoelde.

'Waarvoor dan?' vroeg Jaap, stom giechelend.

'Nou, om een beschuitje met haar te eten of zo,' zei Dennis.

Ze hadden het gewoon niet meer van het lachen.

Vera voelde zich er steeds ongemakkelijker onder.

's Avonds aan tafel ging Dennis gewoon door. Hij schoot met zijn lepel boontjes naar de overkant van de tafel, waar Vera zat, en riep: 'Vang!'

Vera kon die boontjes nog maar net ontwijken.

Wissel, hun mentor, kwam langslopen.

'Smaakt het een beetje, Dennis?' zei hij met een knipoog. 'En doe je een beetje kalm aan?'

'Dat vroeg mijn vriendin ook vannacht,' zei Dennis weer. Hij moest er zelf hard om lachen en stootte daarbij ook nog het glas water van Vera om. Maar kleine Jorg naast haar schoof zijn glas naar haar toe.

Ze hadden een slaapzaal op de zolderverdieping met allemaal ijzeren stapelbedden. Vera had een benedenbed met Claudia boven haar. In de badkamer aan het eind van de gang stond ze er wat onhandig bij tussen de andere giebelende meiden. Zij had zelf een gewoon saai wit slipje aan en een piepklein behaatje omdat ze nog bijna niets had. Claudia, zag ze, was misschien wel een beetje dik, maar die had tenminste al echte borsten.

Ze lagen nog lang niet allemaal in bed toen mevrouw Prenger kwam kijken.

'Het is nu al bijna tien over tien,' zei ze terwijl ze op haar grote horloge keek, 'en het is morgen weer vroeg dag. Daarom dacht ik dat het beter was dat we afspreken dat het vanaf nu stil is, zodat iedereen kan slapen. Is dat afgesproken?'

Dat mens bedoelde het misschien best goed, maar waarom moest ze er altijd zo streng bij kijken? Net alsof je nooit met haar kon lachen.

Mevrouw Prenger stapte de meisjesslaapzaal uit en deed resoluut het licht uit.

Maar even later werd er hard op het raam getikt. Lisa ging kijken, durfde het raam op een kier te doen en even later stormde er een stel jongens naar binnen! Die waren vanaf de jongensslaapzaal via de dakgoot naar de meisjes geklommen.

Dennis was erbij met dikke Jaap en Jesse met Kees en ook kleine Jorg.

Jaap had natuurlijk een plastic tasje vol snoep bij zich. Salmiakballen, cola lolly's, Engelse drop... Smaak had die jongen wel, en gul was hij ook. Hij trakteerde iedereen, terwijl ze gezellig tegenover Vera op het bed van Claudia zaten. Alleen Jorg zat naast Vera op haar deken. Bij het licht van wel zes zaklantaarns begon Dennis aan een serie schuine moppen die hij zelf zo leuk vond dat hij van het lachen niet uit zijn woorden kon komen.

'Komt een zeeman bij de hoeren... hi hi... nee, stil nou... komt in ieder geval die zeeman... hi hi... weet je wat die hoer zegt? Nee? Zegt die hoer doodleuk jij kan beter... ha ha... jij kan beter... ha ha... je eigen... hi hi... ha ha ha... meenemen, hoehoehaha!'

Dennis had het niet meer van het lachen. Niemand had er verder iets van verstaan. Maar Dennis zat er niet mee, hij vond zichzelf supergrappig, hij bleef er zowat in.

Hoe lang gaat dat nog door, dacht Vera. Maar op dat moment begon Jorg heel droog en laconiek zijn mop te vertellen: 'Komt een vrouw bij de dokter. Zegt de dokter: "Wat is het probleem?" Zegt zij: "Dokter, ik ben veel te dik. Daar moet iets aan gedaan worden." Zegt die dokter: "Goed, mevrouwtje. Ik ga u eens goed onderzoeken. Kleedt u zich maar helemaal uit." Zegt die vrouw: "Ja, maar dokter, dat helpt niet."' Even was het stil. Jorg keek om zich heen met een gezicht alsof hij het niet verteld had. Maar toen moest Vera er opeens vreselijk om lachen. Na al die gore praat van Dennis was dit nu eens echt iets om je te bescheuren. Ze lag helemaal in een deuk en leunde gierend van de lol tegen Jorg aan.

Op dat moment werd er hard op de deur gebonsd. 'Kan het nu eindelijk eens stil zijn daar?' Het was de stem van Prenger!

Dennis en Jaap wisten niet hoe snel ze door het raam moesten ontsnappen naar de dakgoot. Jesse en Kees doken onder Claudia's bed en Jorg kroop bij Vera onder de dekens. Vera trok haar deken verder over zich heen en deed alsof ze sliep, terwijl ze aan het voeteneind Jorg voelde liggen.

Toen ging het licht aan. Mevrouw Prenger kwam binnen en keek rond. Ze zag in alle bedden meisjes liggen, die haar met grote onschuldige ogen aankeken.

'Ik dacht dat we afgesproken hadden dat wij stil zouden zijn,' zei ze streng. 'Wij zouden slapen omdat wij morgen vroeg op zouden staan. Dat zouden wij, dat was de afspraak. Waarom hoor ik dan om middernacht nog steeds gepraat en gelach? Kan iemand mij misschien vertellen wat er om middernacht te lachen valt? Nee? Neem liever een voorbeeld aan Vera daar. Die is verstandig want die slaapt tenminste. Maar van jullie wil ik niets meer horen. Begrepen?'

Met een rechte rug stapte ze de slaapzaal uit. Oef. Dat was goed afgelopen. Jesse en Kees kropen weer tevoorschijn, fluisterden 'doei' en gingen er als een haas vandoor. Ook Jorg kwam onder Vera's deken vandaan.

'Ik vond het best leuk om op zo'n manier met je naar bed te gaan,' zei hij nog, voor hij het raam uit ging. Daar moest Vera toch wel om grinniken. Grappig jochie, die Jorg.

VERA
Vera scoort

De volgende dag vertelde meneer Berkman aan tafel dat ze die middag een presentatie moesten doen, een toneelstukje opvoeren, een gedicht voordragen, een liedje zingen, een dansje doen, hindert niet wat. Niemand mocht zich drukken, iedereen moest meedoen met de grote Brugpiepershow.

Ze gingen allemaal aan de slag. Een groepje meiden ging playbacken bij de cd-speler, jongens deden iets geheimzinnigs met verkleedkleren en weer een ander had een boekje met 'humoristische voordrachten voor bruiloften en partijen'. Maar Vera wist niks om te doen. Ze zat maar in een hoekje voor zich uit te kijken.

Meneer Berkman liep langs en kwam er even bij zitten. 'Weet jij al wat jij gaat doen?' vroeg hij aan Vera. 'Jij doet toch ook mee, hè?'

'Kweenie,' zei Vera, 'want kweeniks.'

'Kom nou,' zei Berkman. 'Er is vast wel een gedichtje of een liedje dat je uit je hoofd kent. Dan doe je dat toch? Ik weet zeker dat jij dat heel goed zal kunnen.'

Hij stond op en ging weer verder. Daar zat Vera nou. Ja, ze kende wel een liedje dat ze vroeger vaak met opa zong. *Diep in mijn hart,* heette dat. Maar zouden de anderen dat geen stom liedje vinden? Nou ja, het was in ieder geval heel wat beter dan Frans Bauer.

Een uur later begon de hele voorstelling. Meneer Berkman

praatte als een volleerd presentator de verschillende optredens aan elkaar. Met wat kleine grapjes wist hij ook de meest nerveuze leerlingen op hun gemak te stellen. Mevrouw Prenger niet, die was jurylid en keek daar heel streng bij.

Eerst was Jorg aan de beurt. Hij kende het gedicht *De spin Sebastiaan* van Annie M.G. Schmidt uit zijn hoofd. Zijn voordracht was niet slecht, maar de meesten kenden dat versje nog van de basisschool. Hij kreeg dus maar een mager applausje.

Toen kwamen Isa, Lisa en Claudia. Zij hadden een cd van Pink bij zich en ze hadden zich zwaar opgemaakt, want ze gingen Pink playbacken. Alleen kregen ze alle drie de slappe lach van de zenuwen, zodat ze er niets van terechtbrachten. Isa riep nog wel: 'Stop! Overnieuw beginnen!' maar Pink ging gewoon door met zingen.

Met veel kabaal en poeha klommen daarna Jaap en Dennis op het toneel met Jesse en Kees. Dennis had zich als vrouw verkleed met een laken als jurk en twee ballonnetjes onder zijn T-shirt als borsten. Ze zongen heel hard *Janus, Janus, pák me nog een keer!* terwijl ze die twee ballonnetjes beetpakten, totdat er één ballonnetje knapte. Dat was de hele act.

Er waren misschien wel een paar jongens die erom moesten lachen, maar de meesten vonden het maar flauw. Ook Vera vond het gênant dat Jesse en Kees van haar oude school hieraan meededen. Mevrouw Prenger zou hier zo te zien ook niet veel punten voor geven.

Maar nu moest opeens Vera opkomen met haar nummer. Nu al? Ze schrok zich rot.

'Verwelkom haar met een warm applaus: Vera!' riep Berkman enthousiast. Nu moest Vera wel.

Ze stapte naar voren, keek naar de punten van haar schoenen en zong zachtjes:

Diep in mijn hart
kan ik niet boos zijn op jou
blijf ik je toch altijd trouw
dat mag je heus wel weten.

'Gelijk heb je, schat!' riep Dennis erdoorheen. 'Zeker weten!'

Houd je muil, schreeuwlelijk, dacht Vera kwaad. Ik laat opa's mooie lied niet door jou verknallen. Ze rechtte haar rug en ging opeens heel trots en ernstig zingen, zoals ze opa altijd had zien doen als zij om hem moest giechelen. Ze zong nu alsof ze het tegen Dennis persoonlijk had:

Diep in mijn hart
is er maar één: dat ben jij!
Jij bent toch alles voor mij
zul je dat nóóit vergeten?

Toen gebeurde er iets geks. Dennis wist niet hoe hij kijken moest. Hij kreeg een kop als vuur, terwijl de anderen hem uitlachten. En hij hield zijn mond. Iedereen hield nu zijn mond.

Vera deed er nog een schepje bovenop. Met lange uithalen en armen wijd zong ze voluit tegen Dennis:

Want jij bent heus niet slecht
wat ook een ander van je zegt!

Gejoel en gejuich in de zaal. Applaus van de meisjes en ook van Berkman. Zelfs mevrouw Prenger moest lachen.

'En nu allemaal!' riep Vera overmoedig.

Zo zong iedereen, wijd zwaaiend met de armen:
Diep in mijn hart
kan ik niet boos zijn op jou
Blijf ik je toch altijd trouw, riep Vera.
Blijf ik je toch altijd trouw, zong de zaal.
Diep in mijn hart.

Vera kreeg een staande ovatie. 'We want more, we want more!' riepen ze.

Aan het eind van de middag gaf mevrouw Prenger haar de eerste prijs, een bos bloemen.

Vera nam die bloemen, gele roosjes, heel bescheiden en verlegen in ontvangst. Ze was er helemaal beduusd van. Dit had ze helemaal niet verwacht! Ze had zichzelf altijd een doodgewoon, nogal onhandig meisje gevonden, maar nu merkte ze opeens dat ze toch ook wel iets voorstelde, dat ze er wezen mocht.

Thuis moest ze natuurlijk in geuren en kleuren vertellen hoe ze aan die roosjes was gekomen.

'Ik zou opa maar gauw bellen,' zei moeder. 'Je hebt je succes tenslotte aan hem te danken.'

Dat was waar. Dat was Vera bijna vergeten.

'Ja, opa, met mij hier even,' zei ze. 'Ik heb op schoolweek *Diep in mijn hart* gedaan en die kreeg de eerste prijs.'

'Zo, dat is hartstikke goed,' zei opa. 'Dat zou Jaap Valkhoff mooi hebben gevonden.'

'Jaap wie?'

'Jaap Valkhoff, dat is de gast die dat nummer heeft geschreven en op de plaat heeft gezet. Hij was de Rotterdamse

Johnny Jordaan, maar dan beter. Ja, hij is al jaren dood, maar als hij had gehoord dat mijn kleindochter nog eens de eerste prijs zou krijgen voor zijn meesterwerk, dan was hij daar groots op geweest. Jij hebt ons erfgoed bewaard, meisje.'

Die avond keek Vera in de badkamer in de spiegel. Zo ziet een 'bewaarder van erfgoed' er dus uit, dacht ze. Het stond haar goed.

JESSE
We hebben allemaal wel wat

Niemand in het lokaal praatte. Je hoorde af en toe iemand kuchen of met een tas schuiven.

Meneer Berkman liep langs de banken en deelde de blaadjes uit. Hij was hun leraar Nederlands, maar sinds kort wist Jesse dat hij ook nog een andere taak had. Hij was dys... dysiets coördinator van de brugklassen.

Jesse zuchtte en zocht een pen uit in zijn etui. Dadelijk was hij het ook nog, dys-iets. Het was natuurlijk geen goed teken dat hij niet eens kon onthouden hoe het heette. Het ging immers over wel of niet kunnen spellen, maar dan had je er ineens een rotsmoes voor: er zat iets niet goed in je hersens. Een contactje los, om het maar zo te zeggen. Betekende het niet gewoon dat je gek was?

Jesse was hartstikke zenuwachtig. Hij had het gevoel alsof hij opnieuw de Cito-toets moest doen. Als je het was, ging je op een soort bijles. Maar was dat niet het bewijs dat je een superkneus was?

'Jesse, misschien is het verstandig om te beginnen.' De stem van Berkman klonk hard door de stilte. Verdwaasd keek Jesse op. Nu pas zag hij dat er een blad met opgaven voor hem lag. Hij voelde zijn wangen warm worden.

'Sorry, meneer,' fluisterde hij en hij begon te lezen. De eerste zinnen vielen mee, en de zenuwen verdwenen langzamerhand uit Jesses buik. Geconcentreerd werkte hij door en ruim voor het dicteegedeelte begon, had hij de zinnen af.

Rustig keek hij om zich heen. De meesten waren nog bezig. Wie van hen zou dys-iets zijn?

Meneer Berkman wachtte tot iedereen klaar was, en toen las hij het dictee voor. Aan het eind van het uur legde hij uit wat er met de test ging gebeuren.

'Over een paar weken hebben we alle tests bekeken. Dan krijgen de kinderen van wie we denken dat ze dyslectisch zijn bericht. Die krijgen nog een officiële dyslectietoets. Als daaruit komt dat je echt dyslectisch bent, krijg je tijdens de steunlesuren speciale begeleiding. En bij toetsen is er meer tijd om ze te maken. Dat gaat in principe door tot je examen gedaan hebt. Zelfs in het vervolgonderwijs krijg je meer tijd voor toetsen. Dus ook als je later gaat studeren.'

Toen ze het lokaal uit liepen, kwam Stijn naast hem lopen.

'Ik hoop dat ik dyslectisch ben,' zei Stijn en hij klonk oprecht. Verbaasd keek Jesse opzij. Stijns gezicht stond volkomen serieus, terwijl zijn haren op een komische manier alle kanten op stonden.

'Heb je het niet gehoord, man?' Stijn ontweek ondertussen behendig een lange leerling uit de bovenbouw. 'Je krijgt voor alle toetsen veel meer tijd. Ik ben nogal een slome, weet je. Dus dat lijkt me ideaal. En als je iets verkeerd geschreven hebt, dan zeg je gewoon dat je er niets aan kunt doen! Dat is toch heerlijk bij al die lastige vakken zoals Frans en Engels? Non, madam, je suis dyslectisch!' Stijn trok een heel zielig gezicht.

Jesse haalde zijn schouders op. Zo had hij het nog niet bekeken. Maar hoe mooi Stijn het ook zei, Jesse was niet overtuigd. Diep in zijn hart was hij als de dood dat hij dyslectisch was. Stel je voor, bleek je ineens een handicap te hebben waar je eerder niets van af wist.

Wissel stond voor zijn lokaal op hen te wachten. Het was tijd voor hun wekelijkse mentoruur. De banken stonden weer in een carré, Wissels lievelingsopstelling.

Ze zaten nog nauwelijks, toen de leraar een grote zak chocoladekoekjes tevoorschijn haalde.

'Zo, brugwupjes van me, flink gezweet bij de dyslectie-toets?'

Ze begonnen ineens allemaal door elkaar te praten. Jesse werd daar een stuk vrolijker van. Hij was waarschijnlijk niet de enige die zich druk had gemaakt bij de toets.

Wissel hield zijn handen in de lucht. 'Jongens, jongens! Kalmte kan je redden!'

Gek genoeg was het Stijn die als eerste zei: 'Ik vind het gek. Hoe zou ik nou ineens dyslectisch kunnen zijn? Dan was ik dat toch altijd al? Hoe kan dat nu ineens ontdekt worden?'

Wissel legde het uit, gaf antwoord op ieders vragen en zo langzamerhand keerde de rust in de klas weer.

'Voordat jullie je schriftjes bij gaan houden, moet ik je nog iets vertellen. Volgende week is er voor alle brugklassers een rekentoets en morgen krijgen jullie allemaal nog een andere test. Dan worden jullie getest op faalangst.'

'Nou dat weer!' Het schoot eruit voordat Jesse er erg in had. Zijn opmerking werd met hard geschater ontvangen, niet in de laatste plaats door Wissel zelf.

'Het is niet als straf bedoeld, maar om jullie te helpen. We kunnen beter aan het begin van het schooljaar ontdekken welke problemen er spelen. Dan kunnen we je hulp op maat geven.'

'Wat is dat, faalangst?' Vera's stem overstemde het tumult.

'Sommige kinderen zijn zo bang dat ze het fout zullen doen, dat ze hun toetsen daardoor slecht maken. En als je daar niets aan doet, kan het steeds erger worden. Vandaar dat we faalangsttraining bieden aan de kinderen die daaraan lijden.'

Wissel sprong op. 'Ik deel de schriften uit, jongens. Anders komen we daar helemaal niet meer aan toe.'

Tijdens elk mentoruur kregen de leerlingen van 1b de tijd om in hun schriftje te schrijven. Het was een soort dagboek, alleen waren er in dit geval twee mensen die het lazen: Wissel en jijzelf. Zo kon je aan je mentor dingen vertellen die je normaal gesproken misschien voor je hield. Wissel schreef ook vragen in het schrift, dus het was ook een soort briefwisseling.

Normaal gesproken wist Jesse niet altijd wat hij moest schrijven, maar nu wel. Hij trok het schriftje naar zich toe en sloeg het open. Op de eerste lege bladzij schreef hij met grote letters: *IK WIL EEN NORMAALVERKLARING!*

Ik ben het zat. Ik heb niks, en ik heb ook nooit wat gehad. Van al die toetsen word ik alleen maar zenuwachtig. Bij de dyslectietoets twijfelde ik over elke zin. Volgens mij heb ik daardoor veel meer fouten gemaakt dan ik anders zou doen. Ik word dyslectisch van die toets. En van die faalangsttoets krijg ik vast ook faalangst. Kortom: IK WIL EEN NORMAALVERKLARING!

Met een klap sloeg hij zijn schrift dicht. En op dat moment ging de bel.

Wissel keek met een onderzoekende blik naar Jesse. 'Jullie

mogen gaan. Leg je schriftjes op mijn bureau als je het lokaal verlaat.'

Toen Jesse langs hem schoof, legde Wissel zijn hand op Jesses arm. 'Wacht je even?'

'Maar we hebben Frans...' Jesse vond het al lastig genoeg om steeds op tijd van het ene lokaal naar het andere te komen.

'Ik loop zo wel even met je mee.' Wissel sloeg zijn schriftje open. Toen hij Jesses eerste zin las, schoot hij in de lach. 'Ik dacht al dat de toetsen je dwarszaten.' Zijn donkere ogen twinkelden toen hij opkeek. 'Die toetsen hebben niks te maken met al of niet normaal zijn. We hebben allemaal wel wat. De een heeft platvoeten en de ander is kleurenblind. Lastig, maar wel normaal. Dat geldt ook voor dyslectie en faalangst.'

Wissel sloeg met zijn vuist op de open bladzij in Jesses schrift, net alsof hij een stempel zette.

'Bij deze verklaar ik Jesse normaal.' Toen sloeg hij het schrift dicht. Jesse voelde een vreemde opluchting. Hij was dus normaal, wat er ook uit die toetsen kwam!

'Zal ik nu even met je meelopen naar Frans?'
'Graag, meneer.' En Jesse moest zich bedwingen om niet een klein sprongetje te maken.

ISA

Ook dat nog!

Met afschuw staarde Isa in de badkamerspiegel naar haar kin. Hij zat een centimeter onder haar rechtermondhoek. Wat vreselijk! Net nu de schoolfotograaf zou komen. Had ze met moeite de klerenkastcrisis overwonnen, kreeg je dit... Haar eerste!

Isa zocht alle hoekjes van haar geheugen af om het antwoord te vinden op de vraag: wat nu? Ze kwam niet verder dan afblijven! Wel gleed ze voorzichtig met het topje van haar wijsvinger over het witte bolletje. Als-ie nou op haar voorhoofd had gezeten, kon ze hem misschien nog wegwerken door haar haar anders te doen. Hoewel... Vandaag was experimenteren met je haar geen goed idee. Stel dat het niet beviel, dan stond je wel de rest van het schooljaar te kijk op de klassenfoto.

Een laatste blik in de spiegel. Niks aan te doen, dus. Je had er wel speciale make-up voor, schoot haar nog te binnen, maar ze was niet zo make-upperig. Nou ja, haar kleren waren goed. Al had het even geduurd, vandaag had ze gekozen voor groen. Geen zwart. Ook geen merk. Zij was ook niet zo merkerig. Zij koos haar eigen stijl. En vandaag was een bijzondere dag, zomaar. Daar was geen speciale reden voor. Zo voelde het gewoon. Een dag voor groen dus. Groen kleurde ook mooi bij de donkerrode kleurspoeling in haar haar. Isa glimlachte naar haar spiegelbeeld.

Ze was nog niet klaar in de badkamer, want ze moest nog naar de wc. Daar ontdekte ze een rare donkere vlek in haar slipje. Geschrokken staarde ze ernaar, terwijl ze haar plas in de pot hoorde kletteren. Nee, het was toch niet... Maar bij het afvegen zag ze ook wat donkerroods en kon ze er niet meer omheen. Ook dat nog! Wát een dag...

Wat nu? dacht ze voor de tweede keer. Met een bonkend hart bleef ze zitten. Nadenken. Alweer. Wat doe je als je ongesteld bent geworden? En wat vond ze ervan? Moest ze nu blij zijn?

Ze spoelde door en sjorde haar broek omhoog. Met de knoop nog los en haar hand beschermend tegen haar buik gedrukt keek ze om het hoekje of de gang leeg was. Nu kwam ze liever even niemand tegen. Op haar kamer pakte ze een schoon slipje en rende terug. Ze keek in het badkamerkastje waar het maandverband moest liggen. Daar! Ze nam het pak van de plank om er zo'n witte reep uit te halen. Haar eerste! Snel kleedde ze zich om en legde het verband in haar slipje. Het voelde propperig. Zou je het kunnen zien zitten? De badkamerspiegel was te klein, dus waggelde ze de badkamer uit om in de slaapkamer van haar ouders een blik in de spiegel te kunnen werpen. Ze verdraaide bijna haar nek, maar kon het niet goed zien. Dat wil zeggen, ze zag haar groengebroekte billen, maar ze kon dus niet zien of je het zag.

Wat merkte ze er nog meer van? Voelde ze het lopen? Had ze buikpijn? Kramp? Dat hoorde er toch bij? Maar dat alles voelde ze niet. Wel kriebelde er iets in haar buik. Toch kramp? Nee, het was eerder een lachkriebel. Wauw, zij was een vrouw geworden! En ze had er niet eens buikpijn van!

Maar nu moest ze opschieten! Ze had inmiddels wel erg veel vertraging opgelopen. Ze schommelde de trap af en de kamer in, waar de rest al aan de ontbijttafel zat. Ze omhelsde haar ouders en zelfs haar jongere zusje Marije kreeg een knuffel. Alle drie staarden ze haar aan.

'Is er iets?' vroeg Isa.

'Nou ja!' riep Marije uit. 'Alsof het normaal is zoals je doet!'

Nee, dacht Isa. Dat is ook niet normaal. Vandaag is er niets normaal. En ik zeg lekker nog even niks. Ze pakte een boterham en smeerde er jam op.

'En je hebt een pukkel op je kin!' riep Marije uit.

'Nou en?' Uitdagend keek Isa haar zusje aan.

'Niks "en", zomaar,' mompelde die en propte een halve boterham in haar mond.

Isa was te laat bij het tankstation waar ze verzamelden om samen naar school te kunnen fietsen, maar ze haalde de anderen met gemak in. Behalve haar boeken zat er nu ook maandverband in haar rugzak. Het zat anders, op het zadel, met zo'n ding in je broek, dacht Isa. Lisa mocht het het eerst weten. Haar vriendin was allang ongesteld. Isa ging naast haar fietsen, legde haar hand op Lisa's arm en zo zacht mogelijk bespraken ze de details.

Dat het geen normale dag zou worden, bleek direct al: iedereen had zijn best gedaan op zijn haar en zijn kleren. Ze zagen er allemaal mooi uit! Zouden ze wat zeggen over haar puist? Isa had de neiging hem aldoor met haar vingers van ieders blik af te schermen, maar Claudia, die naast haar zat, was de enige die er wat van zei: 'Arme Isa, net vandaag!'

Isa bekeek haar klasgenoten eens goed en telde de pukkels. Dat waren er al aardig wat. En hoeveel van de meiden zouden al ongesteld zijn? Ineens was Isa heel nieuwsgierig. Ze zou wel willen uitroepen: 'Ik ben het ook! Ik hoor er ook bij!' Maar ze deed het niet. Achter haar zat Rachida, die een hoofddoek droeg. Betekende dat bij moslimmeisjes niet dat zij ook...?

Ze wisten niet precies hoe laat hun klas aan de beurt zou zijn voor de schoolfotograaf. Dus waren ze elke les opnieuw erg onrustig. Ook Isa kon haar aandacht niet bij de les houden. Ze was zelfs een beetje zenuwachtig. Het was belangrijk dat ze er goed op kwam!

Eindelijk was het zover. Tijdens het vierde uur kwam meneer Van Dijk, de onderbouwcoördinator, de klas binnen. Hij vertelde dat eerst buiten een klassenfoto gemaakt zou worden. Dan konden ze terug naar de klas. Vervolgens moesten ze op alfabetische volgorde naar lokaal 20 voor de pasfoto's, steeds in groepjes van vijf. Als er een groepje terug was, konden de volgende vijf gaan.

Een paar meiden begon te gillen dat ze nog naar de wc moesten om hun haar te doen.

'Het waait buiten,' zei meneer Van Dijk. 'En de fotograaf wacht. Kom mee.'

Joelend rende de klas door de gang naar buiten, naar het grasveld naast de school waar de gymvelden lagen. Isa deed het rustig aan. Ze had het idee dat ze nog steeds waggelde, maar Lisa had gezegd dat je er niks van zag. Maar ongesteld zijn was wel even wennen.

Buiten was een grote boom en in zijn schaduw stond een rij stoelen en een lange gymbank, met wat ruimte ertussen.

Het was de bedoeling dat een aantal kinderen op de stoelen ging zitten, dan een rij staand erachter en als laatste kon een deel van de klas op de gymbank staan.

Onderweg naar buiten had Isa al bedacht: naast wie wil ik staan? Naast Claudia? Met haar ging ze het meeste om, maar eigenlijk alleen maar omdat Claudia als enige meisje ook van de Woutertje Pieterse kwam. Maar ze trok ook wel met Rachida op. Gek eigenlijk, dacht ze, hoe dat gaat: eerst maak je je druk of je wel nieuwe vrienden zal krijgen. Voor de veiligheid blijf je dan in de buurt van de kinderen uit groep 8 en ineens merk je dat er nieuwe groepen ontstaan. Zomaar vanzelf. Want je zoekt toch de kinderen op die je aardig vindt. Zo werd het ook minder erg dat ze niet in dezelfde klas zat als Lisa. Weet je wat? Ze ging naast haar nieuwe vriendin staan!

Verschillende meiden glossten hun lippen of waren met handspiegeltjes in de weer. Ze frunnikten aan elkaars kapsels en kleren. Jongens plukten wat aan hun gelstekels en staken vervolgens hun handen in de zakken. Ze maakten een opgewonden kabaal met zijn allen en de fotograaf had moeite hen een beetje te dimmen. Dan had meneer Van Dijk meer gezag, en hij kreeg hen in een min of meer ordelijke opstelling.

Omdat Isa zo klein was, moest ze op een stoel gaan zitten. Ze pakte de hand van Rachida en zei: 'Dan jij ook.' Zo zaten ze samen vooraan.

Isa voelde nog even aan haar kin en overwoog haar hand daar te laten. Ach nee, wat kon het haar ook schelen. Pukkels hoorden er nou eenmaal bij. Leuk was anders, maar ze kon moeilijk de hele dag met haar hand aan haar kin vastgeplakt blijven zitten.

Ze ontspande. Ze lachte. Ze keek naar de fotograaf die riep: 'Nou, klas 1c, wel lachen hoor! Daar komt-ie! Ja, mooi! Nog een keer. Say cheese!'

Isa wiebelde stiekem met haar billen heen en weer om te kijken of ze het maandverband voelde. En terwijl ze daar zo tussen haar nieuwe klasgenoten zat te glimlachen, werd ze overspoeld door trots: dit is mijn nieuwe school! Mijn nieuwe klas! Mijn nieuwe vriendin! Mijn nieuwe lichaam!

VERA
Lady Vera

Het was nog net geen Zeeman of C&A dat ze moest dragen, maar afgezien daarvan vond Vera wel dat ze schandalig weinig kleedgeld kreeg.

Anderen droegen Esprit, dnky en zelfs Armani alsof het niks kostte. Die Armani-shirts waren dan wel neppers, maar toch. Zij had alleen van die leuke, kleurige, maar merkloze truitjes en welgeteld één Levi's spijkerbroek. Daar moest ze het mee doen en daar kwam je niet ver mee bij de jongens op school.

Aan de andere kant wilde ze ook weer niet meedoen met de mode van blote naveltruitjes en inkijkbloesjes. Zo'n sloerielook hoefde ze nu ook weer niet. Alleen, een ietsiepietsie meer sexy glamour mocht wat haar betreft wel.

Dit liep ze allemaal te overdenken terwijl ze shoppend door het winkelcentrum zwierf. Bij de H&M liep ze naar binnen. Daar zag ze op de afdeling Lingerie in de uitverkoopbak opeens iets glimmends liggen.

Ze pikte het eruit. Het was een string, een rood minislipje met zachte kanten randjes en een goudkleurig sluitinkje aan de achterkant. Het zag er eigenlijk wel hoerig uit. Zou dat niet erg strak aanvoelen tussen je billen?

Opeens keek ze schichtig om zich heen. Het ging geen van de andere klanten iets aan dat ze daar met dat ding in haar vingers stond. Maar tegelijkertijd dacht ze in een opwelling:

weet je wat? Ik doe het gewoon. Kan mij het schelen! Ik koop dat ding. Nu.

Zogenaamd achteloos liep ze ermee naar de kassa en legde het op de toonbank. De kauwgum kauwende caissière liet niet merken dat ze Vera maar een del vond of zo. Ze rekende de string normaal af, deed hem in een plastic tasje en gaf het bonnetje erbij.

Zo stond ze met haar tasje weer op straat. Wat nu te doen? Ze vond het wel spannend allemaal. Ze wilde niet wachten met passen tot ze thuis was, ze wilde het nu al uitproberen. Daarom ging ze de eerste de beste McDonald's in en liep zonder op of om te kijken meteen door naar de wc. Daar deed ze haar spijkerbroek en slipje uit en de string aan. Ze gleed met haar handen langs haar heupen en moest lachen om zichzelf. Het voelde ook zo zacht en grappig aan. Daarna ging de broek er weer overheen. Bij de wastafel keek ze nog even naar zich zelf in de spiegel. Zo op het oog was ze een gewoon meisje in truitje, T-shirt en spijkerbroek. Maar ondertussen...

Ze liep doodleuk de McDonald's weer uit zonder een cola of wat dan ook te nemen en ging de straat op.

De zon brak net door en Vera paradeerde langs de etalageruiten waarin ze zichzelf weerspiegeld zag. Je kon het niet aan haar zien, maar ze voelde zich fantastisch, de ster van de wijk. Hier liep niet een of ander brugpiepertje, hier kwam een lady langs. Op de hoek stond een dikke bloemenman bij zijn stalletje. Vera knipoogde maar eens naar hem. Die man had natuurlijk geen flauw idee waar hij dit opeens aan te danken had!

ISA
Frakwibineen

Het was stralend weer en de zomerse buitenlucht drong de huiskamer binnen door de openstaande deuren, samen met het gekwetter van vogels en grote bundels zonnestralen. Het was een dag waarop je lekker buiten zou kunnen spelen, maar vastberaden haalde Isa de zonwering naar beneden.

'Geen zon vandaag! Wij moeten huiswerk maken!'

Ze zette haar tas met een plof op de tafel in de huiskamer en die van Claudia echode erachteraan. Ze pakten hun tassen uit: boeken, schriften, agenda, etui, alles kwam op tafel te liggen. Ruimte hadden ze nodig, en rust! Isa en Claudia keken elkaar aan boven hun uitstalling: wij zijn brugklassers en wij moeten huiswerk maken. Dus aan de kant iedereen!

Isa's moeder kwam aangelopen met thee en koekjes.

'Moeten jullie niet eerst even ontspannen? Even naar buiten of even tv-kijken?'

Nou ja, dit leek wel de omgekeerde wereld! Toen Isa nog achtstegroeper was, haalde haar moeder Isa altijd voor de tv weg, nu stelde ze zelf voor even te gaan kijken!

Isa en Claudia wisselden weer een blik.

'Nee mam, we hebben huiswerk!'

Dat klonk goed, vond Isa. Ze liep over van trots. Zij was brugklasser. Zij moest zich bezighouden met al die nieuwe vakken als techniek, Frans en wiskunde en geheimzinnig klinkende vakken als M&M 1 en M&M 2. Voluit heetten die vakken 'mens en maatschappij'. Dat was dus geschiedenis en aardrijkskunde. Maar toch ook weer niet! Net als Nederlands en wiskunde, dat klonk toch heel wat anders dan 'taal' en 'rekenen'. Dat was zo gewoon.

Isa's moeder zette het dienblad met de thee op tafel.

'We hebben morgen s.o.,' vertelde Isa.

Isa's moeder fronste haar wenkbrauwen. 'Essoo? Wat is nu weer een essoo?'

'S-O.' Isa sprak de letters met nadruk uit. 'Een schriftelijke overhoring, een klein proefwerk.'

'Het wordt ons eerste cijfer!' zei Claudia trots.

'Goh, een s.o. Van welk vak?'

'Engels.'

'Nu al?'

'We zitten al twee weken op school, hoor!' zei Isa.

'Nou, dan laat ik jullie maar gauw alleen.' Isa's moeder liep weer naar de keuken.

'En Marije moet wel buiten blijven als ze uit school komt!' riep Isa haar na. Want haar zusje maakte altijd een hoop lawaai, vond Isa. Dat had je met zevendegroepers.

Haar moeder draaide zich om. 'Nou, dat weet ik niet, hoor. Jullie kunnen ook boven gaan zitten.'

'Hier is veel meer ruimte,' zei Isa. 'En boven is het te warm.'

'Nou ja, Marije zal wel buiten gaan spelen.'

Claudia's blik ging naar de zonwering. 'Wij ook nog wel hè, Ies, als we klaar zijn?'

'We zien wel.'

Isa voelde zich erg groot zo met alle schoolspullen om zich heen. Ze greep haar wiskundeboek. Wiskunde vond ze stoer.

'Wat gaan we als eerste doen? Wiskunde? En dan het s.o. leren?'

'Nee,' zei Claudia, 'we moeten beginnen met het s.o. Die is het belangrijkst. Dan kunnen we het later nog herhalen. En wiskunde als afwisseling. Weet je nog? Leerwerk en maakwerk moeten we afwisselen.'

'We kunnen wel even een planning maken,' stelde Isa voor. 'Dat zei Wierink toch?'

Wierink was hun mentor, die had allemaal goede tips gegeven voor het maken van je huiswerk.

'Ja, dat is een goed idee.' Claudia pakte een pen en een kladblok, keek in haar agenda en schreef op wat ze moesten doen: s.o. Engels, Nederlands leren, Frans en wiskunde.

'En die opdracht voor mens en natuur afmaken,' vulde Isa aan.

'Biologie' schreef Claudia op. Want mens en natuur kon ook verzorging zijn. Soms raakten ze wat in de war van die namen. Daarom zei iedereen meestal toch gewoon biologie, aardrijkskunde of geschiedenis.

'Oké, en nu de volgorde,' zei Claudia. 'Wat doen we eerst?'

'We beginnen met Engels,' stelde Isa voor. 'En daarna Frans.'

'Nee, niet twee talen achter elkaar! Dan halen we de woordjes door elkaar...'

'O ja. Dan wiskunde na Engels. En daarna Frans.'

'En dan Nederlands? Maar dat is ook een taal.'

Isa aarzelde. 'Jawel, maar Nederlands is wel anders dan Frans of Engels. We kunnen ook eerst nog biologie doen.'

'Dat is goed. En dan Nederlands. En tot slot Engels herhalen.' Claudia schreef alles keurig op.

'Toch twee talen achter elkaar!' merkte Isa op.

'Dat is dan niet anders.' Claudia keek op haar horloge. 'We gaan beginnen.'

Het was wel fijn om samen te leren. Ze konden elkaar de woordjes overhoren, Claudia kon Isa iets over de grammatica uitleggen en Isa Claudia een opgave van wiskunde. Ze vond dat tekenen met de geodriehoek zo leuk! En ze moesten kubussen opengeklapt tekenen op geruit papier en vervolgens uitknippen. Dan kon je ze vouwen en kijken of je ze goed had getekend. Claudia vond dat lastig om te doen, maar zij vond het een makkie.

Na een half uur namen ze een korte pauze. Toen ze weer aan het werk waren, hoorden ze Marije met veel herrie uit school komen. Een moment keek Isa verlangend naar de keuken, waar Marije nu haar verhalen aan hun moeder vertelde. Even later was het weer stil.

'Zullen we ook naar buiten?' vroeg Claudia.

Isa wees op de planning. 'Maar we zijn nog niet klaar!'

'Dan passen we onze planning toch aan...'

'We zijn vergeten onze vrije tijd in te plannen!' riep Isa.

'We hebben toch pas vrije tijd als we klaar zijn?'

Isa schudde haar hoofd. 'We maken er gewoon tijd voor.' Ze greep het kladblok en schreef op: 'Buiten spelen.'

Claudia kon het niet goed zien op de kop. 'Wanneer?'

'Na mens en natuur. Dan hoeven we alleen nog maar Nederlands te doen en Engels te herhalen.'

's Avonds leerde Isa voor de zekerheid Engels nog een keer. En de volgende ochtend op school zat ze in de pauze ook met haar neus in de boeken. Ze wilde erg graag een goed cijfer halen. Dat wilde iedereen, dus ze zaten allemaal met hun boek van Engels voor zich.

Toen de bel ging en ze de kantine uit liepen, vroeg Isa: 'Wat hebben we nu?' Engels was het laatste uur, dat had ze in haar hoofd, maar eerst...? Ze kende nog steeds het rooster niet vanbuiten.

Claudia zei met een stalen gezicht: 'We hebben vandaag een Frakwibineen-dag. Dus nu hebben we Nederlands!'

'Wát?'

Niet alleen Isa, alle kinderen om Claudia heen keken haar aan.

'Frakwibineen,' zei Claudia met een gezicht van: snap dat dan! Toen grijnsde ze. Lopend in de richting van het lokaal van Nederlands legde ze uit: 'Als je de afkortingen of de eerste letters, dat mag ook, van de vakken van vandaag achter elkaar zet, krijg je Frakwibineen: Frans, aardrijkskunde, wiskunde, biologie, Nederlands, Engels. We hadden net bio, en dus komt nu Nederlands. Zo onthoud ik mijn rooster.'

Isa klopte haar op haar schouder. 'Wat een goed idee! Dus morgen hebben we...'

'Biogymengever,' zei Claudia prompt.

Ze lachten. Het klopt wel, dacht Isa snel: biologie, gym, Engels, geschiedenis, verzorging.

'Maar het komt niet altijd goed uit, hoor,' zei Claudia. 'Maandag is lastig.'

Dat moest Isa nakijken, die vakken wist ze niet uit haar hoofd. Tijdens Nederlands keek ze op haar rooster: eerst een blokuur handvaardigheid, dan wiskunde, Nederlands, muziek, biologie en aardrijkskunde. Dat werd hawinemubioak. Tja, dat was een klus om te onthouden, maar ze vond het een handige truc.

Onder haar boek voor Nederlands lag Engels. Ook al kende ze de leerstof goed, steeds moest ze weer even kijken. Hoe zou het zijn, dat s.o. zo meteen?

Steeds had ze dat gedacht: hoe zou het zijn in de brugklas? Hoe zou het zijn, al die nieuwe vakken? Hoe zou het zijn, al die verschillende leraren? Hoe zou het zijn, al dat huiswerk? Kan ik het wel?

En steeds viel het mee. De vakken waren leuk en er werd goed uitgelegd. Het lopen van het ene lokaal naar het andere was fijn: even bewegen, even kletsen met je vrienden. De leraren waren aardig – al moest ze wel wennen aan de verschillende regels bij iedereen – en het huiswerk, ach, je moest er even voor gaan zitten, maar je hield tijd genoeg over. Ja, dat viel allemaal best mee. Soms was ze moe, en na een lange dag als dinsdag of donderdag had ze niet veel puf meer voor het huiswerk.

En of ze het kon?

Het volgende uur hadden ze het s.o. Er mocht niets op de tafels liggen, en ze moesten de tafels iets uit elkaar schuiven. Zo was het lastiger om af te kijken. Eventjes kriebelden de zenuwen in haar maag, maar toen het blaadje met de opgaven voor haar lag, zag Isa het al: dit waren opdrachten zoals ze ook in het werkboek stonden, en ze wist ze allemaal wel. Ze moesten antwoorden geven op Engelse vragen, die je wel in het Nederlands op mocht schrijven. Er was een lesje met werkwoorden invullen en een met woordjes en zinnetjes vertalen.

Soms moest ze even nadenken over de juiste betekenis van de woordjes, maar dan schoot het haar toch weer te binnen. Dat viel inderdaad mee, dit kon ze best!

Ook dat had ze vaak genoeg gedacht: kan ik het wel, al die nieuwe vakken, maar tot nu toe ging het hartstikke goed: tuurlijk kon ze het! Het viel allemaal erg mee. Dit werd een dikke voldoende, dat kon niet anders. En weer was ze supertrots. Dit ging lukken!

Toen Isa na dat uur Engels het lokaal en de school verliet, schoot door haar heen: ik ben brugklasser en het lijkt of ik hier al heel lang ben. Zelfs het wennen viel mee!

JESSE
Zoeken jullie ruzie?

Ze stonden allemaal al bij het tankstation toen Jesse eraan kwam: Kees, Lisa, Claudia, Isa en de rest.

'Hè, hè, Jesse,' riep Kees. 'Het is al over half acht. De volgende keer dat je te laat komt, wachten we niet meer, hoor.'

Lisa trok verontschuldigend haar wenkbrauwen naar hem op. Zij wist vast als enige hoe hij zich voelde. De keren dat Jesse wel op tijd was, moesten ze op Lisa wachten.

'Sorry!' zei Jesse, maar hij meende er niet veel van. Hij wás er nu toch en daar ging het om. Als die meiden niet zo sloom fietsten, hoefden ze ook niet zo idioot vroeg te vertrekken. Bovendien waren de dreigementen van Kees bij de ochtendrituelen van het vertrek gaan horen en Jesse trok zich er steeds minder van aan.

Kees gaf het vertreksignaal. 'We gaan!'

Langzaam zette de stoet zich in beweging. Lisa en Isa fietsten voorop. Na de eerste week had de groep besloten dat zij met zijn tweetjes het tempo mochten aangeven, omdat ze elke keer mopperden op de jongens die veel te hard fietsten.

Kees en hij fietsen als vanzelf naast elkaar, ook al zaten ze niet bij elkaar in de klas. Zwijgend hingen ze over hun sturen. Kees was niet zo'n prater 's ochtends.

Jesse tuurde naar de overvolle bagagedrager van Isa. Onderop zat haar Eastpak, bovenop puilde er een plastic tas uit. Die had zeker gym vandaag.

Het beloofde een prachtige dag te worden. De eerste zonnestralen vielen door de bomen langs het fietspad. Terwijl het nog zomer was, kon je ruiken dat de herfst eraan kwam. Jesse snoof diep. Heerlijk, dit weer.

Hoe lang zaten ze nu op school? Een paar weken pas, maar sommige dingen waren al heel gewoon geworden. Op de heenweg fietsten ze altijd met de hele groep, op de terugweg in kleine groepjes. Het hing ervan af wie er op dat moment uit was.

's Middags fietste Jesse vaak alleen. Kees had andere tijden en de andere jongens uit hun dorp die op het Max Havelaar zaten, kende hij niet zo goed. Die kwamen van andere basisscholen. Eigenlijk was het wel lekker, dat alleen fietsen 's middags. Dan kon hij lekker doorrijden zonder dat geteut van die meiden voorop. Hij had de tijd om alle gebeurtenissen van de dag rustig te overdenken tot hij thuis was. Ideaal.

'Moet je die meiden horen,' bromde Kees ineens.

Ergens voor in de sliert waren twee meiden heftig aan het ruziemaken. Jesse tuurde vooruit in de groep. Hij kon niet zien wie het waren, maar horen kon hij ze des te duidelijker.

'Je kan toch gewoon op me wachten, trut!' gilde een meisjesstem. 'Ik mag van mijn moeder niet alleen fietsen. Ik heb alleen een gesprek met mijn mentor. Zo lang zal het heus niet duren!'

'Ik moet elke keer op jou wachten. En als ik eens iets heb...' Langzamerhand werden hun stemmen iets zachter en kon Jesse ze niet meer verstaan.

'Die meiden hebben ook altijd wat,' zei hij tegen Kees. 'Ik ben blij dat wij dat gedonder niet hebben.'

'Nou...' Kees ging rechtop zitten. 'Heb jij wel eens achter-omgekeken?'

Achteromgekeken? Waar had Kees het over?

'Zou ik voor de gein eens doen,' zei Kees.

Jesse draaide zijn hoofd om. Een heel eind achter hem fiet-ste een jongen.

'Toeval,' concludeerde Jesse en hij keek weer voor zich.

'Denk ik niet.' Kees' gezicht stond ernstig. 'Sinds wij naar het Max Havelaar rijden, fietst die jongen in zijn eentje ach-teraan. Heb je dat nooit gemerkt?'

Nee. Eerlijk gezegd was het Jesse niet eerder opgevallen. Sinds hij op het Max Havelaar zat, was het eerste uur van de dag gevuld met op tijd komen. Daarna volgde de opluchting dat hij het weer gered had. Nu dat allemaal steeds gewoner werd, ontstond er een vast ritme waarin hij zich op weg naar school voorbereidde op de dag. Terwijl Kees zweeg, liep hij in gedachten zijn rooster nog eens door en bedacht welke val-kuilen hij die dag tegen zou kunnen komen.

'Ken jij die jongen?' vroeg Jesse.

'Ja. Hij zit bij mij in de klas. Jorg heet hij. Hij is de enige van zijn basisschool die bij mij in de klas zit. Je kent hem toch nog wel van het kennismakingskamp?'

Jesse keek nog eens achterom. Ja, vaag. Maar er waren zo veel kinderen op dat kamp geweest, en hij had al moeite ge-noeg om te onthouden welke kinderen er bij hem in de klas zaten.

'Als hij bij jou in de klas zit, kun jij toch met hem fietsen?'

Kees keek Jesse aan alsof hij gek was. 'Ik fiets toch met jou?'

Dom. Straks moest hij zelf in zijn eentje fietsen. Gek, hij

moest er niet aan denken. 's Ochtends alleen fietsen, dat was heel anders dan 's middags alleen fietsen. Als je 's ochtends alleen reed, dan hoorde je er niet bij. Voor het eerst realiseerde Jesse zich dat het zo werkte. 's Ochtends moest je met anderen gezien worden, 's middags maakte het niet uit. Dan had je vast een reden om alleen te rijden.

'Ik ga voor!' Kees trapte hard om als eerste het bospad op te rijden. Vlak voor ze de stad in gingen, was er nog een stuk bos waar ze doorheen moesten. Ook een reden om met elkaar te fietsen.

Geen moeder vond het goed als je alleen over het bospad ging. Jesse deed het 's middags natuurlijk toch. Zijn moeder zag het niet en wat kon hem nou in dat kleine stukje bos gebeuren? Voor je het wist, was je er weer doorheen.

Jesse keek nog eens om. Jorg fietste het bospad op, toen Jesse er bijna al weer afreed. Op een of andere manier liet het hem niet los. Naast Jorg fietsen, hij moest er niet aan denken, maar toch was het lullig.

Jesse ging op zijn trappers staan, versnelde en kwam weer naast Kees rijden. 'Is hij wel aardig?'

'Wie?' Kees was met zijn gedachten al weer heel ergens anders.

'Jorg natuurlijk.'

Kees dacht na. 'Ja. Eigenlijk wel. Hij maakte een paar goede grappen, toen op het kennismakingskamp. Ik ben een paar keer na school met hem meegefietst. Dat was best gezellig.'

Zwijgend fietsten ze naast elkaar voort, twee vrienden. In eenzelfde ritme peddelden hun pedalen rond, vertrouwd.

Ineens ging Kees pal op zijn rem staan. 'Je hebt gelijk.' Hij zette zijn voet op de stoeprand. Twee tellen later stond ook Jesse stil. Samen wachtten ze tot Jorg hen had ingehaald. Zonder iets te zeggen begonnen Jesse en Kees weer te fietsen, elk aan een kant van Jorg.

Bezorgd keek die van Jesse naar Kees en terug. 'Is er iets? Zoeken jullie ruzie?'

Ineens zag Jesse hoe het eruitzag. Twee jongens die een ander opwachtten, terwijl de rest van de groep al ver vooruit was. Eng. Er gebeurde in de groepen die naar school fietsten wel vaker nare dingen, had hij gehoord.

Hij schaterde en ook Kees begon te lachen. 'Zien we er zo eng uit?' zei hij.

'Kees vond dat we wel even op je konden wachten,' verklaarde Jesse.

'Nee, jij begon!'

'Niet, jij!'

Nu schoot ook Jorg in de lach. 'Gezellig, ik voel me weer helemaal op de basisschool. Nee, jij begon,' riep hij nu ook en hij wees naar Kees. Ze lachten alle drie tegelijk. Gek, het was meteen gewoon en gezellig met Jorg.

Met zijn drieën haalden ze de groep makkelijk in. Hoe dichter die bij de stad kwam, hoe lager het tempo werd, zo was het elke dag.

Ineens werd er geremd, zonder aanwijsbare reden. Even stond iedereen stil, toen fietsten ze weer door. Toen pas zag Jesse wat de oorzaak was. De meisjes die net al ruzie hadden, stonden nu stil. De een gilde nog harder dan de ander, die diep stond te snikken.

Een voor een haalden Jesse, Kees en Jorg de ruziënde mei-

den in. Daarna fietsten Jesse en Jorg naast elkaar. 'Die meiden, die hebben ook altijd wat,' zei Jorg. 'Gelukkig hebben wij
daar geen last van.'

'Precies,' zei Jesse en hij grijnsde. Fijn dat Jorg het zo makkelijk maakte. Met deze opmerking veegde hij in één keer Jesses rotgevoel over de afgelopen weken van tafel. Alsof hij wilde zeggen dat hij er niet mee zat.

Na het eerste stoplicht fietste Jorg een stuk naast Kees en
na het tweede Jesse weer naast Kees. Het liep eigenlijk heel
makkelijk allemaal.

Jorg had zijn fiets het eerste in de fietsenstalling en op slot.
Hij liep voor hen uit de school in.

'Stom dat we hem zo lang alleen hebben laten fietsen,' zei
Kees zacht tegen Jesse.

Jesse knikte. 'Vanaf nu doen we het anders.'

ISA
Meesters en leraren

Het is een kwestie van groot zijn, dacht Isa toen ze die donderdag het lokaal van Nederlands binnenstapte voor het zevende lesuur. Je bent als brugklasser dan wel de kleinste op school, maar je krijgt een groot gevoel als je tot zo'n grote gemeenschap behoort. En daar hoort bij dat je nu nog een uur les hebt.

Met een zucht liet ze haar rugzak, nog altijd zwaar door de boeken van vandaag, op de grond naast haar tafel ploffen. Daarna liet ze zichzelf op de stoel zakken. Ze was moe.

Naast haar ging Claudia met net zo'n diepe zucht zitten.

'Weet je?' zei Claudia. 'Ik verlang ineens naar de donderdagmiddag op de Woutertje Pieterse.'

'Ja, lekker creatief,' zei Isa. 'Engels en creatief.'

Zij hadden hier wel handvaardigheid, maar op een gekke tijd: maandagochtend het eerste en tweede uur. Zoiets deed ze liever aan het einde van de dag.

Meneer De Waal, de leraar Nederlands, maakte een einde aan het geroezemoes en de les begon met het overhoren van het huiswerk.

'Kent hij nu nog niet alle namen?' siste Claudia tussen haar tanden door.

Dit was nu al hun derde schoolweek. Elke leraar had de pasfoto's gekregen die de fotograaf van hen had gemaakt. Ook hadden ze allemaal bij hun eerste les een plattegrond gemaakt, zodat ze de namen konden oefenen, maar meneer De Waal moest steeds even op zijn plattegrond spieken, als hij iemand een beurt wilde geven, zag Isa.

Zijzelf kende nu wel iedereen bij naam. Ze hadden best een leuke klas, vond ze, het was haar allemaal heel erg meegevallen, zo snel als ze aan elkaar gewend waren geraakt.

'Isa?' hoorde ze ineens en Claudia vond het kennelijk nodig haar een stomp te verkopen.

Ze schrok op. 'Wat?'

'Wat zegt u?' corrigeerde meneer De Waal haar.

Isa voelde dat ze rood werd. 'Wat zegt u?' herhaalde ze keurig.

'Fictie of non-fictie?'

Isa zweeg. Ze had de rest van de vraag niet gehoord. En hoe zat het ook weer? Was fictie nu verzonnen of ging fictie juist over informatie en zo? Ze fronste haar wenkbrauwen, alsof ze daarmee terug kon halen wat ze gisteren had geleerd. Maar het was al laat geweest en Nederlands was het laatste vak dat ze had gedaan.

'Fictie,' hoorde ze Claudia fluisteren.

Maar voor ze zelf het antwoord kon herhalen, zei meneer De Waal: 'Als Claudia het zo graag wil zeggen, moet ze het maar hardop doen.'

'Fictie, het is een verzonnen verhaal,' antwoordde Claudia vlot.

'Goed,' zei meneer De Waal. 'Doe je wel mee, Isa?'

Het was op een vriendelijke toon gezegd, maar toch bekroop Isa een ongemakkelijk gevoel. Ze wist nooit als een leraar iemand corrigeerde, of het nu vriendelijk bedoeld was, gewoon als vraag, of juist als standje. Het was dan wel groot om middelbare scholier te zijn, het was ook anders. Op de Woutertje Pieterse had je gewoon meester John en juf Sandra. Zij kenden jou en jij kende hen. Zij hadden natuurlijk ook hun nare gewoontes, maar je wist tenminste wat je aan ze had. En hier... Vijftien verschillende leraren hadden ze! Ze had al hun namen opgeschreven, maar als ze thuis vertelde over Frans en haar moeder vroeg hoe de leraar heette, wist ze het niet eens. En allemaal wilden ze de dingen net even anders. De één wilde dat je een A4-netschrift kocht, bij de ander moest je juist een multomap met losse blaadjes gebruiken, terwijl ze de wereld aan gewone schriften in haar bureau had liggen, allemaal nieuw gekocht. Bij de één mocht je wel tijdens de les naar de wc, bij de ander niet. Bij de één mocht je praten tijdens het werken, bij de ander moest je stil zijn. Ze kon het allemaal niet onthouden.

Isa luisterde naar de stem van De Waal zonder te horen wat hij vertelde. Haar gedachten dwaalden een beetje in het rond. Ja, het was best leuk, de middelbare school, maar ze was moe als ze thuiskwam en dan wilde ze graag eerst een tijd muziek luisteren. Ook deed ze iedere middag een half uur rekoefeningen. Ze wilde namelijk net zo lenig worden als Jacco, van wie ze streetdanceles had. En net zo goed. Dan was de middag al bijna voorbij en moest ze nog huiswerk maken. Gisteravond was ze pas om negen uur klaar geweest en vanmiddag...

Pas tegen vier uur thuis, dan snel aan het werk – ze hadden een hoop huiswerk op voor morgen – en dan moest ze om zeven uur weer in de stad zijn voor streetdance. Ze danste drie keer in de week, twee keer streetdance en ze deed ook modern ballet.

Om haar heen werd ineens druk in etuis gerommeld en daarna werd het stil. Ze moest wel haar aandacht bij de les houden, nu wist ze niet wat ze moest doen. Claudia wees haar het lesje dat ze moesten maken. Brr, grammatica. Stomme zinnetjes. Zie je wel, ze snapte het weer eens niet. Ze boog zich naar haar buurvrouw om het te vragen, die was altijd bereid iets uit te leggen.

'Isa! Niet praten!'

Isa keek op, maar meneer De Waal keek Claudia aan.

'Ik ben Isa,' zei Isa.

'Eh, dan had ik het tegen je buurvrouw. Ik weet dat jullie samen Isa en Claudia heten, maar welke naam bij wie hoort, kan ik niet onthouden. Maar dat komt nog wel,' besloot hij opgewekt. 'En nu aan het werk, meiden, en niet praten.'

Nu wist ze nog niet hoe het moest. Isa beet op de achterkant van de groene pen. Om haar heen was iedereen druk aan het schrijven. Wat nu? Ze durfde het niet te vragen. Of wel? Zou ze naar hem toe kunnen lopen? Maar je mocht niet door de klas lopen bij meneer De Waal. Of was dat weer bij iemand anders? Ze keek opzij naar Claudia, die druk zat te schrijven. Dan eerst maar de andere zinnen.

Op de basisschool wist je precies hoe je je moest gedragen. Maar meester John was ook heel goed in uitleggen. Hij zei altijd: al moet ik tweehonderd uur uitleggen, als één kind in de klas het snapt, dan ben ik al blij. Kijk, dan is het voor hem wel een verrassing als de helft van de klas het direct goed heeft. Je kon altijd naar hem toe gaan als je iets niet snapte. En als je twintig sommen moest maken en je had er vijftien fout, dan zei hij: 'Hé, wat goed van die vijf goeie antwoorden.' Daar was meester John beter in dan juf Sandra, die veel ongeduldiger was.

Isa kraste haar zinnetje door. Dit was vast niet goed. Zin drie proberen.

Maar ook die mislukte en zin vier, daar kwam ze helemaal niet uit. Ze snapte er niks van. Och, waar waren die leraren anders voor? Isa stond op en liep met haar boek in de hand naar het bureau van meneer De Waal.

Hij keek haar met een glazige blik aan en zei: 'Ik dacht dat ik had gezegd: eerst zelf proberen, straks loop ik door de klas om vragen te beantwoorden.'

De stem klonk nog steeds min of meer vriendelijk, maar Isa schrok van de blik in zijn ogen. Die was niet vriendelijk. Nou zeg, kon zij het helpen?

'Maar ik snap het niet, meneer,' zei Isa, 'ik wou vragen of u het even wilde uitleggen, dan kan ik verder werken.'

'Ik heb het net uitgelegd. Ik ga mezelf niet herhalen.'

'Maar als ik het niet snap, kan ik het ook niet maken.'

'Ik heb het net uitgelegd!' zei hij nog een keer. De stem klonk nu niet vriendelijk meer. 'Je gaat het eerst proberen, straks mag je vragen stellen.'

Mopperend liep Isa terug naar haar tafel. 'Nou ja zeg, ik vraag het toch vriendelijk. Hier heb ik niks aan!'

'Jongedame, geen commentaar! Als je opgelet had, wist je het nu!'

'Maar ik vind het moeilijk, meneer, dat kan toch? Ik snap

het echt niet. Daar bent u toch voor! Onze meester van groep 8 legde het soms wel drie keer uit.'

'Geen brutale mond, Claudia! Ik heb gezegd dat je straks vragen mag stellen!'

'Ik heet Isa!'

Verontwaardigd liet Isa zich op haar stoel vallen. Ze schreef iets in haar schrift en schoof dat naar Claudia: 'NOU JA ZEG!!! Wat een RARE!!!'

Ze zag dat Claudia er iets onder schreef voor ze het schrift teruggaf. Ze las: 'Nu snap ik het verschil met meesters: op de middelbare hebben ze leer-raren.'

Isa grinnikte en gaf haar schrift naar achteren, waar Rachida zat. Ze stopte een pen in haar mond en ging demonstratief uit het raam zitten kijken. De Waal zag het niet eens, zo druk was hij met zijn eigen dingen. Meester John had allang een opmerking gemaakt in de trant van: 'Begrijp je het wel? Je zit zo na te denken, zal ik je even komen helpen?'

Toen ze het schrift terugkreeg van Rachida, zag Isa een getekend portret van De Waal met een pruimenmondje en dichtgeknepen ogen achter dikke brillenglazen. Eronder had ze geschreven: 'De ideale leraar moet gevoel voor humor hebben en geduldig zijn en best streng, maar hij moet niet gelijk boos worden. En hij moet goed kunnen uitleggen.'

Claudia, die nieuwsgierig was geworden, pakte het schrift uit Isa's handen. Even later gaf ze het terug. Er stond: 'Leraren hebben meer rechten dan kinderen. Wij mogen geen brutale mond hebben, maar ik vind dat zij die ook niet mogen hebben. Wij kunnen niet zeggen: "Wat is dat voor gedrag!"'

Voor in de klas kwam De Waal achter zijn bureau vandaan

en gauw sloeg Isa de bladzijde van haar schrift om. Hij kwam op haar afgelopen en wilde een blik in haar schrift werpen.

'Je hebt niks in je schrift staan!' zei hij verwijtend. 'Je hebt het niet eens geprobeerd!'

Zal ik het zeggen? dacht Isa. Als ik niks snap, kan ik ook niks opschrijven.

Wijselijk hield ze haar mond. Ze kon moeilijk de drie halve zinnen op de vorige bladzijde laten zien die ze wel had opgeschreven. Ze hield haar adem in toen zijn hand naar haar schrift reikte. Zou hij zelf de bladzijde omslaan? Dan was ze erbij, natuurlijk. Maar hij wees in haar boek en begon nog een keer uit te leggen hoe ze de zinnen moest aanpakken en ineens wist ze het weer. Dat hadden ze in groep 8 immers ook gehad! Jeetje, haar hoofd zat ook zo vol. De Waal liep verder en zij ging opgelucht aan het werk.

Een paar uur later stond Isa in haar paarse dansbroek en korte zwarte hemdje te midden van veertien andere meiden voor de spiegels van de danszaal zich op te warmen voor de les streetdance. Ze had haar been op de barre gelegd en bracht haar neus naar haar knie. Langzaam ademde ze in en uit. Ze voelde haar spieren trekken en tegelijk voelde ze zich leeg worden. Wiskunde, grammatica, geschiedenis, mentorles en Franse woordjes deden er niet meer toe. Nu kwam waar ze voor leefde: dansen! Hier snapte ze precies wat ze moest doen, één keer uitleggen en ze wist het. Hier vergat ze geen bewegingen, hier trainde ze tot ze het beheerste. Perfect moest het zijn, zij was de baas over haar spieren. Hier was ze goed.

De andere meiden kletsten de tijd vol tot Jacco de muziek

aanzette en de les begon. Ze keek naar de gespierde armen van Jacco. Wat was hij, een meester of een leraar? Ach, dat deed er niet toe. Hij was Jacco. Hij leerde haar de slide, de sidestep, de handplant, de ninety en nog zoveel meer.

Isa keek in de spiegel en concentreerde zich op de muziek, die ze tot in haar buik voelde. Er lag een glimlach op haar lippen.

JESSE
Stomme streepjes

Jesse zuchtte en staarde naar zijn boek. Morgen had hij voor het eerst een proefwerk Frans. Van alle andere vakken hadden ze dat allang een keer gehad, maar mevrouw Prenger was een tijdje ziek geweest. Eén uur per week hadden ze een vervanger gehad. Natuurlijk hadden ze wel huiswerk moeten maken, maar ze waren lang niet altijd aan het nakijken ervan toegekomen. Nu zat Jesse met de gebakken peren.

Weet je wat? Hij begon eerst aan zijn wiskunde. Dat was tenminste een overzichtelijk vak. Jesse schoof zijn boek van Frans opzij en haalde zijn wiskundeschrift uit zijn tas.

In zijn agenda keek hij welke sommen hij voor morgen af moest hebben. IJverig begon hij ze te maken.

De keukendeur klapte. Mam kwam binnen en bracht een vlaag kou mee. Haar wangen waren rood en ze stampte met haar voeten. 'Wat ben jij goed bezig, Jesse!'

Jesse dacht aan zijn Frans; hij keek naar zijn wiskundeschrift, twijfelde even en knikte toen trots. 'Ja, goed hè? Hoe was het op de markt? Koud zeker?' Jesses moeder werkte daar in de kaaskraam.

'Ach, we stonden goed uit de wind, dus het viel wel mee. Alleen ben ik nu wel blij dat ik weer thuis ben!' Mam verdween naar de gang om haar jas uit te doen. 'Ik zal zo thee zetten, werk jij maar lekker door!' riep ze uit de verte.

Eerst wiskunde afmaken, en dan begon hij toch echt aan

zijn Frans. Nog nooit had Jesse zo netjes gewerkt. Diep in zijn hart wist hij dat het uitstel was. Elk moment dat hij aan zijn wiskunde besteedde, hoefde hij niet naar Frans te kijken.

Mam zette een kop dampende thee voor hem neer. 'Is je wiskunde nu af? Heb je nog meer huiswerk voor morgen?'

'Frans proefwerk,' mompelde Jesse en hij nam snel een slok van zijn thee.

'Dan zou ik maar snel beginnen,' vond mam. 'Je hebt vanavond toch voetbaltraining?'

Jesse zuchtte voor de zoveelste keer. Ook dat nog, hij was de training straal vergeten. Hij trok het Franse boek weer naar zich toe en keek naar de eindeloze rij Franse woordjes die hij moest leren.

'Waarom moeten we Frans leren, iedereen spreek toch Engels? Alleen die stomme Fransen verdommen het.' Dat had Jesse van zijn vader. Die reed met zijn vrachtwagen op Italië en kwam vaak door Frankrijk.

'Goede reden, lijkt me,' zei Jesses moeder. 'Frankrijk is een groot land.'

Jesse haalde zijn schouders op. Dan ging hij later toch niet naar Frankrijk? De wereld was groot genoeg om dat land een leven lang te kunnen mijden.

Zijn moeder haalde even haar hand door zijn haar. 'Kom op, Jesse. Hoe langer je het uitstelt, hoe vervelender het wordt.'

'Je hebt gelijk.' Jesse keek nog eens naar de lijst Franse woordjes. En ineens begreep hij waarom hij er zo tegen opzag. Op elk woord stond wel zo'n achterlijk streepje of dakje. Dat maakte het geheel bijzonder onoverzichtelijk. Daarom vond hij Frans zo'n stom vak. Wiskunde, daar stond nou echt geen streepje te veel. Met al die streepjes, dakjes en kommaatjes werd de lijst met woordjes één grote mierenhoop.

Onwillekeurig schudde Jesse zijn hoofd. Domme Fransen. Hij zou de boel eens lekker opschonen. Hij pakte zijn blocnote en haalde er een schoon blaadje af. Keurig schreef hij alle woorden onder elkaar, maar nu zonder al die idiote kriebels. Hij knikte tevreden. Zo werd het al een stuk duidelijker.

Wat was er nog meer raar aan het rijtje in het boek? Voor veel woorden stond le of la. Het leek wel een liedje. Le, le, le, la, la, la. Dat leidde maar af. Op zijn lijstje schreef hij het liedje dat voor de woorden stond niet meer. Dat hielp ook. Die Fransen mochten hem wel dankbaar zijn. Misschien kreeg hij wel een ridderorde van de Franse president...

Hij droomde weg en zag zichzelf op het bordes van een groot paleis. 'Merci, Jesse! Wij danken je voor je bijdrage aan de Franse taal.' De president boog voor hem en een fanfare begon te spelen.

'Schiet het al op, Jesse?' Zijn moeder boog zich geïnteresseerd over zijn boek. 'Het ziet er inderdaad lastig uit!'

In één klap stond Jesse weer met beide benen op de grond. 'Het gaat goed zo, mam!'

Hij schreef de betekenis van de woordjes er netjes achter. Weet je wat? Hij zou het rijtje nog twee keer overschrijven met de betekenissen. Daardoor kon hij het vast goed onthouden.

'Klaar!' zei hij even later tevreden.

Na het eten fietste hij naar het voetbalveld met een opgeruimd gevoel in zijn hoofd. Kon hij voor elk vak maar bedenken waar de problemen zaten, zoals bij Frans. Dan werd hij vast nog eens heel goed op school!

De volgende dag was het ijzig stil bij Frans toen mevrouw Prenger de blaadjes uitdeelde. Jesse was duidelijk niet de enige die tegen dit proefwerk opzag. Hij keek om zich heen. Vera keek tobberig voor zich uit en Chris kauwde peinzend op zijn pen.

'Ik dicteer jullie de woorden,' zei mevrouw Prenger. 'Ik zal ze zo langzaam en duidelijk mogelijk uitspreken, dan kunnen jullie je niet vergissen.'

Jesse ging in de starthouding zitten.

'Le mot, la lune...'

Een voor een schreef Jesse de woorden op. Sommige sprak mevrouw Prenger wel heel anders uit dan hij had gedacht dat het moest, maar dat gaf niets. Hij had zijn woordjes zo goed geleerd dat hij precies wist welk woord er bedoeld werd.

'Nu krijgen jullie twintig minuten de tijd om alle betekenissen achter de woorden te schrijven,' zei mevrouw Prenger.

Moeiteloos vulde Jesse zijn rij woorden aan met de betekenissen. Wat kende hij het goed! De volgende keer zou hij het weer zo leren: gewoon de woordjes een paar keer overschrijven.

Na de les vroeg Chris hem: 'Hoe heb je het gemaakt?'

'Heel goed,' zei Jesse vol overtuiging. 'En jij?'

Chris stak zijn lip vol twijfel naar voren. 'Ik weet het niet,' zei hij toen. 'Ik vind al die accenten heel lastig.'

Accenten? O, Chris bedoelde al die kriebels! Voor Jesse zijn systeem uit kon leggen, schoot Chris de wc in. 'Even naar de plee, dat krijg je van dat Frans!'

Een week later had mevrouw Prenger het proefwerk nagekeken. Ze deelde het werk uit en gaf hier en daar wat commentaar. 'Dat had beter gekund, Vera,' en 'Goed werk, Chris!'

Bij Jesse bleef ze even staan voor ze hem zijn werk teruggaf. Vol vertrouwen keek Jesse naar haar op. Hij was benieuwd naar het compliment dat ze hem zou geven.

'Wat jij nou toch gedaan hebt, Jesse...' Mevrouw Prenger schudde haar hoofd. 'Ik sprak de lidwoorden van tevoren toch heel duidelijk uit. Ik zei le mot, la lune... En jij hebt ze allemaal weggelaten!'

Jesse voelde zich warm worden en mevrouw Prenger legde zijn proefwerk voor zijn neus. Vol rode strepen zat het. Alle achterlijke streepjes en dakjes stonden er weer op, maar nu in het rood. In het vakje rechts bovenin stond zijn cijfer, ook een streepje. Hij had een 1. Een 1! Jesse voelde de tranen in zijn ogen schieten en hij bleef strak naar zijn blaadje kijken. Dit hoefde niemand te zien. Het cijfer paste ook zó niet bij zijn verwachting. Een 10 had hij gedacht, of ten minste een 9. Natuurlijk telde de 1 als een 4. Dat was een regel die de eerste helft van het brugjaar gold, maar dat maakte voor het gevoel niets uit.

'Kom na de les maar even bij me,' klonk de stem van mevrouw Prenger boven zijn hoofd.

De rest van de les keek Jesse niet op of om. Nog nooit had hij zo braaf opgelet en zo netjes de oefeningen gemaakt die mevrouw Prenger opgaf. Alles beter dan Chris in de ogen te moeten kijken. Die wist immers vast nog wel hoe zeker Jesse van zijn zaak was geweest vlak na het proefwerk.

Toen de anderen het lokaal aan het eind van de les verlieten, stapte Jesse naar de tafel van mevrouw Prenger. De ogen achter haar bril stonden vriendelijk.

'Had je het niet geleerd, Jesse?'

Jesse slikte en zei: 'Juist heel goed, mevrouw.'

Mevrouw Prenger fronste niet-begrijpend haar wenkbrauwen. 'Maar waarom ben je dan alle accenten en lidwoorden vergeten?'

Jesse voelde zich weer warm worden. 'Ik heb ze expres weggelaten, mevrouw. Ik vond het zo onoverzichtelijk.'

Even was het stil, en toen barstte mevrouw Prenger in lachen uit. Ze schaterde. De tranen rolden over haar wangen. Jesse wist tot op dat moment niet dat die strenge lerares Frans tot lachen in staat was. En dan nog wel zo hard.

'Door de accenten kun je zien hoe je een woord moet uitspreken. Ze horen bij de spelling van het woord. En le en la, dat zijn de lidwoorden. Het is belangrijk dat je weet of het "de les" is of "het les". Toch?'

Jesse haalde verlegen zijn schouders op. Nu mevrouw Prenger het zo zei, klonk het ineens heel logisch.

'Misschien komt het wel doordat ik zo lang ziek ben geweest, dat je deze denkfout maakt. Weet je wat, Jesse? Volgende week mag je het na schooltijd nog eens proberen. Dan tellen we deze 1 niet mee. Ik hoop dat je dan wel de accenten en de lidwoorden leert.' Ze keek hem vragend aan.

'Fijn,' zei Jesse opgelucht. Hij bleef die streepjes maar raar vinden, maar dit was niet echt het moment om dat te zeggen.

VERA
Rook meer

Er was op school een heel project aan de gang tegen roken. Alle brugklassen deden mee. Bij biologie hadden ze al een les gehad over enge dingen, zoals zwartgeteerde longen en uitzaaiende kanker, compleet met een ernstig waarschuwende dvd. Bij Nederlands hadden ze het met Berkman al gehad over de invloed van reclame in kranten en op tv. Ze moesten nu ook allemaal een slagzin maken voor een poster tegen sigaretten. 'Eentje die er echt – wamm! – inhakt,' had Berkman gezegd.

Dat had Vera wel een leuke opdracht gevonden. 'Roken is net als je keel asfalteren,' had haar vader een keer gezegd en dat vond ze toen erg grappig. Nu had ze daar haar slagzin van gemaakt:

Rook meer,
rook veel.
Asfalteer
je keel!

Lekker kort en het rijmt nog ook, dacht ze. Meneer Berkman vond dat ze daar op handvaardigheid maar een mooie poster van moest maken. Je kon er een prijs mee winnen.

Ze kregen tekenen en handvaardigheid van Marja Cazarie, een artistiekerig type met een paardenstaartje, maar verder best aardig.

'Begin maar eerst met een asfaltweg te tekenen,' zei ze toen ze Vera's slagzin had gelezen.

Dat was makkelijker gezegd dan gedaan. Maar ten slotte lukte het Vera toch. Ze tekende een groot hoofd met een wijd open mond. Daaruit kwam als een soort snelweg een grote lange zwarte tong met een witte middenstreep. Aan het einde van die tong wilde Vera nog een pakje sigaretten tekenen, maar daarvan had ze geen voorbeeld bij de hand.

Ze vroeg Marja om raad en die haalde diep uit haar tasje een pakje Camel filtersigaretten tevoorschijn.

'Die mag je zolang even lenen,' zei ze. 'Niet verder vertellen, hoor.'

Vera vond het zo'n mooi pakje. Die Camel was helemaal geen kameel, maar een lief dromedarisje. En daaronder stond in zware, zwarte letters: 'Roken is dodelijk'.

Er zaten nog vier sigaretten in het pakje. Vera rook er even aan. Ze was niet van plan ooit te gaan roken, maar ze moest toegeven dat die dromedaris grappig was en dat het lekker rook, naar nat bos of oud leer.

Ze tekende het pakje Camel keurig op de lange zwarte tong en schreef er in koeienletters haar slagzin boven. Marja Cazarie was al weg toen Vera zag dat ze het pakje Camel nog voor zich had. Ze stak het snel bij zich in haar borstzakje.

Na het zevende uur kwam de uitslag van de posterwedstrijd. De eerste prijs ging naar een jongen uit 1c die drie skeletten had getekend die gezellig aan een bar zaten te roken. Maar de tweede prijs was voor... Vera!

Ze liet het niet merken, maar ze was natuurlijk apetrots. Zomaar de tweede prijs, dat was niet niks. Haar poster hing breeduit in de aula naast de ingang.

Toen ze thuiskwam, was dat het eerste wat ze aan haar moeder vertelde.

'Nou, nou,' zei moeder. 'Dat is mooi, zeg. Wat leuk voor je. Maar zou je nog even een boodschap voor me willen doen in de supermarkt? Ik heb van alles in huis voor lekkere macaroni vanavond, alleen de macaroni zelf ben ik vergeten.'

Zo stond Vera even later in het regenachtige winkelcentrum onder hun flat. Terwijl ze naar Super de Boer liep, voelde ze in haar borstzakje ineens het pakje Camel sigaretten dat ze vergeten was terug te geven aan Marja Cazarie.

Ze kreeg een idee en dat wilde ze nu direct uitvoeren. In de supermarkt kocht ze niet alleen macaroni, maar ook een pakje lucifers. Buiten, op de hoek bij Blokker, haalde ze met trillende handen de lucifers tevoorschijn, nam een van de vier sigaretten uit het pakje Camel en stak die tussen haar lippen.

De eerste lucifer mislukte, die brak af. Maar de tweede ging goed. Ze stak haar sigaret aan, met een gezicht alsof ze dat dagelijks deed, precies zoals ze dat in een oude film had gezien.

Ze nam een trekje en moest meteen hoesten. Dat was natuurlijk geen gezicht. Ze keek om zich heen of niemand haar gezien had en ze zag zichzelf nu ook in het spiegelraam van de etalage van Blokker.

Het zag er best stoer uit, vond ze, zo'n meisje met zo'n lange smalle filtersigaret. Ook als ze haar sigaret losjes tussen haar vingers vlak naast haar oor hield, was dat een fraai gezicht. Of als ze hem in haar linkermondhoek liet hangen terwijl de rook naar boven kringelde. Zo ging ze nog even door voor de etalageruit van Blokker, als een volleerd fotomodel. Ze vergat helemaal zich af te vragen of ze dat roken eigenlijk wel lekker vond. Daar ging het helemaal niet om, het ging er alleen maar om te weten hoe dat voelde, iemand te zijn die rookt.

Ze inhaleerde niet, ze rookte met korte driftige haaltjes alsof ze haast had. Zo raakte de sigaret snel op. Ze drukte de peuk zorgvuldig uit en ging weer naar huis met het pak macaroni.

Haar moeder was in de keuken druk in de weer met lepels en pannen die ze hard op de tafel neerzette.

'Zo,' zei ze kortaf. 'Ben je daar eindelijk? Wat ik eigenlijk vragen wou, is of jij weet hoe dat kan. Ik moest nog even een brief posten en toen zag ik voor de Blokker een meisje staan roken. Ze had net zo'n jack aan als jij en ze zag er net zo uit als jij. Weet jij hoe dat kan?'

Vera kreeg een kop als vuur. Ze was op heterdaad betrapt, ze was er gloeiend bij.

'Ben je nou helemaal gek geworden?' ging haar moeder kwaad verder. 'Eerst wel mooi een antirookposter maken, maar ondertussen wel rustig op straat staan paffen. Je wéét toch hoe link dat is? Je weet toch dat je er dood aan kan gaan? Nou, wat sta je me dan duf aan te staren, stomme trut! Vooruit, naar je kamer! Ik wil je voorlopig even niet zien.'

Vera holde naar haar kamer en smeet de deur met een klap dicht. Ze schopte haar bureaustoeltje omver en liet zich op bed ploffen.

Wat een takkemoeder heb ik, dacht ze. Wat een teringwijf!

Oké, roken is stom, dat valt niet goed te praten. Maar die ene sigaret was toch niet serieus bedoeld? Dat was toch alleen maar een geintje geweest? Dan hoef je je dochter toch geen stomme trut te noemen?

Vera voelde zich schuldig en kwaad tegelijk, en dat is een lastig rotgevoel.

Ze hoorde haar vader thuiskomen, ze hoorde zijn brom-stem tussen haar moeders hoge gepraat door en ten slotte hoorde ze hem aankloppen op haar deur.

Hij kwam binnen en vroeg: 'Mag ik even binnenkomen?'

'Je bent toch al binnen?' mompelde Vera.

Hij ging op de rand van het bed zitten. 'Nou moet je eens goed luisteren,' zei hij. 'Als je eenmaal aan de sigaret bent, is het ontzettend moeilijk om er weer van af te komen. Daar kunnen wij over meepraten. Toen mama eenmaal zwanger was van jou, vonden we dat we moesten stoppen met roken. En dat viel helemaal niet mee. Vooral ik had de neiging om soms nog even stiekem een saffie te pakken op het balkon. Nog steeds komt het wel eens voor dat ik opeens vreselijk be-hoefte heb aan een sigaret. Dus in godsnaam, Vera, begin er niet aan.'

Vera knikte.

'Daar komt bij,' ging hij verder, 'dat onze goede vriend Bert twee maanden geleden is doodgegaan. Ook kanker. Je weet wel, die leuke man uit Arnhem die zo goed gitaar kon spelen, maar hij rookte wel. Hij is maar 54 jaar geworden en wij wa-ren zo op hem gesteld. Vind je het dan gek dat mama nu ex-tra gauw in paniek is, als jij opeens een sigaret opsteekt?'

Vera knikte weer.

'Kom op,' zei vader. 'We gaan eten.'

Aan tafel, bij de macaroni met kaas en ham en broccoli, waren ze alle drie nogal stil.

'Die slagzin van die poster waarmee jij die prijs gewonnen hebt,' vroeg haar moeder ten slotte, 'hoe ging die eigenlijk?'

'Rook meer, rook veel. Asfalteer je keel,' zei Vera doodleuk.

En toen moest mama toch zo vreselijk hard lachen.

'Die is goed, zeg,' riep ze. 'Hoor je dat, Henk? Asfalteer je keel! Die moet ik onthouden. Vera, meid, je bent geweldig. Kom hier.'

En ze gaf haar dochter een dubbele zoen en een knuffel.

JESSE
Een pechdag

'Jesse! Ben je nog niet op? Het is al over zevenen!'

Met een ruk schoot Jesse overeind. Even wist hij niet waar hij was, of waarom hij wakker was geworden. Maar toen drongen zijn moeders woorden tot hem door. Hij keek op zijn wekker: het was tien voor half acht.

Hij voelde zweetdruppels op zijn voorhoofd verschijnen en zijn hart ging als een razende tekeer. Hij moest om half acht bij het tankstation zijn. De groep fietsers naar het Max Havelaar College vertrok dan, of je er was of niet.

Jesse sprong uit zijn bed, terwijl hij wist dat hij het niet zou halen. In tien minuten redde hij het nooit. Hij schoot in zijn kleren. Zijn tas had hij gisteren gelukkig al gepakt. Hij slingerde zijn Eastpak over zijn schouder en denderde de trap af.

In de gang stond zijn moeder te wachten met een broodtrommel en een gesmeerde boterham in haar hand.

'Fijn, mam!' Haastig propte Jesse de doos in zijn tas. Pakjes drinken! Niet vergeten, want hij had een lange dag vandaag.

In twee stappen was hij bij de keukenkast en daar haalde hij drie pakjes uit. In de haast liet hij één pakje vallen. Het spatte uit elkaar op de grond.

'O, shit,' vloekte Jesse tussen zijn tanden door.

'Laat maar,' zei zijn moeder, 'dat ruim ik straks wel op. Hier is nog een pakje.'

Met zijn jas half aan en zijn gesmeerde boterham tussen

zijn tanden greep Jesse zijn tas. Hij rende de tuin in... Gymtas vergeten! Zijn Eastpak liet hij op de grond vallen en hij draaide zich om. Dit ging echt niet lukken vandaag.

Eindelijk zat Jesse op zijn fiets. Hij voelde het zweet aan alle kanten over zijn lijf stromen, wat zou hij lekker stinken dadelijk. Gelukkig zat zijn deo in zijn gymtas. Kon hij het ergste leed straks nog bestrijden.

Bij het tankstation stond niemand meer. Ze waren allemaal weg, maar dat was ook niet gek. De klok van de juwelier stond op tien over half acht.

Als hij flink doorfietste, kon hij nog op tijd zijn voor het eerste uur. Nu viel hem pas op dat het regende, door de haast had hij daar helemaal niet bij stilgestaan. Jesse besloot eerst zijn regenpak aan te doen, anders was hij drijf tegen de tijd dat hij op school was.

Van de zenuwen kreeg hij de broek niet meteen uit het zakje. Zo ging steeds meer tijd verloren en Jesse werd er paniekerig van.

Zakje terug in zijn fietstas en trappen maar. Nu merkte hij dat hij ook nog tegenwind had. Als het straks ging onweren, verbaasde het hem niets. Dit was zo'n dag dat alles misging. Hij boog zich voorover om zo min mogelijk wind te vangen.

Met zijn benen maakte hij grote slagen. Gelukkig kwam de vaart er flink in zo. Even keek hij voor zich om te zien of de anderen al in beeld kwamen. Niks, het hele fietspad was leeg. Het zwarte asfalt glansde van de regen. Als je er niet zo nat van werd, zou het mooi zijn.

Jesse keek weer strak naar zijn wiel en trapte stevig door. Daardoor zag hij de tegenliggers niet aankomen. Een grote groep leerlingen van het Waterland kwam hem tegemoet. Het Waterland was een grote vmbo-school in het dorp. De groepen leerlingen kwamen elkaar altijd tegen onderweg. Af en toe was er gedonder: ze scholden elkaar uit of ze duwden elkaar. De laatste weken was dat steeds meer uit de hand gelopen.

'Hé, een Maxje alléén!' hoorde Jesse een enthousiaste stem roepen.

Hij keek op en toen zag hij ze pas. Ze waren zeker met zijn tienen. Ook dat nog, dat hij daar niet aan gedacht had. Dit was veel vervelender dan onweer onderweg. Hij besloot te doen alsof hij ze niet zag, dan lieten ze hem misschien met rust.

De eerste van de groep gaf hem een flinke duw. Die verraste hem, ook al had hij het kunnen zien aankomen. Jesse verloor zijn evenwicht en de volgende duw zorgde ervoor dat hij naast zijn fiets lag.

De achterste van de groep sprong van de fiets en draaide snel Jesses ventiel los. Voor Jesse begreep wat er gebeurde, was de jongen alweer verdwenen.

Hij bleef verdwaasd op de grond zitten terwijl de groep Waterlanders joelend in de richting van het dorp verdween. Het duurde lang voor hij de moed vond om weer op te staan. Hij had het gevoel dat het allemaal geen zin meer had. Als hij opstond, zou er wel een boom op zijn hoofd vallen of zo. Er was een groot anti-Jesseplan in werking getreden; hij wist het zeker.

Eindelijk kwam Jesse overeind en hij raapte zijn fiets en zijn mobieltje op. Dat was zeker uit zijn zak gevallen. Zo dood als een pier. Hij was al over de helft van de weg naar school.

Het zou dus nog een kilometer of drie zijn naar het Max Havelaar College. Zijn band was plat en hij had geen pompje op zijn nieuwe fiets zitten. Dat had zijn moeder er voor de zekerheid afgehaald, omdat ze bang was dat het gepikt zou worden. Fijn. Dat kwam nu echt goed uit. Hij nam zich voor om het morgen weer op zijn fiets te doen, maar daar had hij nu niets aan.

Zuchtend begon hij in de richting van school te lopen. De regen viel nog steeds in stromen neer. Zijn regenpak begon vanbinnen vochtig te worden. Jesse plakte nu aan alle kanten.

Hij baalde dat zijn telefoon kapot was. Maar aan de andere kant, hij zou nu toch echt zijn moeder niet bellen om hulp. Hij regelde het zelf wel.

Hij kwam bij het grote park dat aan de rand van de stad lag. De kortste weg naar school leidde door dat park. Jesse had zijn moeder beloofd dat hij nooit alleen door het park zou fietsen, maar altijd met anderen. Pech, hij ging nu toch echt niet omlopen. Het eerste uur haalde hij niet meer, maar hij was niet van plan om meer te missen.

Hij stak dwars het park door. Van de grote bomen vielen vette druppels en een ervan viel er precies in zijn nek. Toch zette hij zijn capuchon niet op, want daarmee hoorde je niets aankomen. De eerste keer dat hij met dat pak fietste, had hij dat wel gedaan, maar toen was hij bijna van zijn sokken gereden door een brommer. Niet voor herhaling vatbaar dus.

Eindelijk zag hij het grote witte gebouw van het Max Havelaar liggen. Zelfs de anders zo prachtige school zag er troosteloos uit met dit weer. Tot Jesses verbazing had hij geen extra pech meer opgelopen. Hij kon bijna niet geloven dat er niet méér was misgegaan. Maar de dag was nog niet om, dus hij moest zijn aandacht niet laten verslappen.

Vanmiddag zou hij zijn band wel oppompen, nu wilde hij vooral droog en warm worden. Op zijn horloge zag hij dat het inmiddels bijna tien voor negen was. Het tweede uur begon om tien over negen, dus daarvoor was hij in ieder geval op tijd. Daar werd hij bijna vrolijk van.

In de hal zaten Kees en kleine Isa met hun klasgenoten. Kees zat druk te praten met zijn nieuwe vriend Patrick, Jesse zag hij niet eens. Lekker zo'n vriend, dat hielp echt voor zijn goede humeur.

'Hé, Jesse, ik dacht dat je ziek was vandaag,' zei kleine Isa toen. 'Je was niet bij het tankstation.' Ze keek bezorgd, dus hij slikte de kribbige reactie die op zijn tong lag in.

'Alles ging mis vandaag,' zuchtte hij. En ineens vertelde hij haar alles van het verslapen, het pakje sap, de Waterlanders en het lopen.

Tijdens het hele verhaal zei Isa niks, maar ze luisterde oprecht geïnteresseerd. Dat deed Jesse goed en voor het eerst die ochtend begon hij zich beter te voelen.

'Ik haal even thee voor je,' zei Isa aan het eind van zijn verhaal, 'daar word je tenminste weer warm van.'

Pas toen voelde Jesse hoezeer hij tot op het bot verkleumd was en hij keek haar dankbaar aan. Goeie meid die Isa, dat was hem eerder nooit zo opgevallen.

Toen Isa terugkwam met de thee, had Jesse zijn pak uit gepulkt en opgehangen. Met de handdoek in zijn gymtas had hij zijn haar en gezicht afgedroogd. Hij voelde zich bijna weer normaal zo.

'Zo, nou onderuitzakken en bijkomen,' zei Isa.

Jesse keek op de klok en schudde zijn hoofd. 'Nee ik heb het tweede uur les en dat begint over vijf minuten.'

Jesse zag spotlichtjes in de ogen van Isa verschijnen. 'Ik wou je het slechte nieuws nog niet meteen vertellen, maar ik zou eerst maar even op het bord kijken. Er valt volgens mij een heleboel uit. Er zitten een hoop leraren nog in de file, want er is op de snelweg een ongeluk gebeurd. Daardoor is onze afslag afgezet. Met de treinen is ook van alles mis en er zijn een heleboel leraren ziek. Met een beetje pech ben je vandaag voor niets gekomen.'

'Een uurtje vrij kan ik wel gebruiken,' zei Jesse en hij liep naar het bord. Hij kon zich niet voorstellen dat het echt slecht nieuws zou bevatten.

Op het bord stond dat het tweede uur helemaal uitviel. Jesse liep terug naar Isa en vertelde haar zijn nieuws. Ze lachte. 'Wel onderuitzakken dus. Kun je je humeur op peil laten komen.'

Jesse grijnsde; dat leek hem inderdaad het beste nu.

VERA
Mentor Melvin

Het viel eigenlijk best mee, dat gedoe met pesten op school. Je kreeg wel opmerkingen naar je hoofd over piepers en smurfen, maar daar trok Vera zich niets van aan. En waar je je niets van aantrekt, daar heb je ook geen last van, wist ze.

Tot zover was er niets aan de hand. Maar er zaten in de tweede klas een paar pestkoppen, dat waren geen gewone rotzakken meer, dat waren ronduit etterbakken! Echt waar.

Laatst nog, toen holde Vera door de volle gang omdat ze op tijd in lokaal 23 moest zijn, voor wiskunde. Twee knulletjes liepen haar breeduit tegemoet en toen ze vlakbij was, gaf de een de ander een zet, zodat die tegen haar aanbotste, waardoor zij tegen de grond gekwakt werd. Het deed nog pijn ook. Die twee jongens moesten er hard om lachen, terwijl Vera niet begreep wat er nou zo leuk aan was.

'Hallo brugpiepschuimpje,' zei de een, een kleine met een baseballcap achterstevoren op. 'Kun je niet uitkijken?'

'Kijk zelf uit, oen!' riep Vera.

Meteen sprong hij op haar af, hij pakte haar bij de arm en siste: 'Wat krijgen we nou? Gaan we bijdehand doen of zo? Ik krijg jou nog wel, krengetje!'

'Kom op, Jordy,' riep de andere jongen. 'We moeten opschieten.'

Ze gingen er stoer lachend vandoor, terwijl Vera opkrabbelde. Jordy heet hij dus, wist ze nu, dat rotjoch. Dat was alles bij elkaar nog goed afgelopen. Maar toen ze die middag in de fietsenstalling kwam, zag ze dat haar achterband plat was. De punaise waarmee hij lekgeprikt was, zat er nog in. In de verte stonden die twee etterbakkies nog even te grijnzen, voor ze wegreden.

Vera wist genoeg. Ze wilde daar niet staan janken waar iedereen haar kon zien. Maar ze had wel gruwelijk en grondig de pest in. Waar was dit nou weer goed voor? Wat was nou de lol om iemands band lek te prikken? Kon ze meer dan een uur naar huis gaan lopen met haar lekke band. Alleen door die rotzakken. Van kwaadheid schopte ze tegen haar fiets aan, die het ook niet kon helpen. 'Shit,' mompelde ze, 'kloteknul.'

'Heb je het tegen mij?' hoorde ze achter zich. Een grote Surinaamse jongen met strikjes in zijn haar stond haar breeduit uit te lachen. 'Problemen?' vroeg hij.

'Kun je wel zeggen, ja,' zei Vera. 'Dat zie je toch?' Ze wees naar haar achterband.

'Is het weer zover?' zei de jongen. 'Zijn ze weer bezig? Wat een klootzakken, hè. Zal ik je even naar huis brengen? Waar woon je?'

'Het Lebakplein,' zei Vera. 'Dat is bij het winkelcentrum van IJsseldam. Boven de Blokker woon ik.'

'Toe maar,' zei de jongen. 'Dat is een klere-eind hiervandaan, weet je dat? Geeft niet, ik moet toch die kant op. Laten we het zo doen: jij gaat bij mij achterop terwijl jij je eigen fiets aan het stuur vasthoudt. Geen probleem, makkelijk zat.'

Zo zat Vera even later achterop bij een boom van een kerel.

'Je moet me stevig vasthouden,' zei hij terwijl ze over de weg slingerden, 'anders gaat het mis. Hoe heet je trouwens?'

'Vera.'

'Ik heet Melvin. Weet je eigenlijk wie je band heeft lekgeprikt? Zijn er verdachten? Kun je zijn uiterlijk beschrijven voor *Opsporing Verzocht*?'

'Jawel,' zei Vera, 'het zijn namelijk twee etterbakken, uit de tweede klas. De ene heet Jordy, volgens mij.'

'Jordy?' vroeg Melvin. 'Toch niet die gozer met dat baseballcappie op zijn koppie? Daar hebben we vorig jaar nog zo mee gelachen toen hij nog een brugpiepertje was. We noemden hem "onderdeurtje", omdat hij zo klein was. Ik had zijn petje van zijn hoofd afgetrokken en daar kon hij helemaal niet tegen. We lummelden dat ding naar elkaar toe en hij maar springen om erbij te kunnen. Ten slotte gaf ik hem zijn petje terug, maar op de klep had ik met viltstift "Frans Bauer" geschreven. Man, wat was hij kwaad! Sindsdien draagt hij zijn pet achterstevoren. Gemeen van mij, hè? Ja, ik ben nou derdeklasser, maar vroeger, langgeleden, vorig jaar, was ik een echte pestkop.'

'Ja, heel gemeen,' zei Vera, maar ze moest wel lachen.

'Hou me wat steviger vast,' zei Melvin, 'anders raak ik je kwijt.'

Vera sloeg haar arm om zijn middel. Ze kon voelen dat hij sterk was. Hij had geen slap buikje, zoals papa, maar een echte ribbenkast, een wasbord, zogezegd.

Toen moest ze Melvin even de weg wijzen, want ze waren in haar buurt aangekomen.

Bij haar flat keek Melvin naar boven. 'Zo zo,' zei hij, 'hier woon je dus.'

'Ja,' zei Vera. 'Ik vind het verder wel. Papa zal me wel helpen met bandenplakken, denk ik. Dus bedankt voor het brengen. Dus doei dan maar weer.'

Waarom deed ze nou zo stom, waarom wist ze verder niets te zeggen?

'Oké dan,' zei Melvin. 'De balle en laat ze niet vallen. En je moet je ook niet op je kop laten zitten door een stel rotjochies. Afgesproken? Deal?'

'Zeggen m'n ouders ook altijd,' zei Vera aarzelend, 'dat ik moet leren van me af te bijten. Zal best waar wezen, maar het is makkelijker gezegd dan gedaan. Ik ben denk ik een watje en nog een meisje ook. Nou dan kun je het wel schudden. Of niet dan?'

'Welnee, meid,' zei Melvin, 'je bent geen watje, je bent alleen vriendelijk, dat is heel wat anders. Dan moet je niet stoerder gaan doen dan je bent. Daar moet je nooit aan beginnen. Als je je anders voordoet dan je bent, moet je dat je hele schooltijd volhouden en dan weet je ten slotte niet meer wie je werkelijk bent. Blijf jij nou maar gewoon lekker jezelf en laat niet te veel over je heen lopen, dan komt het vanzelf wel goed. Verder is het wel handig als je zo nu en dan een bijdehante opmerking maakt, waar ze niet van terughebben. Ikzelf zeg als ze beginnen te zeiken altijd meteen: "Jou wordt niets gevraagd." Dat moet je maar eens proberen, dat werkt altijd: "Jou wordt niets gevraagd".'

Vera lachte. 'Leuk verzonnen, maar ik geloof er niets van,' zei ze.

'Jou wordt niets gevraagd,' zei Melvin er meteen overheen. 'Zie je wel dat ik gelijk heb? Nou ik ga maar weer, want het is voor mij nog een teringeind naar huis.'

'En je zei dat je toch deze kant uit moest,' zei Vera.

'Klopt,' zei Melvin, 'maar ik zei zomaar wat, dus het klopt ook niet. Doei.'

Hij fietste weg zonder om te kijken.

Thuis vertelde Vera niks aan haar moeder, helemaal niks. Niets over de pesterijen van Jordy, niets over de punaise in haar achterband en al helemaal niets over Melvin. Ze had het alleen over glasscherven op het fietspad en niet uitkijken en zo, maar verder hield ze haar mond. Dat was eigenlijk gek. Vroeger, toen ze nog basisbig was, kwebbelde ze altijd honderduit over alles wat op de Woutertje Pieterse gebeurde, ook over de meest onbelangrijke dingen. Maar nu, op de nieuwe school, vond ze dat al die dingen haar ouders niets aangingen. Ze wilde alle problemen zelf oplossen, in haar eentje. Ze wilde ook niet met huiswerk geholpen worden. Dat ze het soms moeilijk had, ging haar ouders geen donder aan. Ze wist ook niet waardoor dat allemaal kwam, het zou de puberteit wel weer wezen.

Haar vader hielp die avond met bandenplakken in het berghok.

'Hoe ben je eigenlijk met die fiets thuisgekomen?' vroeg hij.

'Gewoon,' zei Vera, 'achterop bij Melvin. Ik met mijn fiets aan de hand en dan meeliften.'

'Wie is Melvin?' vroeg haar vader.

'Gewoon,' zei Vera, 'een jongen die ik ken van school. Verder niks, als je dat soms dacht.'

'Ik denk al niets meer,' zei haar vader, 'en ik vraag ook niets meer.'

'Dat is je geraden ook,' zei Vera.

Ze moesten er allebei om lachen.

Maar 's avonds voor het slapengaan, schreef ze evengoed wél zes keer de naam Melvin in haar agenda, in alle kleuren van de viltstiftset. Anderen schreven Shakira, Ali B. of Jan Smit in hun agenda, maar vanaf nu was zij de enige die Melvin had.

Vergeetkromme

Dat Isa niet bij Lisa in de klas zat, had ook zo zijn voordelen. Zij hadden een andere lerares Frans.

Isa had de verhalen over mevrouw Prenger wel gehoord: die stond in de deuropening al op de klas te wachten, zodat ze een voor een langs haar moesten. Ze keek met haar priemende blik dwars door je heen, ze kon niet tegen geintjes en zag er ook nog eens niet uit. Een kapsel met een knotje, dan kwam je toch zeker uit de middeleeuwen!

Nee, dan hún lerares! Evie heette ze, ze mochten haar bij haar voornaam noemen. Ze was jong en zag er bijna uit als een leerling. Ze zat met haar billen op het bureau als zij de klas binnenkwamen en dan begon ze met een praatje. Eerst in het Nederlands en dan ging ze op het Frans over. Bijna ongemerkt begon zo de les. Ze maakte grapjes en was goed op de hoogte van popmuziek. Nou, voor zo iemand wilde je wel leren!

Isa deed dan ook erg haar best op Frans. Ze vond het alleen zo moeilijk. Kijk, Engels ging bijna vanzelf, zeker het praten en verstaan. Maar Frans! De uitspraak van de woorden was soms een complete verrassing! En al die streepjes op de e! Nooit stonden ze de goede kant op. En dan moest je ook nog weten of woorden 'le' of 'la' waren.

Morgen hadden ze een schriftelijke overhoring en Isa was op haar kamer aan het leren. Ze liep met haar lesboek Frans in haar handen heen en weer tussen de muur en het raam. Dat waren zes passen heen en zes passen terug. Hardop las ze een voor een de Franse woorden op met hun vertaling erbij, rijtje voor rijtje. Je moet de woordjes er gewoon in stampen, had Evie tijdens een van de eerste lessen gezegd, net zo lang herhalen tot je ze kent. Nu stampte Isa hard met haar voeten op de grond.

'École: school, crayon: potlood, cahier: schrift, stylo: pen, livre: boek, tableau: schoolbord, cartable: schooltas.'

Dat herhaalde ze en daarna ging ze over naar het volgende rijtje. Zes passen heen en zes passen terug. Volgende rijtje. Zes woordjes heen en zes woordjes terug.

Tot haar moeder naar boven kwam. Al op de trap begon ze te roepen: 'Isa, Isa, wat doe je?'

Toen bonkte ze op de deur. 'Isa!'

Isa keek op en zag het verhitte gezicht van haar moeder in de deuropening. Verbaasd vroeg ze: 'Wat is er?'

'Je maakt zo'n kabaal! Wat ben je aan het doen?'

'Frans leren. S.o. morgen. Allemaal woordjes.'

'Moet je daar zo veel herrie bij maken? Ik word helemaal gek van dat gestamp boven mijn hoofd!'

Er ging Isa een lichtje op. 'O, bedoel je dat. Ja, ik was woordjes uit mijn hoofd aan het leren. Stampen, dus. Ik dacht, misschien helpt het als ik écht ga stampen.'

'Lieve help!' riep haar moeder uit.

'Maar ik vind het zó lastig om ze te onthouden.'

'Maar moet dat dan zó?'

'Kweetniet. Ik probeer ook maar wat. Dat zei onze mentor: je moet je eigen manier van leren ontdekken. Kijken wat bij je past.'

Haar moeder kreunde. 'Ik hoop niet dat dít bij je zal blijken te passen.'

'Dat weet ik pas als ik het cijfer op mijn s.o. weet.'

'Zijn er geen moedervriendelijker methoden?'

'Kweetniet,' zei Isa weer. 'Die moeten we nog krijgen, dan.'

'O, nou ja.' Isa's moeder zuchtte. 'Een goed cijfer is wel belangrijk natuurlijk.'

'Wil je me straks overhoren? Dan weet ik of ik ze ken.'

De volgende dag hadden ze het vierde uur Frans. Isa kende de woordjes goed toen haar moeder haar overhoorde, maar toen ze aan de s.o. begon, schrok ze. Ze wist een heleboel woorden niet meer. En was crayon nou le of la? En ecole met of zonder streepje? Ze beet bijna haar pen stuk terwijl ze alle laatjes van haar geheugen opentrok. Waar hadden die woordjes zich verstopt? Ze konden toch niet zomaar verdwenen zijn? Gisteren kende ze ze nog!

Toen het tijd was, leverde ze chagrijnig het blaadje in. Er waren te veel woorden waar ze onzeker over was of zonder vertaling erachter.

De volgende les Frans kregen ze het al terug. Evie stond bij de voorste tafel in haar tas te zoeken en viste hun s.o.'s eruit, die ze vervolgens uitdeelde. Isa's hart begon een beetje sneller te slaan. Ze zou toch wel een voldoende hebben...? Nee hè, een 5,1...! Hoe kon dat nou?

Ze keek op naar Evie, die meevoelend vroeg: 'Valt het tegen?'

'Ik had heel hard gestampt,' zei Isa verontwaardigd. 'Na het leren wist ik alles!'

Ze keek opzij naar het cijfer van Claudia. Die had een 6,7 en Rachida, achter hen, een 8. Zij was een kei in Frans.

Isa draaide zich weer naar haar eigen blaadje om en haar blik vloog langs alle rode strepen. Hè, wat veel fouten!

Toen gingen ze het bespreken. Isa zuchtte. Ze stak haar vinger op. 'Ik snap het niet: wanneer is een woord nou le en wanneer la?'

'Gewoon uit je kop leren!' antwoordde Evie. 'Dat is de beste methode. Als je je woordjes leert, meteen erbij leren of het mannelijk of vrouwelijk is. Weet je, Isa, ik kan wel uitleggen in welke gevallen woorden mannelijk zijn, maar dat is een heel ingewikkeld verhaal.'

Isa knikte. Dat snapte ze. Toen vroeg ze: 'Ik heb ze zó goed geleerd en nou heb ik een 5. Wat moet ik doen om de volgende keer wél een voldoende te halen?'

'Je hebt je s.o. goed geleerd, zeg je,' herhaalde Evie. 'Oké, ik geloof je. Wanneer was dat?'

'Gewoon, de middag ervoor.'

'En verder?'

'Mijn moeder heeft me overhoord. Toen kende ik zowat alle woordjes!'

'En wanneer was dát?'

'Diezelfde middag na het leren. 's Avonds moest ik dansen.'

Evie ging er eens goed voor zitten. 'Oké, opletten allemaal. Hier wordt een heel nuttige vraag gesteld. Hoe haal je een voldoende? Ik kan hem ook anders formuleren en dan is hij voor iedereen interessant: hoe haal je een hoger cijfer? Zegt de vergeetkromme jullie iets? Hebben we het daar al eens over gehad?'

'Nee!' riep de klas.

Evie sprong op van het bureau en liep naar het bord. 'Weet je,' begon ze. 'Als je aan het leren bent, vergeet je altijd weer een deel van wat je geleerd hebt. Dat is gewoon zo.'

Jorg reageerde met sissende geluidjes. 'Tsss, wat stom zeg!'

Evie lachte. 'Ja, jammer hè? Onze hersens kunnen nooit honderd procent vasthouden van wat we erin gestampt hebben. Stel, je moet honderd woordjes leren en je kent ze na het leren allemaal, dan zul je er een dag later nog maar vijftig weten en weer een dag later ken je er nog maar twintig. Dat kun je in een grafiek uittekenen.'

Om zich heen hoorde Isa een aantal kinderen kreunen. 'Zo weinig?' vroeg ze.

'Echt waar?' riep Claudia.

'Ja!' zei Evie. 'Kijk maar.' Ze draaide zich met haar rug naar de klas en tekende een kromme lijn op het bord van linksboven naar rechtsbeneden. 'Dus is het volkomen verklaarbaar én normaal dat Isa direct na één keer leren alle woordjes kent, maar een dag later de helft vergeten is. Resultaat: een onvoldoende.'

Evie wees op de lijn. 'Dit heet de vergeetkromme.' Ze keek de klas rond. 'Dus? Als je nou de volgende dag alle woordjes opnieuw gaat leren, heb je weer een score van honderd procent in plaats van die vijftig procent op de tweede dag uit deze grafiek.' Vanuit dat punt tekende ze een lijn omhoog. 'Je kent weer al je woordjes.'

'Maar daarvan vergeet je toch ook weer een deel?' wierp Isa op.

'Ja, je hebt helemaal gelijk,' zei Evie en ze liet haar krijtje

163

weer in een kromme lijn dalen, die echter hóger eindigde dan de eerste. 'Tel uit je winst,' zei ze dan ook.

Toen trok ze een nieuwe loodrechte lijn omhoog. 'Ga je nu wéér herhalen, dan weet je weer honderd procent.'

'Maar daarvan vergeet je dus ook weer een aantal!' riep Kees.

'Inderdaad,' zei Evie. 'En dus daalt de kromme weer, máárrrr... Uiteindelijk onthoud je steeds meer woordjes! Snap je? In plaats van die twintig procent die je nog weet na één keer leren, weet je na drie keer leren nog zeventig procent.'

'Goh, nooit geweten,' zei Claudia.

En Rachida zei: 'Je moet dus echt vaak leren!'

'Maar dan haal ik een 7 voor Frans,' zei Isa. 'Wat zeg ik? Een 8 of een 9!'

Evie keek hen aan. 'Ja! Jullie hebben 'm door! Je moet dus altijd herhalen als je leert, liefst twee keer. Dat betekent eerder beginnen met leren, twee of drie dagen vóór de overhoring. Dus...' Nu keek Evie de hele klas weer aan. 'Als je huiswerk gaat maken, moet je niet alleen bij de volgende dag kijken wat je op hebt, maar ook altijd een paar dagen vooruit. Maar dat zullen jullie bij de mentorles ook wel hebben gehad.'

De klas knikte. Dat was zo.

Isa vroeg: 'Als je 's middags hebt geleerd, kun je dan ook 's avonds herhalen?'

'Ja hoor, dat kan,' antwoordde Evie. 'Als er maar tijd tussen zit. En als je je laat overhoren, doe dat dan niet direct na het leren. Dat geeft je het gevoel dat je het kent, terwijl je het een en ander gaat vergeten in de uren erna! Snapt iedereen dit?'

Evie keek de klas rond. 'Hé,' zei ze, 'ik ga mijn theorie bewijzen! Als je gaat herhalen, onthoud je meer! Ik geef hetzelfde s.o. nog een keer op. Jullie gaan dezelfde woordjes voor de tweede keer leren. Ik wed dat alle cijfers dan hoger uitpakken en Isa een voldoende scoort! Doen?'

De klas begon te juichen. Wat verwonderd deed Isa mee. Nou moe! Allemaal blij met een s.o.! Voor het eerst en misschien ook wel voor het laatst, dacht ze.

Twee lessen Frans later schreef Isa tevreden een 8,5 in haar agenda.

VERA
Rare ruzie

'Wat hadden we nou afgesproken?' vroeg Vera's moeder onder het eten.

Vera kauwde stug door.

'We hadden afgesproken,' ging haar moeder verder, 'dat jij je kamer nou eindelijk eens op zou ruimen, want het is een bende en dat accepteer ik niet.'

'We hebben niks afgesproken,' zei Vera nog half met volle mond. 'Je zei dat mijn kamer opgeruimd moest worden. Dat is geen afspraak maar een keihard bevel. En daar heb ik toevallig geen zin in.'

'Maar zoals het nu is, kan het toch niet verdergaan?' zeurde haar moeder door. 'In zo'n troep kun je toch niet leven en je huiswerk maken?'

'Dat bepaal ik zelf wel,' zei Vera.

'Daar heb jij toch ook last van? Dat je je spullen en je boeken niet meer kunt vinden in die puinzooi? Je Harry Potterboek bijvoorbeeld, dat is nergens te vinden en...'

'Harry Potter ligt in de vensterbank,' zei Vera snel, 'onder mijn roze sokken. Ik weet heus de weg wel in mijn eigen hok, zolang jullie je er niet mee bemoeien, hoor.'

Vera's vader ruimde de borden alvast af zonder iets te zeggen.

'Wat heb je toch de laatste tijd?' begon haar moeder nu. 'Vroeger was er nog redelijk met je te praten. Maar nu je volwassen begint te worden, ga je je steeds onvolwassener gedragen.'

Tja, wist Vera veel? Het kwam de laatste tijd steeds vaker voor dat ze ruzie met haar ouders kreeg. Maar dat kon zij toch niet helpen? Ze zeiden altijd dat je op de nieuwe school moest leren van je af te bijten, maar als je dat thuis deed, mocht het opeens niet meer. Dat was toch te gek voor woorden?

Haar vader haalde de toetjes uit de ijskast. 'Ach Pauline,' zei hij. 'Weet je wat het is? Dat kind moet gewoon een beetje wennen nu ze aan het puberen is. Een beetje ge-etter hoort daar gewoon bij. Leuk is het niet, maar het is niet anders.'

'Begin jij nou ook al, Karel?' zei haar moeder kwaad.

'Ik wou alleen maar zeggen,' zei haar vader, 'dat ik...'

'Bemoei je er niet mee!' riep Vera. 'Dit is iets tussen mama en mij.'

'Sorry hoor,' zei haar vader weer, 'ik wou alleen maar zeggen dat...'

'Jou wordt niets gevraagd!' zei Vera beslist.

Nog nooit had ze hem zo verbluft zien kijken. Hij liet bijna haar toetje uit zijn handen glijden. Hij keek naar zijn vrouw.

Die kreeg spontaan de slappe lach. 'Jou wordt niets gevraagd, zegt ze. Hoe komt ze erop! Die moet ik onthouden! Jou wordt niets gevraagd!' Ze kwam haast niet meer bij van het lachen.

Vera zat er een beetje onhandig bij. Zo grappig was ze nou ook weer niet geweest, of had ze nu iets stoms gezegd?

Maar haar moeder sloeg een arm om haar heen.

'Je bent heus een schat,' zei ze. 'Echt waar. Je bent alleen een beetje aan het veranderen. Dat kan iedereen overkomen. Heb ik ook gedaan toen ik zo oud was als jij. Geeft niet. Moet kunnen. Komt allemaal goed. Uiteindelijk ben je geweldig. Zeker weten.'

JESSE
Eruit gesjtuurd

Het was grote pauze en Jesse zat in de kantine met zijn nieuwe klasgenoten. Voorzichtig nipte hij van een kop hete soep. Over de rand van zijn beker keek hij naar Kees en zijn nieuwe vriend Patrick. Die hadden een lol samen! Zo kende hij Kees helemaal niet en dat was gek, want hij kende hem al heel lang.

Tussen Kees en hem ging het heel anders dan vroeger, toen ze samen op de basisschool zaten. Jesse had niet gedacht dat hun vriendschap ooit zou veranderen. Natuurlijk, ze zaten niet meer bij elkaar in de klas, maar ze fietsten nog vaak samen en ze zaten allebei op voetbal.

Toch kwam Kees nooit meer uit zichzelf langs en als Jesse bij hem aanbelde, had hij geen tijd.

'Huiswerk, hè,' zei hij de laatste keer schouderophalend. Diep in zijn hart wist Jesse wel wat Kees dwarszat. Dat Jesse niet bij hem in de vmbo-klas had gewild. Tenminste, zo legde Kees dat uit. Ze hadden er samen wel eens over gepraat in het begin en Jesse had Kees toen gezegd dat het niks met hun vriendschap te maken had. Maar dat hij gewoon wilde doen wat hij volgens de Cito-score kon.

'Daar dachten juf Sandra en meester John toch heel anders over,' had Kees scherp gezegd en daar was het gesprek mee geëindigd.

169

De bel ging en Jesse stond op om zijn bekertje weg te gooien. Hij voelde een hand op zijn schouder.

'Zal ik naast jou zitten?' vroeg Chris.

Meteen klaarde Jesse op. 'Prima!' Die Chris was een aardige jongen, geen meeloper, maar iemand met een eigen mening. En daar had Jesse bewondering voor.

'Hoe ging jouw Frans?'

'Lastig,' zei Jesse en hij grijnsde zijn tanden bloot. 'Ik heb gisteren mijn beugel opgehaald en sindsdien kan ik geen woord meer uitspreken. In het Nederlands al niet, dus laat sjsjsjsjtaan in het Fransjsjs.' Jesse sliste overdreven om zijn probleem te laten horen.

'Lachen, man,' vond Chris. 'Het is te hopen dat je niet meteen vandaag een beurt krijgt!'

'Zien we dan wel weer.' Jesse haalde glimlachend zijn schouders op, hij kon er niet mee zitten.

Mevrouw Prenger stond bij de deur en bekeek alle kinderen van 1b van top tot teen. Dat was al vanaf het begin haar gewoonte en Jesse begon eraan te wennen. De eerste weken was hij er behoorlijk zenuwachtig van geworden, van die priemende blik.

'Bonjour, Jesse,' knikte mevrouw Prenger en haar kleine knotje wiebelde op haar achterhoofd.

'Bonschour, madame Prenger,' mompelde Jesse en hij voelde dat zijn spuug in het rond spetterde. Dat ging goed zo, dacht hij spottend.

Chris had het ook gemerkt. 'Brace face!' zei hij lachend terwijl hij Jesse aanstootte.

Jesse en Chris zochten een bank achteraan in het lokaal,

daar zat je niet zo opvallend en kon je af en toe nog even kletsen. Ze zetten hun tassen neer en zochten hun spullen bij elkaar.

'Neem etappe trois voor je,' zei mevrouw Prenger, 'en je schrift. On commence à compter.' Zo begon elke les: mevrouw Prenger gaf beurten en wie een beurt kreeg, moest in het Frans tellen.

Jesse droomde langzaam weg. Hij keek naar de platen van Parijs aan de muur en het leek hem wel wat om daar op vakantie naartoe te gaan. Zou zijn vader van de zomer niet eens over Parijs naar Italië kunnen rijden? Dan kon hij mee...

'Jesse van Gent, comptez à partir de soixante!' Jesse hoorde zijn naam en schrok op.

'Je moet tellen vanaf zestig in het Frans,' fluisterde Chris dringend.

Jesse knikte ten teken dat hij het begrepen had en begon: 'Soixante-et-un, sioxantedeux...' Terwijl hij praatte, ontdekte hij opnieuw dat hij een beugel had. Niets kwam eruit zoals de bedoeling was. Overal begonnen kinderen te lachen en voor Jesse aan de drieënzestig was, lag de hele klas in een deuk.

'Jesse van Gent!' schetterde de stem van mevrouw Prenger door het lokaal. Ze kon de herrie bijna niet overstemmen. Toen werd het stil en Jesse telde met een rood hoofd verder: 'Soixanttrois.'

Lachsalvo's schoten door de klas. Jesse keek wanhopig naar Chris, dit was echt niet zijn bedoeling. Chris grijnsde van oor tot oor, hij vond het wel geinig, zo te zien. Voor de klas begon mevrouw Prenger driftig te stampvoeten.

'Ça suffit! Maintenant!' Dat hielp natuurlijk helemaal niet en de klas was niet meer te houden. Vera viel voorin bijna van haar bank van het lachen. Bij Erik liepen de tranen over zijn wangen van de pret. Simone hield haar buik zo stevig vast, alsof ze bang was dat hij uit elkaar zou knallen.

'Dit komt niet meer goed,' fluisterde Chris grinnikend.

Waarschijnlijk dacht mevrouw Prenger dat ook, want ze keek licht wanhopig naar de golvende massa. Toen bedacht ze toch nog een maatregel: 'Jesse van Gent, eruit! Ga je melden bij de coördinator!' Priemend wees haar vinger naar Jesse. De klas was niet meer te redden, dit was alleen maar olie op het vuur. Jesse haalde zijn schouders op en stond op om zijn spullen in te pakken.

Tot zijn verbazing stond Chris naast hem ook op en begon ook zijn spullen in te pakken.

'Chris Bergmans, wat doe je!' riep mevrouw Prenger met overslaande stem. Van verbazing werd de klas stil.

'Ik ga met Jesse mee naar de coördinator. Hij heeft vandaag voor het eerst een nieuwe beugel. Als u hem al niet kan verstaan, zal het meneer Van Dijk ook wel niet lukken. Ik zal zijn tolk zijn.'

Jesse liep richting deur en Chris volgde hem op de voet. De klas was nog steeds muisstil en mevrouw Prenger zei niets. Toen Jesse de deur achter Chris en hem dichtdeed, zag hij dat haar mond nog steeds openstond van verbazing.

Zwijgend liepen Jesse en Chris naar het eind van de gang. Samen gingen ze door de klapdeuren en daar barstten ze tegelijkertijd in lachen uit.

'Sjag je haar gesjigt?' lachte Jesse. En daardoor begon Chris nog harder te schateren. Toen trok hij Jesse aan zijn arm.

'Kom, we gaan naar meneer Van Dijk, dan hebben we dat maar vast gehad.'

De deur van de kamer van meneer Van Dijk stond op een kier en daarachter klonken zacht stemmen. Jesse aarzelde even en klopte toen zachtjes.

'Eén momentje!' klonk de stem van Van Dijk bars. Op dezelfde toon ging die door en foeterde een leerling uit: 'Je blijft de hele week na en dan veg je het hele plein van voor naar achter!' Jesse en Chris keken elkaar aan, dat klonk niet best.

De deur ging open en er kwam een jongen uit met rood haar en een rood hoofd. Het was een lange slungel die zeker al in de tweede zat, dat zag je zo.

'Kom verder!' riep Van Dijk. Hij voerde iets in op de computer en keek niet op toen Jesse en Chris binnenkwamen. Zwijgend bleven ze voor zijn bureau staan, wachtend op het moment dat de coördinator tijd voor hen zou hebben.

Het uur van de waarheid was aangebroken: Van Dijk wendde zijn blik van het scherm naar de twee jongens die voor hem stonden.

'Brugklassers!' zei hij verbaasd. 'Dat gebeurt niet vaak. Leg me eens uit wat er gebeurd is.' Zijn stem klonk niet boos, eerder nieuwsgierig.

'Ik heb vandaag voor het eerssjjt een beugel,' legde Jesse uit. 'Van mevrouw Prenger kreeg ik de beurt om te tellen vanaf sjesjstig.'

'Soixante,' vulde Chris behulpzaam aan.

'Dank je, jongeman. Mijn Frans is prima.' Van Dijk keek

streng, maar Jesse meende pretlichtjes in zijn ogen te zien.

'Dat tellen klonk nogal gek door mijn beugel en de hele klas moesjt lachen. Mevrouw Prenger werd boosj en ik moesjt doortellen. Bij drieënsjesjtig werd ik eruit gesjtuurd.'

Jesse haalde onschuldig zijn schouders op.

'En jij?' vroeg Van Dijk nu aan Chris.

'Ik was bang dat u hem niet kon verstaan,' zei Chris en zijn stem klonk ineens klein.

Van Dijk barstte in schaterlachen uit.

'Lekker stel zijn jullie! Aan het eind van de les gaan jullie naar mevrouw Prenger en bieden jullie haar je excuses aan voor het verstoren van de les. Laat haar zien dat je een nieuwe beugel hebt, Jesse. En laat ik jullie hier de rest van het jaar niet meer zien, anders zwaait er wat.'

Hij stond op en gaf daarmee aan dat hun gesprek beëindigd was. Hij liep zowaar mee naar de deur van zijn kamer om hen uit te laten. Daar legde hij nog even zijn hand op Jesses schouder.

'Volgens mij heb je vandaag niet alleen een nieuwe beugel, maar ook een nieuwe vriend.'

Jesse keek naar Chris en grijnsde. Van Dijk had gelijk.

Zomaar een nieuwe vriendin

Toen Vera 's ochtends de hal in kwam, zag ze dat die twee galbakkies weer bezig waren, Jordy uit de tweede en zijn vriendje. Ze hadden de rugzak te pakken van een meisje uit haar klas, Hanneke heette ze, dacht Vera, of Hannie of zoiets.

De jongens waren met de rugzak aan het lummelen: ze gooiden hem in grote bogen naar elkaar toe terwijl Hanneke of Hannie tussen hen in stond te springen. Meestal bemoeide Vera zich niet met dit soort getreiter, maar nu het Jordy met zijn vriendje was, wilde ze zich er wel mee bemoeien. Die twee knullen hadden nog wat van haar te goed sinds haar lekke band.

Ze sprong naar voren, botste expres tegen Jordy aan en griste de rugzak uit de lucht. Daarna overhandigde ze hem kalm en keurig aan Hanneke of Hannie.

'Bedankt,' zei die.

'Geef hier. Dat is mijn rugzak!' riep Jordy.

'Jij moet met je poten van andermans spullen afblijven,' zei Hanneke of Hannie en ze knipoogde naar Vera.

De andere jongen was er nu ook bij gekomen. 'Sinds wanneer mogen wij niet gewoon effe een beetje lol trappen?' vroeg hij.

'Jou wordt niets gevraagd,' zei Vera zomaar opeens, en die knul had er niet van terug.

175

'Wat hoor ik daar? Er zijn toch geen moeilijkheden hoop ik?' hoorde ze plotseling achter zich. Daar stond Melvin met een brede grijns op zijn gezicht.

'Ja, maar zij daar is begonnen!' riep Jordy nog.

'Jou wordt niets gevraagd,' zei Melvin. 'En nou oprotten, anders ben je te laat in je klas.'

Hij wipte de baseballcap van Jordy's hoofd af. 'Frans Bauer' stond er op de binnenkant van de klep, zag Vera.

'Bedankt hè,' zei Hanneke of Hannie, toen ze naar hun klaslokaal liepen.

'Graag gedaan,' lachte Vera. 'Hoe heet je eigenlijk? Hanneke of Hannie?'

'Nee, ik heet Hanna,' zei het meisje dat geen Hanneke en geen Hannie heette.

Het vierde uur hadden ze een tussenuur vrij en omdat Hanna in de buurt van school woonde, ging Vera zolang met haar mee.

'Goed jack heb je aan trouwens,' zei Hanna toen ze over straat liepen.

'Hoezo?' Vera begreep het eerst niet zo goed, en toen had ze het pas door: Hanna had net zo'n jack aan als zij!

Grinnikend liepen ze verder.

Hanna woonde in een lekker huis. Er stond namelijk een gezinsfles cola klaar in de koelkast. Bovendien had Hanna een gaaf kamertje voor zichzelf, met een eigen computer en een eigen tv. Ze had zelfs alle delen van *Harry Potter*, met harde kaft nog wel.

Vera had alleen maar deel twee, maar ze had wel alles gelezen, geleend uit de bibliotheek, waar haar moeder werkte.

De film had ze ook gezien, met de kinderen uit haar oude klas. Op het Max Havelaar had ze het er nooit over gehad, ze dacht dat iedereen dat zwaar kinderachtig zou vinden.

Maar Hanna zat daar niet mee, die was echt een Harry Potter-fan. Ze had zelfs een Harry Potter-agenda.

'Hij was wel duur,' zei ze, 'maar het mocht, omdat ik dat goedkope jack van C&A nam.' Ze had hem wel stevig gekaft, want dit ging de rest van de klas geen donder aan, behalve Vera dan, want die vertrouwde ze het nu met een gerust hart toe.

Ze lunchten met paprikachips.

'Die jongen van daarnet,' zei Hanna tussen twee happen door, 'ken je die ergens van?' Crunch crunch. 'Heb je daar wat mee?' Crunch crunch. 'Best een lekker ding.' Crunch crunch. 'Vind je niet?'

'Melvin? Ik weet niet,' zei Vera maar. 'Ik heb daar nooit zo op gelet.'

'Waar heb je niet op gelet?' vroeg Hanna plagerig. 'Op hem niet of op zijn ding niet?'

Ze kwamen niet meer bij.

Onderweg terug naar school zei Hanna nog: 'Dat je veel vriendinnen en vrienden moet maken, dat zeggen ze allemaal, ook mijn ouders. "Contacten leggen" noemen ze dat, of nog erger, "netwerken". Ik vind dat zo'n onzin! Netwerken doe je met zakenrelaties, om carrière te maken, of zo. Maar vriendinnen kun je toch niet maken? Die krijg je gewoon.'

Vera was het helemaal met haar eens.

Onder het laatste uur die dag lette ze niet goed meer op. Ze keek naar Hanna, die schuin voor haar zat. Ze bedacht zich hoe gek het was dat ze nu zomaar een vriendin had, niet ge-organiseerd, maar per ongeluk.

Zoals het hoort.

ISA

Saucijzenbroodjes

Zou Lisa er al zijn? Zodra Isa de kantine binnenliep, keek ze alle kanten op. Ze sprak nog vaak met Lisa af in de pauze. Na al het moeten in de klas, was het fijn om even de vrijheid in de kantine te hebben: wat hangen en lekker kleppen. Er stond al een enorme rij voor de snacktoonbank, zag Isa. Ze had zich in het begin erover verbaasd wat je hier allemaal kon kopen: broodjes gezond, broodjes kaas, cup-a-soup, worstenbroodjes, kipburgers, hamburgers, kroketten, saucijzenbroodjes, gevulde koeken en van die roze koeken, ze werd er misselijk van als ze eraan dacht. En dan waren er ook nog snoepautomaten en automaten voor frisdrank. Melk en zo kon je weer bij de balie krijgen.

'Isa! Hier!'

Dáár was Lisa, ze zat met nog een paar uit haar klas aan een tafeltje vlak voor het podium. Dat maakte haar niet veel uit, zo had ze gemakkelijk nieuwe kinderen leren kennen. Jesse zat er ook bij, zag Isa. Van Lisa's klas zaten ze wel vaker bij elkaar, de jongens en de meisjes. Zijzelf zat meestal met alleen de meiden. Lisa had een stoel voor haar vrijgehouden en Isa ging zitten.

'Hoessie?' vroeg ze.

'Goed,' antwoordde Isa. 'We hebben net een proefwerk Frans gehad, best makkelijk.'

Ze vond het nog altijd jammer dat ze het dagelijks leven

niet meer deelden en ze hadden elkaar dan ook altijd veel te vertellen.

'Wij hadden een invaller voor wiskunde,' zei Lisa. 'Leuke vent, joh! Hartstikke jong is-ie. Volgens mij lag de halve klas te zwijmelen.'

Isa lachte. 'Zal ik raden welke helft?'

Lisa wuifde met haar hand dat dat overbodig was.

'En nog wel wat geleerd?' vroeg Isa.

'Ja, dat hij vijfentwintig jaar is en van voetballen houdt en van hiphop.'

Isa dacht even aan Van Kleef, haar wiskundeleraar, die vast al bijna met pensioen ging. Ze hoopte het maar voor hem, want hij gaf de indruk het maar lastig te vinden, zoveel kinderen voor zijn neus.

'Ik vind wiskunde leuk,' zei Isa.

'Ik nu ook,' zei Lisa. 'Eerst niet.'

'En ik haat verzorging,' ging Isa verder. 'Dat vind ik zo'n stom vak.'

'Ik haat Dijkstra van geschiedenis,' zei Lisa. 'Moet je horen. Hij had iets fout gerekend bij mijn proefwerk, maar dat had hij zelf zo gezegd in de les. Ik had het opgeschreven en ik heb hem mijn schrift nog laten zien, maar hij wilde het niet geloven. Dat kon hij nooit zo gezegd hebben, zei hij, want het was helemaal niet waar.'

'Nou ja, zeg, alsof leraren nooit een fout kunnen maken.' Isa leefde helemaal mee. 'En toen?'

'Nou, ik ging maar door met discussiëren, want ik vond het onrechtvaardig en toen werd hij boos en zei dat ik niet zo moest mopperen. Ik had altijd wat te mopperen, zei hij. En dat is helemaal niet waar! Ik had alleen een keer wat van het huiswerk gezegd, want hij geeft altijd reteveel op!'

'Zou hij zelf nooit gemopperd hebben in zijn puberteit?' vroeg Isa zich af terwijl ze haar boterhamzakje tevoorschijn haalde. Er zat één bruine boterham met kaas in. Ze nam een klein hapje. Toen ze opkeek, ving ze per ongeluk de blik van Jesse. Ze glimlachte even naar hem. Hij had een broodtrommel voor zich staan met zes boterhammen erin. Zwijgend zat hij te kauwen.

Broodtrommels waren lastig, vond ze. Die bleven evenveel plek innemen in je tas als ze leeg waren.

'Ik heb zin in wat lekkers,' verzuchtte Lisa. 'Maar ja, die lange rij... Als je aan de beurt bent, is de pauze om.'

Er lag niets voor haar, zag Isa, terwijl alle anderen zaten te eten.

'Heb je geen brood?'

Lisa schudde haar hoofd. 'Geen tijd om te smeren vanochtend, mijn moeder had zich verslapen. Ik dus ook. Ik heb wel geld.'

'Wil je mijn brood?' bood Isa aan.

'En jij dan?'

'Ik heb niet zoveel honger.'

'Nee,' zei Lisa. 'Ik ga wel wat halen.' Ze stond op en liep weg.

Opnieuw keek Isa in de blauwe ogen van Jesse aan de overkant van de tafel.

'Hoe vond jij die nieuwe voor wiskunde?' vroeg ze.

'Een uitslover,' zei hij, 'maar hij kan wel uitleggen. Ik snap het ineens van die symmetrieassen.'

Opnieuw lachte ze naar hem. Hij had lieve ogen, vond ze. 'Wat vind jij een leuk vak?'

'Geschiedenis,' antwoordde hij.

Isa wilde nog vragen wat hij van Dijkstra vond, maar Lisa was al weer terug. Ze grijnsde. 'Mijn bestelling aan Rik door-gegeven, de grootste vreetzak van de klas. 'Neemt veel geld mee, wel zeven euro per week, was al in groep 8 aan het spa-ren voor de kantine van de middelbare school.'

'Met twee euro kom je ook al een heel eind,' zei Jesse. 'An-ders ga je te veel kopen.'

'Je kunt natuurlijk ook je eigen brood opeten,' zei Isa. Zij kocht bijna nooit wat, ze nam altijd zelf brood, fruit en wat drinken mee.

'Dat is niet stoer,' zei Jesse en grijnsde breed boven zijn broodtrommel die nu bijna leeg was. Het kon Isa niet veel schelen of dat nu wel of niet stoer was en Jesse zat daar zo te zien ook niet mee. Isa at de rest van haar boterham op en wees. 'Daar komt je lunch,' zei ze met volle mond.

En inderdaad kwam Rik eraan met in zijn handen twee broodjes hamburger, twee saucijzenbroodjes en twee brood-jes kroket. Hij gaf de helft aan Lisa en bleef toen naast de ta-fel staan eten omdat er geen stoelen meer vrij waren.

'Doe je dat altijd?' vroeg Isa verbaasd.

'Wat?'

'Zoveel eten kopen.'

Rik knikte vol overtuiging. 'Lekker, man. Dat is het leuk-ste van de middelbare school: de pauzes in de kantine.'

'Lisa zei dat je al op de basisschool aan het sparen was.'

'Klopt. Als ik iets zie waar ik trek in heb, wil ik dat gewoon kunnen kopen.' Rik nam een grote hap van zijn hambur-ger.

'Niet goed voor je gezondheid, veel zout, de mayo en de curry, dat is hartstikke slecht voor je,' zei Isa.

'Ik zit op voetbal, ik train twee keer per week. Dat sport ik er wel weer af.'

'Vindt je moeder dat goed?'

'Die weet dat niet. Mijn moeder heeft wel liever dat ik mijn brood opeet, maar dat doe ik dus echt niet. Na een tijdje gaan die boterhammen vervelen, vind je niet? Ik gooi het de laatste tijd weg, want anders krijg ik zo'n preek van mijn moeder als ik thuiskom en ik heb mijn brood niet opgegeten. Daar heb ik echt geen zin in.'

Isa keek verbaasd naar de jongen die nog altijd stond te eten. Hoe kon je dat doen? Dan waren de verhalen die ze had gehoord dus toch waar. Vanuit haar ooghoeken zag ze dat Jesse opstond om zijn lege pakje drinken in de prullenbak te gooien. Rik liet zich direct op zijn stoel vallen.

'Daar zit Jesse,' kon Isa niet nalaten te zeggen.

Rik haalde zijn schouders op en begon aan zijn volgende broodje.

Jesse kwam terug naar hun tafeltje. 'Hé, dat was mijn plek.'

'Was, ja, heel goed gezegd,' zei Rik. 'Maar ik zit hier echt wel goed. Nu is het jouw beurt om te staan. En als je weer eens iets moet weggooien, doe je het zo.' Met een boog gooide hij het papieren servet van het broodje in een prop in de richting van de prullenbak. Mis.

'Maar ik wil mijn stoel terug,' zei Jesse.

'Je moet je rotzooi in de prullenbak gooien, niet ernaast,' zei Isa.

Lisa grinnikte. 'Ja, Rik, deze telt niet. Schiet je ze met voetbal er ook altijd naast?'

Rik keek haar een moment aan en stond toen op. Jesse ging gauw weer op zijn plaats zitten. Maar toen Rik terugkwam en weer bij hem stond, trok hij met een onverwachte beweging de stoel onder de kont van Jesse vandaan, die met een kreet van schrik op de grond viel.

Rik begon te lachen. 'Ik zei toch dat het nu mijn beurt was.'

Isa en Lisa reageerden tegelijkertijd.

'Doe normaal, man!' riep Isa.

En Lisa zei: 'Hé, randdebiel, bekijk het effe! Dat kun je niet maken!'

Met een pijnlijke grijns op zijn gezicht kwam Jesse overeind. Hij wreef over zijn onderrug. 'Shit, zeg,' was alles wat hij zei. Hij schoof de stoel aan en ging er weer op zitten.

'Gaat-ie?' vroeg Isa.

'Ja, hoor,' zei Jesse. Maar hij had zich vast goed pijn gedaan, dacht Isa.

Lisa snauwde naar Rik: 'En haal die grijns van je smoel of ik sla hem eraf!'

Rik reageerde niet op het dreigement van Lisa. Opnieuw gooide hij een servetje naar de prullenbak. Weer mis. Lisa begon hatelijk te lachen. 'Ik hoop voor je tegenstanders dat je op dit niveau blijft scoren, Rik!'

Rik keek Lisa even aan en gooide toen de rest van zijn saucijzenbroodje.

'Goal!' zei hij tevreden.

Maar toen klonk een mannenstem achter hen: 'Doe jij dat altijd, met eten gooien? En die prop papier die daarnet door de lucht zeilde, die raap je op en gooi je ín de prullenbak!'

Ze keken allemaal op naar de man die voor hen stond. Isa

wist niet wie het was, maar hij moest wel een leraar zijn, want Rik reageerde onmiddellijk met een gemompeld: 'Ja, meneer.' En hij voegde gehoorzaam de daad bij het woord.

'En nu je toch bezig bent,' ging de man verder, 'kun je net zo goed alle zooi die naast in plaats van ín de prullenbak is gegooid, even opruimen. Er zijn er kennelijk meer die er dezelfde ideeën over een schone kantine op nahouden als jij.'

'Maar dat heb ik niet gedaan, meneer! Echt niet. Ik had alleen...'

'Zeg ik dat dan?' onderbrak de leraar zijn protest. 'Ik zeg alleen dat je het op moet rapen.'

Isa zag dat Jesse van oor tot oor grijnsde. 'Eén-nul voor de surveillerende leraren,' zei hij.

'Daar ligt ook nog wat, Rik!' wees Lisa.

'En dáár, onder die tafel,' riep Isa.

De leraar gaf een klap op Riks schouders toen die klaar was met opruimen. 'Oké, jongen,' zei hij.

Toen ging de bel. Rik griste zijn rugzak mee en verdween. Zouden zijn boterhammen er nog in zitten? vroeg Isa zich af. Of zou hij die al weggegooid hebben?

Daarna stonden Jesse, Lisa en zijzelf ook op.

I S A
Storm

'Allemaal stil zijn en pak je agenda er even bij.'

De woorden van meneer Van Kleef hadden het lawaai van dertig brugklassers tot gevolg die in hun tas doken om de agenda's eruit te vissen. Er waren altijd kinderen die even moesten praten tijdens die actie.

Dat zeiden de leraren nou altijd, dacht Isa, en het was gewoon een verkeerde opdracht. Maar goed, ze wist wat het betekende: Van Kleef ging een proefwerk of overhoring opgeven. Ze bukte en graaide in haar Eastpak. Daarna sloeg ze haar agenda open, het proefwerk wiskunde zou wel voor volgende week zijn. Ze zuchtte toen ze de regels zag staan die met fel neongeel waren ingekleurd. Pas op, betekende dat: proefwerk.

'Volgende week maandag...' begon Van Kleef.

Isa keek naar de gele regel.

'Kan niet, meneer!' riep Martijn voor haar. 'Hebben we al een proefwerk.'

'Nou, de keer erop, dan. Wanneer is dat? Woensdag, derde uur.'

Ook op die dag was een regel geel ingekleurd.

'Kan ook niet!' riep Martijn weer.

'Wat hebben jullie dan?' vroeg de wiskundeleraar geïrriteerd.

'Proefwerk Frans!'

'Hè, wat vervelend nou. En twee proefwerken op één dag...'

'Mag niet,' vulde Kees aan.

'En wat hebben jullie maandag voor proefwerk?'

'Muziek.'

'Nou, dan doen we het zo: ik geef voor maandag een s.o. op. Schrijf maar in je agenda...'

En Van Kleef dicteerde de paragrafen die ze moesten leren.

De klas mopperde en Isa kneep haar lippen op elkaar. Soms waren ze gemeen, die leraren: wat je moest leren, bleef hetzelfde, maar een proefwerk én een schriftelijke overhoring mochten wel op één dag. Ze waren overgeleverd aan een raar soort overmacht en de klas wist: hier konden ze niets tegen inbrengen. Maar aan het kabaal te horen waarmee ze hun tassen inpakten en het lokaal verlieten, wist Isa dat ze allemaal boos waren.

Isa was intussen beheerst opgestaan en stopte haar boek, schrift, agenda en etui een voor een in haar tas. Daarna zwaaide ze haar tas over haar schouder, terwijl ze die met één hand aan de band bleef vasthouden. Met haar andere hand voelde ze even aan haar haar. Ze maakte haar rug recht en liep zo sierlijk mogelijk het lokaal uit.

Want terwijl ze haar spullen pakte, het lokaal uit liep, de gang door wandelde, de kantine doorkruiste en haar brood opat, dacht ze steeds: hoe kom ik over? Hoe zit ik erbij? Zit mijn haar goed? Wat denken ze van mij? Door haar danslessen wist ze hoe ze een goede houding aan moest nemen, en aldoor dacht ze daaraan: sta ik goed? Zet ik mijn voeten recht? Loop ik stoer genoeg? Zit ik rechtop?

Belachelijk, vond ze zelf, en vermoeiend, maar ze kon er

niets aan doen. En waarom ze het deed? Ze was zich bewust van elke stap en van elke hap, van alle pukkels op haar gezicht – het waren er vijf vandaag – en van elk woord dat ze zei.

Soms dacht ze dat anderen ook toneelstukjes aan het opvoeren waren. Ze keek naar de kinderen rondom haar: samen woordjes leren, elkaars broodtrommel afpakken, mopperen op Van Kleef, het leerwerk overhoren, huiswerk van iemand overschrijven. Zelfs het drinken van een blikje cola of het nietsdoen zoals Jesse, die voor zich uit staarde, werd een toneelstukje.

Naast haar zat Lisa met Vera te praten. Die twee waren ineens heel dik met elkaar, dat viel echt op. Wat hadden ze allemaal te bespreken? Isa luisterde naar hun toneelstukje, maar het ging niet echt ergens over. Nou ja, over de les van zonet, en over de jongens die hadden zitten klieren. Hoewel het minder vaak gebeurde, zochten ze elkaar nog wel op in de pauze, de kinderen van Woutertje Pieterse. Maar 1b had andere leraren, andere lessen en andere s.o.'s dan 1c, en dan zaten ze toch dáárover te praten, 1b met 1b, en 1c met 1c.

Ineens voelde Isa pijn vanbinnen, alsof ze in haar buik werd gestompt. Lisa was niet meer haar vriendin zoals vroeger. Lisa praatte steeds met anderen. Die vanzelfsprekendheid waarmee ze elkaar in het begin hadden opgezocht in de kantine, leek verdwenen. Lisa was nu meer van anderen dan van haar. Zoals zij Claudia en Rachida nu had, maar toch...

Dat zeulde ze de rest van de dag met zich mee. En ze voelde zich al zo vreemd. Niets voelde zoals het moest zijn.

En hoe moest het dan zijn, vroeg ze zich tijdens de volgende les af. Alles werd zo anders, en dat wilde ze helemaal niet. Of keek zij met andere ogen naar buiten?

Tijdens Nederlands blikte Isa in verwarring om zich heen, maar ze kon niets ontdekken wat anders was. Kees en Martijn zaten nog altijd voor haar, Claudia naast haar, Rachida en Derya achter haar. En rondom hen alle anderen. Ze waren druk vandaag, maar dat was niet wat ze bedoelde. De brugklas, hoe anders ook dan vorig jaar, was nu allang vertrouwd. Groep 8? Hoe zag dat eruit? Isa deed haar ogen dicht om zich beter te kunnen concentreren, maar de beelden kwamen niet goed door. Meester John, juf Sandra, Lisa, Claudia, Kees, Jesse, Vera... Hoe lang leek dat wel niet geleden, dat ze bij Lisa en Jesse en Vera in de klas zat? In welk tafelgroepje had ze op het laatst gezeten? Wat hing er aan de muur?

Isa schrok op van gelach en zag dat iedereen met een grote grijns naar haar keek. Onmiddellijk vlamde haar gezicht op. O, wat stóm!

'Blijf je wel wakker, Isa?' vroeg De Waal.

Isa veerde boos op. 'Ik sliep helemaal niet! Ik dacht na en had gewoon mijn ogen dicht...'

Onzeker zweeg ze. Wat kon ze zeggen? Het ging hen niets aan wat zij net had gedacht! Ineens ging het waaien in het lokaal, zo leek het. Een wind, die heimwee naar groep 8 meebracht. Isa rilde. De Waal was al verder gegaan met de les en de gezichten van haar klasgenoten stonden weer op gewoon. Sommigen letten op, anderen kletsten fluisterend achter hun hand. Was zij de enige bij wie die koude wind om de oren streek?

Wat het ook was, het ontnam Isa de adem. En ze schaamde zich rot. Iedereen dacht natuurlijk dat zij echt in slaap was gevallen... Isa keek naar buiten, waar een stormachtige herfstwind waaide. Hoe kon het dat zij die hier binnen voelde?

Groep 8, brugklas, geen Lisa meer... Isa had een paar maanden geleden zo'n zin gehad in de brugklas, maar het nieuwtje was er nu wel van af. Alles was gewoon...

Was dat zo? En net dacht ze dat alles anders was... Was zij eigenlijk wel normaal dat ze zulke ingewikkelde dingen dacht? Brr... Isa schudde de gedachten van zich af. Kom op, sprak ze zichzelf toe. Doe normaal, let op en ga je Nederlands maken.

's Middags fietste Isa alleen naar huis, ondanks de harde tegenwind. Ze had even geen zin in de anderen. Ze wilde de wind om haar oren voelen, haar gedachten vrij laten buitelen in haar hoofd. Maar of dat verstandig was? Terwijl ze de trappers naar beneden duwde, voelde ze zich rot. Verdorie, fietste ze hier in haar eentje! Had ze toch niet beter voor het domme geklep van de groep kunnen kiezen? Niet nadenken maar geinen? Niet die storm vanbinnen, maar alleen die waar ze tegenin moest fietsen? Die was tenminste te begrijpen: windkracht zes tot zeven, veroorzaakt door temperatuurverschillen in een groot gebied, waardoor weer luchtdrukverschillen ontstaan.

Thuis moest ze eerst op adem komen. Gelukkig was er niemand, Isa vond het altijd heerlijk om alleen thuis te zijn. Gek, dacht ze, dat ze dat wel fijn vond. Ze schonk zichzelf een glas sap in, nam een paar koekjes uit de trommel en ging op de bank zitten uitblazen. Ze zapte langs de verschillende muziekzenders en toen kwam het weer boven: Hyves! Dat was ook zo! Ze zat op Hyves!

Isa sprong op. Zingend zette ze de computer aan. Afgelopen weekend had ze zich tegelijk met een paar meiden van street-dance aangemeld op Hyves. Ze hadden foto's gemaakt in allemaal verschillende danshoudingen om op de site te zetten, en die waren superleuk geworden. Isa opende Hyves. Kijk, hier stonden ze. Op deze foto was ze met Yasmina en Pauline, en hier met Tanja en Sigrid. En daar waren ze alle vijf.

Er waren berichten binnengekomen, en nieuwe krabbels! Leuk! Ineens besefte ze hoe snel haar vriendenlijst was gegroeid. Zo veel mensen hadden haar al toegevoegd als vriend! Hé, dat was leuk, Jesse was ook op Hyves en nodigde haar uit om vriend te worden. Natuurlijk accepteerde ze hem en ze stuurde een krabbel. Even later waren ze druk aan het chatten.

Goh, wat een vrienden waren er in haar leven! Op Hyves, maar op school net zo goed natuurlijk, al dacht ze daar vanmorgen anders over. Ze had haar dag gewoon niet. Dat kwam wel vaker voor en het ging ook wel weer over. De bui moest overwaaien en hoe harder de wind, hoe eerder de lucht was opgeklaard. En Lisa... daar moest ze ouderwets weer eens mee spelen. Nee, niet spelen, dat deed je niet meer in de brugklas. Ze moest gauw iets afspreken met Lisa, of met haar naar de stad gaan of desnoods samen huiswerk maken. Ja, dat zou ze doen!

Isa hoorde de wind om het huis loeien, maar de storm in haar hoofd was gaan liggen.

JESSE

Boekverslag

Het regende en het stormde. Jesse kon haast niet tegen de wind inkomen. Hij had moeten nablijven tot het achtste uur, alleen omdat hij zijn boekverslag Nederlands niet op tijd had ingeleverd. Zo stom van die Berkman! Nu moest hij alleen fietsen en daardoor leek de weg nog langer dan anders.

En hij moest nog steeds het boekverslag afmaken. Hij had er net tijdens het nablijven aan zitten werken, maar af was het nog niet. Het stukje dat hij had gemaakt, had hij naar huis gemaild, dan kon hij er vanavond mee verder. Dat had hij met Berkman afgesproken. Zijn broek werd natter en natter, zelfs zijn sokken raakten doorweekt. Hij wist al wat zijn moeder zo zou zeggen: 'Waarom heb je je regenbroek niet aange- daan?'

Omdat niemand dat ooit deed, dat had hij inmiddels wel ge- leerd. Maar dat kon hij tegen zijn moeder moeilijk zeggen.

Woest stootte hij het tuinhekje open met zijn voorwiel. Hij kwakte zijn fiets in de schuur en hij stampte de keuken in.

'Wat ben je laat, lieverd! En wat ben je nat! Waarom...' Maar toen ze zijn gezicht zag, hield ze haar mond.

Jesse besloot eerst een droge broek aan te trekken, voordat hij verder zou gaan met zijn boekverslag. Misschien kon hij voor het eten nog iets doen.

Toen hij de kamer in kwam, zat Paul achter de computer. Ook dat nog.

'Ik moet huiswerk maken,' gromde Jesse.

'Ik mag altijd van 5 tot 6 msn'en,' protesteerde Paul.

'Opzooien, het moet af.' Jesse begon aan Pauls mouw te trekken en zijn broer gilde meteen als een speenvarken. Wat kon die jongen zich toch verschrikkelijk aanstellen! Nog geen twee tellen later stond mam in de kamer.

'Wat ben jij aan het doen?' Dreigend keek ze Jesse aan.

'Ik moet huiswerk maken. Ik moest nablijven omdat ik mijn boekverslag niet af heb. Dus nu moet ik achter de computer.'

Mams gezicht klaarde zichtbaar op. Er was een verklaring voor zijn rare gedrag.

'Je kunt dat ook op een normale manier vragen! Huiswerk gaat voor, dat weet Paul ook.'

Nu was het Pauls beurt om chagrijnig te kijken. Mam bleef wachten tot hij opstond. Jesse schoof onmiddellijk op de stoel, die nog warm was van Paul.

'Dan mag ik straks nog even als Jesse klaar is,' vond Paul.

Mam zuchtte. 'Als het dan nog geen bedtijd is.'

Achter mams rug stak Jesse zijn tong uit naar Paul. Hij kon niets terugdoen, want mam keek. Dus sjokte hij op z'n allerlangzaamst weg van de computer en zette de televisie heel hard aan.

'Paul! Uit die televisie! Jesse moet werken.' Mam sloeg de gangdeur hard achter zich dicht en Paul zakte beledigd op de bank met de Donald Duck.

Via de mail haalde Jesse zijn boekverslag op. Meteen zonk hem de moed weer in de schoenen.

Hij besloot zich eerst even aan te melden bij MSN. Een beetje ontspanning kon geen kwaad. Zijn klasgenoot Chris was online. Leuk! Sinds ze die keer samen huiswerk hadden gemaakt, waren ze echt goede vrienden.

'Hoesti? Is je verslag af?'

'Klote,' typte hij terug. ''t Pist van de regen. Kben zeiknat. Verslag moet nog een heel eind.'

'Zo moeilijk ist tochnie?' Chris had een smiley met zijn tong scheef uit zijn mond gemaild. Jesse grinnikte. Daar knapte een mens van op.

'Khad t boek niet uit. Kweetniet hoek verder moet.'

'Kun je 't niet lenen? Wie woontr bij jou int dorp?'

Jesse zuchtte. Vera natuurlijk. En die had het boek misschien wel. Zij was een echte boekenwurm.

Ineens stond Paul achter hem. Hij liep op zijn sokken, dus Jesse had hem niet horen aankomen.

'Mam!' gilde Paul keihard in Jesses oor. 'Jesse zit te msn'en!'

Woedend stormde mam de kamer in.

'Jesse! Wat een rotstreek!'

'Mam, het ging over huiswerk!'

'Dat is wel het flauwste excuus dat ik ooit gehoord heb. Ga weg achter die computer. Paul mag zijn tijd eerst volmaken, en daarna mag jij.'

Zuchtend stond Jesse op. 'Ik heb het boek niet waarover ik het boekverslag moet maken,' protesteerde hij nog zwakjes.

Mam keek op haar horloge. 'Het is donderdag en dan is de bieb tot negen uur open. Ga nu onmiddellijk dat boek lenen. Belachelijk dat je een verslag maakt over een boek dat je niet eens in de buurt hebt. Welk boek is het?'

'*Bijna veertien* van Caja Cazemier.'

'O,' zei mam. 'Dat heb je wel geleend laatst. Waarom heb je het verslag niet gelijk gemaakt?'

'Ik ga al!' Nog chagrijniger dan hij al was, trok hij zijn jas aan. Hij ging mam niet vertellen dat hij de vorige keer te laat was met terugbrengen en dat hij al een boete moest betalen. Elke dag dat hij het langer had, kostte hem meer geld. En hij had het al twee keer verlengd, dus dat ging ook niet meer.

Het was droog en eigenlijk viel het fietsen naar de bieb nog best mee. Binnen een kwartier was hij al weer terug met het boek.

Paul zat nog steeds lekker te msn'en. Zou hij weer zijn plek achter de computer opeisen? Hij besloot van niet. Voor het eten kon hij misschien nog net het boek uitlezen. Hij was de vorige keer al heel ver. Hij nestelde zich in een hoekje van de bank en voor hij het wist zat hij helemaal in het verhaal. Ontzettend spannend dat verhaal over Timo. Hij was net iets ouder dan hijzelf en Jesse kon zich zijn gevoelens goed voorstellen.

'Jesse!' Verdwaasd keek hij op.

'Ik heb je al drie keer geroepen. Het eten is klaar.'

'Sorry. Ik hoorde het niet. Ik kom meteen. Ik heb hartstikke honger.' Jesse sprong op. Mam bleef nog steeds bij de bank staan. Vragend keek ze hem aan. Ze verwachtte nog iets van hem. Jesse begreep het al.

'Sorry van daarnet, mam. Ik was chagrijnig omdat ik moest nablijven en daarna alleen door de regen moest fietsen.'

'Oké!' Ze streek even over zijn hoofd. 'Ik snap het.'

Aan tafel zat Paul al weer vrolijk over van alles en nog wat te kletsen, dus met hem hoefde hij geen vrede meer te sluiten. Ze aten andijviestamppot met spekjes en daar was Jesse dol op. Zo langzamerhand kwam zijn humeur weer op peil.

En toen mam na het eten zei dat hij nu achter de computer mocht zonder te helpen opruimen, was al zijn chagrijn vergeten.

Paul hielp mam in de keuken en Jesse meldde zich weer aan bij MSN. Meteen kreeg hij een berichtje van Chris.

'Waar was je nou, man?'

'Ik was ff naar de biep. Boek lenen. Kheb het nu uit. Goed voor mn verslag.'

'Heel goed!'

Daar plopte een berichtje in beeld dat Vera online kwam.

'Hoe was Berkman? Heb je nog hulp nodig?'

Aardig van Vera. Maar nu hij het boek had, kon hij het prima alleen af. Alleen zag hij er als een berg tegen op. Nog vijf minuten, dan was het precies kwart voor zeven. Dan zou hij beginnen.

De een na de ander kwam online en Jesse kon al die berichtjes nauwelijks bijhouden. Hij kreeg het er warm van en merkte niet eens dat mam de kamer was ingekomen. Ze legde haar hand op zijn schouder en Jesse schoot op van schrik.

'Jesse, volgens mij komt dat boekverslag op deze manier nooit af.' Mams stem klonk aardig en dat maakte dat Jesse zich ineens schaamde.

'Je hebt gelijk, mam, maar ik zie er zo tegen op!'

'Dat blijft zo totdat je het af hebt. Dus kun je er beter maar gelijk aan beginnen. Het is nu kwart voor zeven. Meld je af bij MSN. Zeg dat je om 8 uur nog een half uur online bent.

Dan ga je nu als een razende aan het werk en dan kun je straks nog even gezellig kletsen.'

'Oké!' Met tegenzin deed Jesse wat zijn moeder gezegd had, maar toen hij eenmaal bezig was, ging het veel sneller dan hij gedacht had. Omdat hij net weer had zitten lezen, wist hij nu veel beter wat hij over het boek schrijven moest.

Achter elkaar typte hij door en om tien voor acht zette hij met een zucht de laatste punt. Zijn moeder had gelijk. Wat een heerlijk gevoel dat hij het nu af had!

'Ik heb het af, mam!'

Eerst even naar de wc en daarna weer aanmelden bij MSN. Toen hij terugkwam, had mam een bakje chips en een glas fris bij de computer gezet. 'Omdat je zo hard hebt gewerkt,' zei ze met een knipoog.

Hij lachte terug. Zijn moeder was zo gek nog niet. Hij meldde zich weer aan en stuurde een berichtje naar Chris: 'khebt af!'

VERA *Barbie*

Vera zou na schooltijd met Hanna meegaan, haar nieuwe vriendin. Maar bij de fietsenstalling zag ze dat Hanna ook Rachida bij zich had. Rachida was een nogal stil meisje met donkere ogen en een hoofddoekje om. Vera kende haar maar vaag, ze zat ergens in een parallelklas.

Ja, zij had natuurlijk geen enkel bezwaar tegen meisjes met een hoofddoek, heus niet, dat moesten die meiden zelf weten. Maar toch vond ze het jammer dat ze nu niet met Hanna alleen samen was. Met Hanna kon je lekker giebelen en over meidendingen kletsen en ze hadden afgesproken dat ze de hele Viva van haar moeder zouden gaan lezen. Alleen, met zo'n Rachida erbij kon dat nu niet. Zo'n meisje als Rachida was natuurlijk erg serieus en streng opgevoed. Voor je het wist zei je misschien iets verkeerds, je weet maar nooit. Afijn, ze zou wel zien.

Bij Hanna thuis gingen ze meteen naar boven, thee mee, cola mee en Bløf op de cd-speler. Rachida nam cola en zong zachtjes alle woorden van Bløf mee. Dat verbaasde Vera nogal, dat Rachida die teksten kende, maar Rachida bleek een fan van Bløf en had een hekel aan Frans Bauer. Dat viel dus hartstikke mee, die meid had er verstand van.

Omdat ze nu toch met meiden onder elkaar waren, deed Rachida haar hoofddoek af. Ze had donkerzwart golvend haar en haar hoofddoek was prachtig. Er zaten bloemetjes in verweven, zwart glimmend op doorzichtig zwart. Vera werd er bijna jaloers van, het voelde ook zo mooi zacht aan.

'Hé, heb jij een barbie!' riep Rachida opeens.

Inderdaad had Hanna een barbiepopje op het boekenplankje boven haar bed staan met alles erop en eraan en Ken erbij.

Hanna pakte haar eraf en gaf het opgetutte popje door aan Vera en Rachida. Eigenlijk geneerde Hanna zich er een beetje voor, maar het kon Vera en Rachida niets schelen dat Barbie in hun midden was. Vera deed Barbies truitje uit om haar een glimmend bloesje aan te doen.

'Nou, die heeft tenminste al tieten,' zei Rachida. 'Zij wel, ik niet.'

Ze gierden het uit van het lachen en voor ze het wisten waren ze druk in de weer met dat belachelijke barbiepopje. Tuttelen en giechelen, alsof ze basisschoolkinderen van amper elf waren in plaats van jonge dames van ver over de dertien uit het voortgezet onderwijs.

Rachida vertelde dat ze thuis ook een barbie had. Die had ze nog van haar vader gekregen. Samen met haar moeder had ze er nog een mooi, piepklein hoofddoekje voor gemaakt.

Vera dacht aan haar oude weggestopte barbie en hield haar mond maar.

Ze hadden intussen de grootste lol. Ten slotte pakte Vera de arme barbie beet en legde haar op haar rug met haar beentjes in de lucht. Hanna haalde Ken erbij en legde die erbovenop. Ze lagen alle drie in een deuk.

Onderweg naar huis dacht Vera erover na dat het toch wel speciaal was dat ze nu gemerkt had dat je met een moslima ook kon lachen. Ja, ze wist dat wel zo'n beetje, maar ze had dat nog niet eerder meegemaakt.

 *Straks!*

De fietstocht terug naar huis duurde veel langer dan anders. Isa trapte en trapte, en kwam maar langzaam vooruit. De anderen waren dan ook allang uit het zicht verdwenen, zo ver lag ze achter. Ze had dat ook geroepen: 'Fiets maar door!' Vandaag had het geen zin om op haar te wachten.

Ze klemde haar kaken op elkaar. 'Kom op, Ies, trappen,' moedigde ze zichzelf aan.

Ze gooide haar hele gewicht ertegenaan. Rechtertrapper naar beneden, linkertrapper naar beneden, rechtertrapper, linker... Wat was zij voor watje vandaag? Waar was haar spierkracht gebleven? Rechtertrapper naar beneden, linkertrapper...

Waaide het nou zo hard? Maar dan alleen rondom haar zeker, want ze werd met gemak ingehaald door moeders met kleine kindjes achterop en door bejaarden. Dat kon ze niet op zich laten zitten! Rechtertrapper naar beneden, linker... Of had ze ineens een of andere spierziekte? Dat hoorde je wel eens, dat je ergens een virus of zo opliep en daar kon je allerlei akelige dingen van krijgen. Dat kon ze zich best voorstellen met al die mensen en viezigheid op school...

Rechtertrapper, linker, rechter, linker. Nu het buurdorp nog voorbij, dan langs de boerderijen van de straatweg en daar kwam eindelijk hun eigen dorp in zicht. Isa nam de afsnijweg door het park.

Eindelijk, eindelijk, eindelijk kwam ze thuis. Ze had dus echt de puf niet meer haar fiets in de schuur te zetten. Die kwakte ze tegen de muur waar hij protesterend onderuitging. Laat maar liggen. De deur klemde meer dan normaal en de weg door de bijkeuken en keuken naar de kamer was ineens zó lang.

Gelukkig, ze had de bank bereikt. Languit liet Isa zich erop vallen.

'Wat zullen we nu beleven?'

Isa zag het verbaasde gezicht van haar moeder boven de bank hangen.

'Doe je je jas niet uit? Zet je je tas niet even in de gang? En ik hoor ook graag even: hoi, mam!'

'Straks.' Isa deed haar ogen dicht.

'Wil je thee?'

'Straks.'

Ze was even tot helemaal niets in staat, zelfs een kopje thee drinken was te veel moeite. Toch zette haar moeder een kopje naast haar op het tafeltje, hoorde ze.

Na twee minuten deed ze haar ogen open. Na nog eens twee minuten liet ze haar tas van haar schouder op de grond glijden en weer drie minuten later kon ze haar jas uittrekken.

'Nou, dat schiet lekker op,' hoorde ze haar moeder achter zich zeggen. 'Zou je je schoenen niet ook even uitdoen?'

'Straks.'

Haar moeder lachte. 'Kun je nog wat anders zeggen?'

'Straks.'

Haar thee werd koud en haar koekje werd gepikt door Marije, die als een wervelwind door de kamer sjeesde. Die goeie ouwe tijd, thuiskomen van school en niks aan je hoofd hebben... Lekker doen waar je zin in hebt...

Na vijf minuten kwam ze overeind.

Haar moeder kwam naar haar toe. 'Zo moe?' Ze aaide over haar hoofd. 'Zal ik nieuwe thee voor je inschenken?'

Isa knikte. Ze zette de tv aan en blies in een warm kopje thee. Hè, lekker.

Na een half uur begon het: 'Moet je geen huiswerk maken?'

'Ja, straks.'

'Is het veel?'

'Geen flauw idee.'

'Ga even kijken, het is goed om van tevoren te weten wat je moet doen.'

'Straks.'

Haar moeder ging de keuken in en riep halverwege het volgende tv-programma richting Isa: 'Ga je zo naar boven, aan je huiswerk?'

Het was het gemakkelijkste om nu terug te roepen: ja, mam. Maar haar hele lijf protesteerde. Huiswerk maken? En ze was nog zo moe! Isa zakte verder onderuit op de bank. Ze was zelfs te moe om de tv-gids te pakken die op de vensterbank lag. Plotseling voelde ze een enorme irritatie opkomen. Wie legde de tv-gids nou op de vensterbank?! Waar je dus zo niet bij kon!

Isa keek TMF en kwam weer een beetje bij.

Maar toen stond haar moeder weer voor haar. 'Ga je nu naar boven? Huiswerk maken? Dan heb je mooi nog wat tijd voor we gaan eten.'

En Isa begon zomaar te schreeuwen: 'Néé! Stráks heb ik toch gezegd! Straks! Straks! Straks!'

Vol machteloze woede keek ze haar moeder aan. 'Laat me toch met rust! Ik doe het echt wel, maar nu nog niet.' Daar werd ze dus ook zo moe van! 'Ik héb niet eens veel huiswerk,' zei ze er voor de zekerheid achteraan.

Haar moeder pakte Isa's theekopje op en zei een beetje beledigd: 'Nou, rustig maar, ik zeg het voor je eigen bestwil. Jij moet het zelf doen.'

Isa trok haar neus op en bauwde zonder geluid haar woorden na: 'Rustig maar. Bestwil. Zelf doen.' En ineens voelde ze de tranen opkomen. Driftig knipperde ze met haar ogen. Ho, niet gaan janken! We zijn niet zielig, we zitten alleen maar in de brugklas. Isa wist even niet meer of ze het wel zo leuk vond.

Later was ze toch maar naar boven gegaan. Eigenlijk alleen om haar moeder tevreden te stellen, maar van huiswerk maken kwam het niet. Ze ging lekker op bed muziek liggen luisteren.

Na het eten had ze weer wat energie. Op haar kamer pakte ze haar tas uit en keek wat er voor morgen in haar agenda stond. *Ak dl par 2 t/m 5*. Par? O ja, paragraaf. En wat betekende *dl* ook alweer? Deel? Doel? Droplul? O nee, doorlezen, dat was het. Niet leren dus. O. Nou ja. En *ne 1.4.1*? Welke 1.4.1? Klopte dat wel? O nee, dat moest natuurlijk zijn: l 4.1, leren 4.1. O help! Proefwerk geschiedenis morgen! En ook nog het verslag van bio afmaken. Daar had ze nog niet veel aan gedaan. Te veel gekletst. Morgen inleveren! Isa keek nog eens goed, maar het stond er echt. Helemaal vergeten...

Wat veel! Dat redde ze nooit! Nou ja, maar gauw beginnen. Ze hadden geleerd kleine samenvattingen te maken zodat je die kon leren. Maar dat kostte tijd... En ze wist eigenlijk niet precies wat er allemaal in dat verslag moest, dus voor de zekerheid beschreef ze de proefjes die ze in de les gedaan hadden zo uitgebreid mogelijk. De bijbehorende tekening maakte ze met keurige lijnen en prachtige kleurtjes. Ze gunde zichzelf niet eens een pauze. Toen haar moeder om half tien bovenkwam om te zeggen dat het zo langzamerhand bedtijd werd, was Isa nog niet klaar.

'Meisje toch,' zei haar moeder terwijl ze even over haar hoofd streek, maar de verwijtende woorden die Isa verwachtte, bleven uit.

'Hoeveel tijd heb je nog nodig?'

Dat wist Isa niet precies. Haar moeder bracht wat drinken en lekkers en gaf haar een half uur uitstel. Maar daarna was ze onverbiddelijk: het was bedtijd.

'Maar ik heb mijn verslag nog niet af!' riep Isa in paniek.

'Toch ga je nu naar bed. Met slaaptekort kun je niet helder nadenken en verknal je je proefwerk.'

Even later zat haar moeder ouderwets gezellig nog even op het randje van Isa's bed.

'Mijn vriendin Floor,' begon haar moeder, 'is lerares. Weet je wat ze me laatst vertelde? Dat heel veel brugklassers de eerste weken erg moe zijn. Jullie hebben heel wat om aan te wennen. En daarbij elke dag je huiswerk.'

Isa knikte. Zo was het precies. En nu het nieuwe er een beetje af was, werd het alleen nog maar zwaarder. Ze slikte, want haar keel werd dik. Nee, hè, de voortekenen van tranen.

'En dan zijn jullie ook nog eens aan het groeien,' ging haar moeder verder. 'Kost allemaal energie.'

Helemaal waar, knikte Isa tevreden.

'Maar weet je wel dat je hersens ook aan een groeispurt bezig zijn? Die zijn nog lang niet af op jouw leeftijd. En Floor vertelde ook dat het gedeelte dat je planning en organisatie moet regelen, nog niet helemaal ontwikkeld is...'

'Dus ik kan er niks aan doen...' zei Isa. En ze schaterde de naderende huilbui zomaar weg.

'Hmm.' Haar moeder keek haar aan. 'Wat natuurlijk niet betekent dat je niet alvast een béétje kunt probéren om je huiswerk wat beter te plannen.'

'Oké, mam,' zei Isa met een grijns. 'Zal ik doen. Straks.'

VERA
Met z'n allen naar de film

'Veer, kom er even bij!' riep Hanna in de pauze. 'We gaan van-avond met zijn allen naar de film. Jij gaat toch ook mee? Ja, hè?'

Vera aarzelde even. 'Wat voor film dan?' vroeg ze nog.

'Maak je geen zorgen, schat,' riep Dennis, 'want ik zorg voor de kaartjes!'

'Ja, maar om welke film gaat het dan eigenlijk?' zei Vera. 'Dat is toch niet zo gek dat ik dat even wil weten.'

'*The Kick Dollar Connection* natuurlijk,' zei Dennis. 'Da's altijd vechten, dus altijd lol.'

'Is die ook om te lachen?' vroeg Jorg nog.

'Tuurlijk joh,' zei Dennis. 'Als zo'n boef van tien hoog van het dak af wordt geslagen, lig je toch in een deuk?'

'Ik weet het niet, hoor,' zei Vera. 'Is er niks anders?'

'Nou ja,' zei Dennis, 'in de kleinere zaal is geloof ik nog *Falling in love* of zo. Maar in love fallen is nooit om te lachen.'

'Toe nou, joh. Het is gewoon zo'n jongensfilm, wat geeft dat nou voor een keertje. Moet kunnen,' drong Hanna aan.

'Oké dan,' zei Vera. Maar terwijl ze het zei, voelde ze al dat ze spijt aan het krijgen was. Ging ze nou mee omdat ieder-een ging? Als ze gewoon zei dat ze geen zin had, dan zou ie-dereen haar misschien een trut vinden. En dat was ook weer zo wat.

'Maar dat is toch gezellig,' zei haar moeder die middag, 'dat je gezellig met de klas naar een gezellige film gaat. Gaan er trouwens ook jongens mee?'

'Ja, wat dacht je,' snauwde Vera, 'we gaan toevallig met de klas plus nog een paar van de parallelklas en daar zitten toevallig ook jongens bij. Dus. Ik weet niet of dat zo gezellig is.'

'Maar schat, het gaat er toch om dat je je een beetje sociaal gedraagt,' zei moeder. 'Je vindt het toch al zo moeilijk om vrienden te maken. Wacht, dan geef ik je het geld vast, veel plezier ermee.'

Even later zat Vera op haar kamer achter haar huiswerk eindeloos op haar balpen te kauwen.

Waarom liet ze zich nu een film aanpraten waar ze helemaal niet naartoe wou? Ze hoefde toch niet mee te doen aan dingen waar ze geen zin in had? Haar moeder had op zich gelijk, zij was nu eenmaal niet iemand die zomaar makkelijk met de groep meedeed. Nou én?

Opeens wist zij het goed gemaakt. Ze ging gewoon niet. Punt uit. Zeker weten.

Ten slotte stond ze op en pakte haar mobieltje. Bij Hanna was niemand thuis, behalve dan het antwoordapparaat van de familie, en ook op haar nul-zes was het alleen maar tuuttuut. Wat nu? Dennis, die opschepper, ging ze zeker niet bellen. Ze had ergens nog het nummer van Jorg uit 1c. Dan die maar.

'Met mevrouw Van der Spek,' hoorde ze. Prettige stem, dat wel.

'Ja mevrouw, u spreekt met Vera,' stotterde ze. 'Vera van school, bedoel ik. Is Jorg thuis?'

'Ogenblikje,' zei mevrouw Van der Spek. Ver weg hoorde

Vera roepen: 'Jorg, er is iemand voor je aan de lijn! Een meisje, ene Vera. Kan dat?'

Nou nou, dacht Vera, mijn naam hoeft nou ook weer niet door dat hele huis daar omgeroepen te worden.

'Hoi, met mij, met Jorg dus, bedoel ik,' hoorde ze opeens.

'Ja, het zit namelijk zo,' zei Vera, 'Hanna is er niet en Dennis dat is meer, nou ja. Daarom bel ik jou maar, want ik ga namelijk niet mee naar de film. Nee. Want ik eh... ik moet babysitten, ja. Ik moet babysitten bij het jongetje van de buren, zie je. Dat was al afgesproken. Zodoende.'

'Nou, jammer,' hoorde ze Jorg zeggen. 'Ik zal het in ieder geval doorgeven. Doei.'

Ziezo, dat was dat. Klaar is Kees.

Maar daarna liet Vera zich op bed vallen en trimde met haar vuisten het hoofdkussen in elkaar. Ze had tranen in haar ogen omdat ze kwaad was op zichzelf. Waarom moest ze over zulke onbenullige dingen toch altijd zo moeilijk doen? Wist ze het maar...

'Jullie zouden toch naar de vroege voorstelling gaan?' vroeg haar vader die avond onder het eten. 'Dan moet je nu zo langzamerhand wel weg.'

Ja, daar zat wat in. Ze moest nu wel voor de schijn haar jas aandoen, dag zeggen en de deur uit.

En zo stond ze nu buiten voor jan joker op de stoep, zonder dat ze wist waar ze heen moest gaan. Ze moest minstens twee uur weg zien te blijven. Dat komt er nou van, dacht ze, als je thuis niet eerlijk durft te zeggen dat je niet naar een rotfilm wilt.

Vera ging zomaar in het wilde weg een eind fietsen. Zonder dat ze er erg in had, kwam ze toch in de buurt van de bioscoop terecht. Nu moest ze toch uitkijken dat ze niet gezien werd.

Ze zette haar fiets op slot en zag in de verte nog hoe een hele groep druk kletsend naar binnen ging.

Ze dacht dat ze Hanna herkende, die even haar kant opkeek. Met een ruk draaide Vera zich om en stapte resoluut de eerste de beste zijstraat in. Daar deed ze net of ze heel geïnteresseerd was in de etalage van de Etos, maar verder was er niets te beleven. Ten einde raad dook ze een willekeurige snackbar in, nam een cola light en bleef sloom voor zich uit zitten staren bij het ongezellige licht van de tl-buizen aan het plafond.

Hoe lang ze daar zo had gezeten wist ze niet meer, maar opeens zwaaide de deur open en kwam Jorg doodleuk binnenlopen!

'Jij hier?' zei hij toen hij Vera zag.

'Ja, jij ook hier?' zei ze lijzig terug.

'Dat zie je toch?' zei hij.

'Ja, dat zie ik.'

Ze zwegen allebei een tijdje.

'Hoe was de film eigenlijk?' vroeg ze ten slotte maar. Ze schaamde zich rot dat uitgerekend Jorg haar hier aantrof.

'Waardeloos!' zei Jorg. 'Ab-so-luut geen ene malle moer aan, die hele *Kick Dollar Connection* niet. Ik begrijp best dat je niet bent meegegaan. Nee, stil maar. Ik had meteen al door dat die hele babysitterij een smoes was. Geeft niet. Er waren meer meisjes niet meegegaan. Je had groot gelijk. Ik heb me gewoon door Dennis laten omlullen. Nou, hij wordt bedankt.' Hij veegde wat snot van zijn neus weg.

Vera moest lachen. Ze vond hem grappig om te zien. Hij probeerde tenminste niet stoer te doen.

'Ik heb nog geld over,' zei ze. 'Dat had mijn moeder me nog meegegeven, voor de bioscoop. Zullen we daar een mega-milkshake van kopen met twee rietjes?'

Zo gezegd, zo gedaan. Om de beurt een slok. Bij de laatste slok, van Vera, zei de kartonnen milkshakebeker: 'Snoingrk.'

JESSE

Franse rap

Het was het laatste uur van de vrijdagmiddag. Hesbrink van biologie stond vol vuur te vertellen over de botjes in het oor. Het ging over hamers en aambeelden en Jesse kon er niet meer warm voor lopen. Gedachteloos bladerde hij in zijn agenda.

Volgende week was het toetsweek en dan was er elke dag een toets. Gelukkig was het niet de eerste toetsweek, dus Jesse wist hoe het ging. Als hij maar goed leerde, had hij niets om zich zorgen over te maken, probeerde hij zichzelf voor te houden. Hij stond er voor alle vakken goed voor. Toen zuchtte hij. Nou ja, voor alle vakken, behalve voor Frans. En eerlijk gezegd maakte hij zich daar wél zorgen over.

Hij kon het in theorie namelijk vet verpesten, dat hij een drie kwam te staan voor Frans en met een drie ging je niet over. Nu stond hij een mager vijfje, maar stel je voor dat hij een één haalde voor de toets deze week. Dan kon hij het wel schudden.

Het rare was dat hij altijd hard werkte voor Frans, misschien zelfs wel harder dan voor de andere vakken. Maar op een of andere manier konden al die rare accenten maar niet in zijn hoofd blijven hangen en de betekenissen van de woorden al helemaal niet.

Eigenlijk vond Jesse Frans nog altijd geen belangrijk vak: als je in Frankrijk was, verstond iedereen vast ook wel Engels.

Jesse wist wat de Fransen nog niet wisten: dat hun taal ten dode opgeschreven was.

Hij had die theorie al eerder aan zijn moeder proberen uit te leggen, maar die liep er niet warm voor.

'Onzin, Jesse!' had ze gezegd. 'Wij houden toch ook niet op met Nederlands spreken, omdat over de hele wereld Engels gesproken wordt? Er zijn steeds meer Nederlanders op de wereld, dus wordt er ook steeds meer Nederlands gesproken. Volgens mij is dat met Frans ook zo.'

Jesse had zijn schouders opgehaald, met zijn moeder viel af en toe niet te praten.

Chris stootte hem aan en schoof hem een briefje onder zijn neus. *Volgende week hebben we een wiskundetoets en ik snap er niks van. Wil jij mij helpen?* Jesse knikte en stak zijn duim op, maar zo dat Hesbrink het niet zag.

Chris trok zijn briefje weer in en begon ijverig te schrijven.

'Neem eens een voorbeeld aan je buurman, Jesse,' zei Hesbrink ineens. 'Die maakt tenminste aantekeningen. Jou heb ik het laatste halfuur alleen maar slaperig in je agenda zien kijken.'

Jesse voelde een lach in zich opborrelen, maar hij knikte serieus.

'Ja, meneer.'

'Slijmbal,' fluisterde Rik achterom. Jesse wees met een grijns op het briefje van Chris dat hij net weer onder zijn neus geschoven kreeg. Rik trok veelbetekenend zijn wenkbrauwen omhoog en draaide zich weer om.

Je kon inderdaad beter geen aandacht trekken als je wilde zorgen dat de leraar ook niet naar je buurman keek.

Kan ik jou in ruil helpen met een ander vak? stond er nu op het briefje van Chris. Jesse pakte het briefje en schreef terug: *Met Frans, want daar snap ik de ballen niet van.*

'Zo mag ik het zien, Jesse,' klonk de stem van Hesbrink door het lokaal. Jesse knikte met een rode kop en schreef intussen ijverig door.

Ik kan het maar niet onthouden.

Chris had meteen antwoord.

Mijn oudste zus komt dit weekend thuis en die studeert Frans. Als je morgenmiddag bij ons komt, zal ik vragen of ze ons samen wil helpen. Kunnen we daarna nog wiskunde doen.

'Oké,' fluisterde Jesse. Op dat moment ging de bel.

Chris woonde in de stad, niet ver bij school vandaan. Jesse was nog niet eerder bij hem thuis geweest en hij vond het best spannend om zo voor het eerst langs te gaan. Chris had hem uitgelegd waar hij woonde: in een kleine oudere flat vlak bij het station.

Jesse zag meteen waar het was. De flat was inderdaad niet moeilijk te vinden, precies zoals Chris had gezegd.

Er was geen lift en Jesse liep naar de tweede verdieping. Hij stak zijn vinger uit naar de bel, maar de deur zwaaide al open.

'Ha, Jesse, kom binnen! Gooi je jas maar op die stoel, want de kapstok is hier altijd vol.' Chris draaide zich om en liep de kamer binnen. Jesse haastte zich achter hem aan, al was de kans klein dat hij in dit huis verdwaalde.

'Dit is mijn zus,' stelde Chris voor. Voor Jesses neus stond een knappe meid met een brede glimlach; haar huid leek donkerder dan die van Chris. Op haar hoofd dansten duizend vlechtjes met allemaal verschillende gekleurde elastiekjes erin.

'Je suis Selita,' zei ze, 'en we gaan dat Frans eens flink aanpakken!'

'Mooi,' zei Jesse, 'want alleen heb ik weinig kans om het onder de knie te krijgen.'

Chris had zijn boeken al klaargelegd en Jesse haalde ze uit een plastic tasje. Hij vond het stom om met zijn schooltas op bezoek te gaan.

'Je moet eerst doorhebben dat Frans een mooie taal is,' legde Selita uit. Jesse knikte braaf en wilde aan tafel gaan zitten.

'Wie zegt dat we gaan zitten?' blies Selita verontwaardigd. 'Staan blijven, knulletje! Frans is een taal waar muziek in zit, dat moet je ontdekken. Als je het ritme van de taal herkent, leer je het zo.'

Jesse keek vragend naar Chris; was zijn zus niet goed bij haar hoofd of zo? Maar Chris keek doodserieus, alsof hij dit allemaal reuze logisch vond.

'Jullie moeten het rijtje van être leren, geloof ik. Dat is mooi om mee te beginnen. Luister maar naar de muziek,' zei Selita. Ze klapte in haar handen en zei het rijtje op.

Ineens klonk het rijtje saaie Franse woorden als een snelle rap. Chris bewoog zijn hoofd mee op de maat. Jesse voelde zijn benen kriebelen. Hier kon je inderdaad maar beter niet bij gaan zitten.

Chris begon als eerste te dansen, terwijl Selita het rijtje van être bleef herhalen op de rapmanier.

'Je suis, tu es, il est...'

Chris viel handenklappend in en toen deed ook Jesse mee. Ze bewogen zich met zijn drieën ritmisch door de kamer. Hun rap ging dan weer hard en dan weer zacht. Selita gaf af en toe versnellingen aan en soms vertraagde ze weer. Jesse moest zijn best doen om het ritme bij te houden. Hij vergat helemaal dat hij met Frans bezig was.

Na een tijdje ging Selita over op de woordjes van etappe 10 en 11. Ze rapten van Nederlands naar Frans en dan weer terug.

'En nu schrijven!' riep ze. Chris en Jesse schoven aan tafel en schreven de woordjes op die Selita rapte. Met klappen gaf ze aan waar de accenten moesten vallen. Op een gegeven moment hoorde Jesse de klappen al in zijn hoofd voordat Selita ze deed. Hij onthield ze!

'Zo, nu kennen jullie het,' zei Selita ineens. Jesse keek op zijn horloge. Er was anderhalf uur voorbijgegaan sinds hij hier binnenstapte. Wat was dat ongelooflijk snel gegaan! En Jesse had inderdaad het gevoel dat hij zijn Frans kende én begreep. Hij had niet verwacht dat hij dat gevoel ooit zou krijgen.

Chris gaf hem een high-five. 'En nu mijn wiskunde, monsieur.'

'Dat gaat een stuk saaier worden, ben ik bang,' lachte Jesse. 'Bedankt, Selita!

VERA

De brugsmurf slaat terug!

Daar liep een smurfje over de brug
Toen kwam er een tweedeklas ettertje aan.
Ons smurfje kon toen niet meer terug,
Maar wist ook niet hoe ze verder moest gaan.

Dat ettertje heeft haar toen gepest,
Hij pakte haar sjaaltje, hij pakte haar tas.
Dat vond hij wel lollig, hij vond het best
Dat ze nu een bang piepend piepertje was.

Maar toen zei het smurfje: 'Wat zielig ben jij.
Ben je soms vroeger gepest in brugpiepertijd
En reageer je dat nu allemaal af op mij?
Nou, ik zal ervoor zorgen dat het je spijt.

Zo'n etter als jij word ik niet, reken maar.
Als ik jou nou eens goed op je lazer gaf?
Liever dan op de kleintjes van volgend jaar
Reageer ik mijn kwaadheid op jou zelf af!'

Vera 1b

Meneer Berkman, die ze voor Nederlands hadden, was eigenlijk best een aardige man, alleen was hij een beetje een maf-

216

kees. Ze hadden bijvoorbeeld allemaal een gedicht moeten maken als huiswerk. Maar hij had er bij verteld dat het niet mocht rijmen.

'Je moet niet opschrijven wat rijmt, maar wat je voelt,' had hij gezegd. Hij had ook nog gedichten voorgelezen die niet rijmden. Vera vond dat maar onzin; als het zo makkelijk was, kon iedereen wel dichter worden. Een beetje gedicht hoort toch te rijmen? Zo deed Annie M.G. Schmidt het toch ook? Nou dan.

Ze had zich niks van meneer Berkman aangetrokken en ze was gewoon aan het rijmen geslagen. Eerst lukte het niet zo goed, het werd een knoeiboel. Maar bij het overschrijven merkte ze dat het beter ging als je regel drie op regel één liet rijmen en regel vier op regel twee, dan had je een beetje afwisseling. De hele avond was ze ermee bezig geweest.

Ze had er een acht voor gekregen, een acht nog wel! 'Als je niet had gerijmd, had ik je een negen gegeven,' had Berkman lachend gezegd. 'Nee hoor, grapje. Ik vond vooral de inhoud van je gedicht erg goed en dat is toch het belangrijkste.'

Ze had er een kleur van gekregen en ze had het Hanna ook laten zien, die er toen erg om moest lachen.

In de grote kantine hing een soort brievenbus. 'Hier de kopij voor onze schoolkrant, de Big Max!' stond erop. Zomaar, in een opwelling, had ze haar gedicht daarin gegooid, zonder er verder bij na te denken.

En nu stond het gedicht, haar gedicht 'De brugsmurf slaat terug', echt in de Big Max! Toen de schoolkrant werd uitgedeeld, had ze er eerst geen erg in. Ze bladerde er wat in en toen zag ze opeens haar eigen naam staan. Dat was toch eigenlijk wel heel gek, eigenlijk te gek. Ze wreef even met haar hand over de bladzijde waar haar versje stond, alsof ze het papier wilde bedanken.

'Goed zeg, goehoed!' had Hanna gezegd en ook Jesse en Chris vonden het best wel geinig. Tijdens het eerste uur, wiskunde, lette ze niet meer echt op. Ze las stiekem onder de tafel haar gedicht nog eens over, alsof ze iemand anders was, iemand die het voor het eerst las. Het was ook niet niks, bedacht ze, haar tekst in professionele letters in een heus blad. Er waren wel achthonderd leerlingen op het Max Havelaar, dus er waren nu achthonderd schoolkranten in de hele school, achthonderd maal 'Vera 1b', dan heb je toch naam gemaakt, zou je zo denken.

In de middagpauze kwam in de kantine een lange meid op Vera af. Ze had al borsten en droeg een spijkerbroek met slijtplekken op de knieën.

'Hoi,' zei ze. 'Volgens mij ben jij Vera. Ik ben Jeanette uit de derde en ik zit in de redactie van de Big Max. Ik wou even zeggen dat ik je gedichtje erg leuk vond. Echt wel. Grappig ook. Hier heb je een paar extra exemplaren van de schoolkrant, voor je oma of je ouders of zo.'

'Dank je wel,' zei Vera maar. Ze bladerde wat in de boekjes die ze gekregen had.

Jeanette moest lachen. 'In ieder boekje staat heus hetzelfde, hoor,' zei ze. 'Wil je niet vaker iets voor de Big Max schrijven? Je kunt het vast. Ik had al het een en ander over je gehoord. Van Melvin.'

'Melvin?' vroeg Vera.

'Jeanèhèt!' klonk het van de andere kant van de kantine.

Melvin kwam eraan, Melvin zelf. Hij pakte Jeanette beet en zoende haar vol op de mond waar iedereen bij was. Jeanette vond het niet eens erg, zo te zien. Nou ja, moet kunnen, dacht Vera.

'Goed hè,' zei Melvin tegen Jeanette, 'deze veelbelovende dichteres. Ja ja, ik kan het weten, ik ben natuurlijk de mental coach van dit jonge talent.'

'Inderdaad, mentor Melvin,' zei Vera verlegen. Zo was het tenslotte ook. Ze had nooit wat speciaals met Melvin gehad. Ze was niet verliefd op hem geweest, tenminste niet echt. Melvin was meer een grote broer voor haar, een mentor dus. Toch was het even wennen voor Vera, het idee dat hij een vaste vriendin had. Zo stonden ze daar met zijn drieën en zij wist zich met haar houding geen raad.

'Alsjeblieft,' zei ze opeens en gaf Melvin een van haar exemplaren van de schoolkrant.

'Je moet er je handtekening voor hem in zetten,' zei Jeanette, 'dat hoort zo bij echte schrijvers.'

Dus Vera schreef onder haar gedicht: 'Voor mentor Melvin van leerling Vera.'

Melvin was er trots op. 'Prachtig,' zei hij. 'Weet je wat? Geef me even je agenda, dan krijg jij op jouw beurt van mij een handtekening.'

Vera pakte haar zelfgemaakte agenda uit haar rugzak. 'Hier,' zei ze, 'Zet maar ergens je naam. Tenminste... Hoewel... Toch maar niet... Ik bedoel...'

Maar Melvin stond al in haar agenda te bladeren.

'Hé,' zei hij opeens, 'moet je kijken. Hier staat al Melvin in, en hier ook, wel zes keer!'

Vera kreeg een kop als vuur.

'Geeft niks, hoor,' zei Jeanette met een knipoog naar Vera. 'In mijn agenda heb ik ook zijn naam geschreven, maar dan honderd keer!'

'Daar wist ik anders niks van,' zei Melvin.

Die middag hadden ze Nederlands en van Berkman mocht Vera haar schoolkrantgedicht voorlezen. Ze hakkelde wel driemaal vanwege de zenuwen, maar toch kreeg ze applaus van de hele klas. Ze wist niet hoe ze het had. Zo bijzonder vond ze haar versje nou ook weer niet.

Maar leuk was het wel, haar dag kon niet meer stuk. Neuriënd fietste ze naar huis. Weet je wat, dacht ze, ik ga even langs mijn oude school, langs de Woutertje Pieterse. Mama is toch niet thuis, die heeft vandaag de bieb en papa is altijd nog later. Ik ga gewoon een schoolkrant brengen naar meester John en juf Sandra, dan hebben ze daar tenminste wat te lezen.

Maar de school was dicht, het was er doodstil en oersaai. Dat was waar ook, het was woensdagmiddag. Vroeger had je altijd woensdagmiddag vrij, herinnerde ze zich nu.

Ze zette haar fiets in het oude stallinkje; ze moest bukken om haar hoofd niet te stoten. Ze liep een eindje om de school heen. Op de ramen waren nu andere Nijntjes geschilderd dan die er in haar tijd waren.

Bij de klas van groep 8 gluurde ze naar binnen. Alles stond er nog wel zo'n beetje, maar toch leek het allemaal zo anders, vond ze. Ze wist niet hoe het kwam, maar het was net of het haar school niet meer was. Het was ook zo lang geleden dat ze op dit schooltje had gezeten, dat was iets van heel vroeger, langgeleden, iets van wel zes maanden terug, een eeuwigheid dus.

Ze pakte een nummer van de schoolkrant uit haar rugzak en schreef er met grote letters op: 'Voor Woutertje van Max'. Ze gooide het in de brievenbus en fietste daarna vrolijk naar huis.

Onderweg zag ze nog een saaie meneer lopen die zijn hondje uitliet. Ze zwaaide enthousiast naar hem. Hij scheen er niets van te begrijpen.

Ja ja, dacht Vera. Kijk maar goed. Hier rijdt een meid die Vera heet. Onthoud die naam. Zij staat in de krant, zij is bijna beroemd. Zij komt er wel!

ISA

Surprise, surprise!

'Kijk, die zijn cool!' Isa wees op het rek achter haar. 'Die roze! Maffe kleur, zeg...'

'O, en deze!' Rachida grinnikte. 'Met hondjes! Nooit geweten dat er zúlke bestonden!'

'Hè?' Isa keek haar vriendin verbaasd aan. 'Jij hebt toch broers?'

'Jawel, maar die...' Rachida hield op met praten, beschaamd keek ze weg van de rekken.

Isa sloeg haar arm om haar heen. 'We hebben onszelf wel wat aangedaan, hè?'

'Ja, en dat ik me heb laten overhalen...' Rachida trok haar mondhoeken naar beneden, maar er glommen toch ook pretlichtjes in haar ogen.

Isa trok haar schouders op. 'Je doet soms iets omdat je vriendinnen bent.'

Ze waren samen op de tweede verdieping van het warenhuis. Overmorgen was het zover! Isa grinnikte toen ze terugdacht aan dat moment in de kleedkamer van gym, bijna twee weken geleden, toen het sinterklaasplan was ontstaan.

'En?' had mevrouw Wierink het uur ervoor gevraagd. 'Willen jullie sinterklaas vieren met de klas?'

Hun mentor keek de klas vol verwachting aan, toen die door elkaar begon te roepen: 'Ja, leuk! Tuurlijk!'

Maar er waren ook andere geluiden. Mohammed jammerde: 'Moet dat echt?'

Derya, die naast Rachida zat, stak haar vinger op. 'Een sinterklaasgedicht schrijven is voor ons zó moeilijk, mevrouw!'

'Ik vind het zo'n gék feest...' zei Rachida. 'Meer iets voor kleine kinderen.'

'Ik doe alleen mee als Sinterklaas zwart wordt en zijn knecht Witte Piet,' vulde Ramón aan, half serieus, half voor de grap.

De klas lachte, maar Isa schrok. Mevrouw Wierink ging toch niet naar die paar kinderen luisteren? Straks ging het niet door en ze had er juist zo'n zin in!

'Maar mevrouw, het gaat toch om de gezelligheid!' riep ze uit.

'Als je in Nederland woont, hoort sint erbij!' viel Kees haar bij.

En Claudia merkte op: 'Samen sinterklaas vieren is het toppunt van... van... Hoe noem je dat ook alweer? Integratie!'

Daar moest hun mentor om lachen.

'Dus wat doen we?' vroeg ze terwijl ze de klas weer rondkeek.

Met een ruime meerderheid werd besloten sinterklaas te vieren. Surprise en gedicht verplicht, maar geen vieze, stroperige of natte dingen, voegde mevrouw Wierink eraan toe. Dáárvoor waren ze nu toch echt te oud. Daarna trokken ze de lootjes.

Het uur erna hadden ze gym. Al op de gang vroeg iedereen aan iedereen wie wie had. En in de kleedkamer werd druk lootjes geruild. Ineens begon Claudia te gillen. 'Hé, ik heb een idee! We gaan een geintje uithalen! Luister!'

Ze wenkte alle meiden om zich heen en grijnzend legde ze haar idee voor. Isa grinnikte. Die Claudia! Wel gedurfd...

Niet iedereen was ervoor. Isa zag hoe bedenkelijk Rachida keek, en ook Derya vond het maar een raar plan. Zelf kon ze de humor er wel van inzien. Maar er waren nog een paar meisjes die het stom vonden.

'We doen allemaal mee of we doen het niet,' besloot Claudia. 'Anders is zoiets niet leuk, denk ik, ook niet voor de jongens.'

Isa viel haar bij: 'Dat vind ik ook. We doen gewoon gek. En het is lekker makkelijk toch? Je hoeft geen cadeau meer te verzinnen en dat gedicht maken we samen. M'n vader helpt me wel even, die is daar goed in.'

'Allemaal hetzelfde gedicht?' vroeg Derya.

'Waarom niet?' knikte Claudia.

'Maar dan moeten we wel lootjes ruilen,' zei Rachida.

Isa antwoordde: 'Daar waren we toch al mee bezig, dat regelen we wel.'

'Ja,' grinnikte Claudia, 'vooral met de jongens.'

'Die willen dat nooit,' zei Rachida.

'Hé, meiden, waar blijven jullie?' De gymleraar stond in de deuropening. 'De les begint!'

'We hebben het er nog over!' besloot Claudia met een lachend gezicht.

Isa zat op haar kamer: muziek aan, gordijnen alvast dicht, pepernoten binnen handbereik. Ze moest ook voor thuis een surprise maken, en ze had er echt zin in. Ze was begonnen met knutselmateriaal te verzamelen: schoenendozen, gekleurd papier, schaar, lijm, plakband, verf, stiften.

Eerst de surprise voor school maar. Ze had Martijn. Ze nam

een grote doos en ging ermee aan de slag. Beplakken met papier, deurtjes erin, deurtjes versieren. Algauw was het een rommeltje om haar heen. Isa zuchtte diep. Hè, gezellig! En dan straks haar vader vragen voor het gedicht.

Eindelijk was het zover. Op vijf december vervielen na half één alle lessen en de klassen die dat wilden, konden dan sinterklaas vieren. Isa was met een stel druk bezig de klas gezellig te maken. Tafels aan de kant, stoelen in een kring, muziek aan. Claudia was met een paar anderen naar het winkelcentrum voor cola, speculaas en pepernoten. Tegen het schoolbord was een tafel aan geschoven voor de surprises. Er zaten opvallend veel rechthoekige pakjes bij, al waren ze wel allemaal anders van grootte.

Rachida kwam naar Isa toe: 'Ik vind het toch een beetje raar wat we hebben gedaan!'

Isa keek haar aan. Ze wist dat Rachida lang had getwijfeld of ze wel mee wilde doen. 'Maar ik wil geen spelbreker zijn!' had ze uiteindelijk uitgeroepen.

'Dat je toch meedoet, vind ik super,' zei Isa.

Het was een enorm lawaai in de klas, de meiden gilden en giechelden en de jongens waren stoeierig druk. Toen mevrouw Wierink binnenkwam, werd de tafel met surprises naar het midden van de klas geschoven en kon het feest beginnen. Isa keek naar al die pakjes en grijnsde. Het ruilen van de lootjes was nog een heel gedoe geweest, en de jongens wilden natuurlijk weten waarom en vonden het flauw dat ze geen serieus antwoord kregen, maar het was gelukt zonder al te veel te verklappen!

'Mevrouw, wie mag er beginnen?' vroeg Claudia.

Mevrouw Wierink sloeg haar agenda open op de bladzijde met hun klassenlijst en prikte met haar pen een naam. 'Derya, jij!'

Derya pakte een langwerpig pakje van tafel. 'Voor Janneke!'

Janneke maakte het voorzichtig open en er kwam een lange schrijfpen van karton uit. In het gedicht werd haar gevraagd goed op haar spullen te letten zodat ze niet steeds pennen van anderen hoefde te lenen. In de surprise zaten echte pennen.

Daarna was het Jannekes beurt een cadeautje te pakken. 'Voor Kees!'

Een paar meisjes giechelden. Kees keek op. 'Is er iets?' vroeg hij wantrouwend.

'Ach,' zei Claudia, 'het is gewoon zó spannend.'

Kees trok zijn wenkbrauwen op en scheurde het sinterklaaspapier eraf. Van een kartonnen doos was een klerenkast gemaakt. Er zaten twee deurtjes in die open konden. Maar eerst las hij het gedicht voor:

De Sint die doet een onderzoek
naar jongens en hun ondergoed
Dus heeft hij gauw aan Piet gevraagd:
'Kijk jij eens wat die Kees nu draagt.'
Piet keek bij gym om 't hoekje.
Wat zag hij toen voor broekje...?
Hij kreeg de slappe lach
omdat hij jou zo zag.

Daar moet je wat aan doen,
dat eist het goed fatsoen.
Kijk snel in deze kast...
Ik hoop dat hij je past.

Kees werd steeds roder tijdens het lezen, en een paar meisjes grinnikten. Isa keek strak voor zich uit, bang dat ze de slappe lach zou krijgen als ze Claudia aankeek.

Toen het gedicht uit was, begonnen de jongens te joelen. 'Nou, laat zien, Kees!'

Hij maakte de deurtjes open en vond daar zijn pakje. Even later hield Kees een blauw gestreepte boxershort in zijn handen. Isa keek toch naar Claudia en ze proestten het uit.

Het volgende cadeautje, ook hoekig van vorm, was voor Mohammed. Het gedicht zat bovenop geplakt en Mohammed vouwde het open.

Hij las: 'De Sint die doet een onderzoek, naar jongens en hun ondergoed. Dus heeft hij gauw aan Piet gevraagd: "Kijk jij eens wat Mohammed draagt."'

De klas lachte alweer. Mohammed keek een moment scheel en raffelde het gedicht af. Hij rukte het papier eraf... en had ook een klerenkast in zijn handen, anders van vorm, anders van kleur, met achter de deurtjes... een boxershort met een print met klompen erop. Een echte Hollandse voor Mohammed! Hij kon de humor er wel van inzien. 'Waar heeft de Sint díé nou weer gekocht?' vroeg hij, maar niemand gaf antwoord.

Mohammed pakte een surprise in de vorm van een balletdanseres. Die was voor Isa! Het lijf was lang en smal en er kwam een fraaie dansposter tevoorschijn. Op haar beurt zocht Isa naar een jongensnaam en gaf Ramón zijn pakje. Opnieuw waren er meiden die giechelden. Ramón keek wantrouwend van het cadeau naar Isa en bromde: 'Wat zou hier toch in zitten?' Hij vloog met zijn ogen over het gedicht en zei: 'Nou, dit hoef ik niet voor te lezen, jullie kunnen waarschijnlijk wel raden wat hier staat.'

Maar daar namen ze geen genoegen mee! Ramón las in sneltreinvaart. Zijn boxershort was zwart met een rood streepje over de zijkant.

Na hem was Martijn aan de beurt. Hij wilde de tekst wél helemaal lezen en had er duidelijk lol in. Opnieuw kwam er een klerenkast uit het pakje. Daarin zat zijn boxershort, een knalrode, maat XXL of zoiets. Martijn hield hem omhoog, en zei schattend: 'Ik weet niet of hij wel past, hij lijkt een beetje klein, maar zal ik even proberen...? Misschien kunnen jullie hem nog ruilen...'

Ze gierden het uit. 'Volgende! Volgende!' werd geroepen.

Toen alle jongens hun boxershort hadden uitgepakt, zei Claudia tevreden: 'Zo, nu weten wij tenminste wat voor ondergoed jullie dragen.'

Iedereen moest lachen, en Isa zag dat zelfs Rachida meelachte.

Maar Martijn riep: 'Nee, dat weten jullie niet!'

De meiden keken hem vragend aan. 'Hoezo niet?'

'Alsof we deze elke dag gaan dragen en nooit een schone aantrekken...'

Vaarwel, ouwe boeken

'Tja, wat moet je nou?' zei Vera tegen zichzelf toen ze in haar kamer stond. Op school hadden ze in de week voor de kerstvakantie een speciaal project. Er was een Afrikaweek met posters en fotocollages op de gangen, Afrika-dvd's bij aardrijkskunde, Afrikaans dansen bij gym enzovoort. Het meeste was best geinig en het was weer eens wat anders dan gewone saaie lessen.

Maar nu zou er ook een avond komen voor een goed doel. Er werd een soort vrijmarkt gehouden in de kantine waarbij iedereen zijn oude spullen zou verkopen, en het geld ging dan naar een dorp in Kenia waar ze schoon drinkwater zonder prik nodig hadden. Of zoiets ongeveer.

Vera vond het een hartstikke goed doel en ze wilde er ook haar best voor doen. Maar hoe? Dat was de vraag. Hoe kwam ze aan oude spullen om te verkopen? Alle oude Donald Ducks en stripboeken had ze al op de laatste Koninginnedag verkocht. Dat had nog € 8,35 opgebracht.

Ze keek naar haar boekenplank en besloot om daar eerst maar eens wat uit te plukken. Al die oude kinderboeken, daar was ze nou toch te oud voor geworden, en bovendien had Vera ze allemaal allang uit.

De kleine kapitein van Paul Biegel, dat was nog op school voorgelezen toen ze zesdegroeper was, dat kon rustig de deur uit. Een paar verfomfaaide Kameleonnetjes, weg ermee. De kleuterboekjes van Nijntje en *Rupsje Nooitgenoeg* konden ook gemist worden. Ze deed nog één keer haar vinger in het gaatje van het rupsenboekje.

Wat was er nog meer? *De brief voor de koning* van Tonke Dragt en *Pluk van de Petteflet.* Toen ze nog op de Woutertje Pieterse zat, ja, toen vond ze dat wel mooi. Maar dat was heel vroeger, wel zes maanden geleden.

Met een weekendtas vol kwam Vera aanzeulen in de kantine van het Max Havelaar College. Ze kreeg een verkooptafeltje met Hanna samen, die had een stapel oude Margrieten, Elle Wonens en Linda's van haar ouders mee.

Vera keek eens rond. De kantine zag er gezelliger uit dan overdag. Er waren slingers opgehangen en ze hadden rood crêpepapier om de lampen gewonden waardoor alles een roze gloed kreeg. Dat zouden ze vaker moeten doen, dacht Vera nog. Ze voelde zich zo veel meer thuis op school. Verderop stond Dennis zijn stoere speelgoed te verkopen. Raceauto's met uitschuifbare speerpunten, brommende tankjes die vuur konden spuwen, terminators, transformers, een hulk, spidermannetjes, de hele mikmak. Hij was druk bezig met het opwinden en demonstreren van zijn spullen. Hij had er zo veel plezier in, dat hij er meer uitzag als een schooljochie dan een middelbare scholier. Best een grappig gezicht.

Kleine Jorg uit 1c kwam ook langs het tafeltje van Vera en Hanna. Hij zag een van de Nijntje-boekjes liggen en begon meteen spontaan uit zijn hoofd voor te dragen.

'Op een dag zei vader Pluis: Wie gaat er met mij mee?'

Lachend vulde Vera hem aan: 'Naar de duinen en het strand en naar de grote zee.'

Hanna wist nog: 'Ik, riep Nijn, ik ga wel mee.'

En ze besloten alle drie tegelijk: 'Hoi hoi, dat vind ik fijn.'

Dat was natuurlijk wel allemaal leuk en aardig, maar Jorg kocht toch geen enkel boek. Gelukkig kwamen er daarna twee ouders langs die zelf nog kleine kinderen hadden. Zij kochten alle Nijntjes en ook *Rupsje Nooitgenoeg*, dus daar was Vera van af. Daarna ging het steeds sneller met de boekverkoop.

Een wat oudere mevrouw bleef heel lang bij hun stand staan kijken. Opeens zei ze: 'Ach gut, kijk nou eens. *De brief voor de koning* van Tonke Dragt. Dat heb ik vroeger als kind toch zo mooi gevonden. Maar ja, toen ik ouder werd en we verhuisden hiernaartoe, moet ik het zijn kwijtgeraakt. Ja, zo gaan die dingen. Ach gut, Tonke Dragt, hoeveel moet die kosten?'

'Vier euro, mevrouw,' zei Vera. 'Speciale aanbieding.'

De mevrouw gaf een briefje van vijf, zei 'Laat maar zitten' en liep er zielsgelukkig mee weg. Midden in de kantine stond ze stil om er alvast wat in te lezen.

Even later ging Vera langs alle tafeltjes om iets voor zichzelf te kopen, terwijl Hanna zolang op hun handeltje paste. Ze kocht ten slotte iets bij Rachida, die er met haar gezellige moeder zat. Ze hadden baklava gemaakt, mierzoet gebak met een of ander gifgroen spul erop, de suikerstroop droop ervan af. Vera vond het zo lekker dat ze er meteen nog twee kocht, één voor Hanna en één voor haarzelf. Het was wel slecht voor de lijn, maar dit was snoepen voor het goede doel, voor kindertjes in Afrika, dus dan mocht het.

Aan het eind van de avond had zij met Hanna samen meer

dan veertig euro opgehaald. Dat was toch niet gek. Meneer Wissel, die de financiën allemaal regelde, zei ook dat ze dat in Afrika goed konden gebruiken. Vera was hartstikke trots, en gek genoeg was ze nu voor het eerst ook trots op haar school. Dit had Max Havelaar toch maar mooi georganiseerd! Op andere scholen had je zoiets niet, volgens haar.

Toen Vera thuiskwam, zag ze dat haar vader zat te peuteren aan een uitneembaar monster. Dat had hij op de vrijmarkt van Dennis gekocht, vertelde hij, en hij was er als een kind zo blij mee. Hij vond het een mooie avond van haar school en Vera was het daar erg mee eens. Eigenlijk had ze ertegen opgezien, maar het was haar honderd procent meegevallen. Ze merkte nu pas hoe moe ze was, ze ging meteen naar boven, naar bed.

Op haar kamertje zag ze de lege boekenplank waar haar kinderboeken hadden gestaan. Ze keek ernaar en werd toch opeens een beetje droevig. Waarom had ze afgeschaft wat ze vroeger zo mooi had gevonden? Ze hoefde zich daar toch niet voor te schamen? Was het niet onaardig tegenover Tonke Dragt om haar zomaar te verkopen? Straks zouden er misschien alleen maar serieuze boeken voor in de plaats komen, boeken voor volwassenen van Jan Wolkers, Harry Mulisch of Heleen van Royen en zo.

Maar ja, daar was niets aan te doen. Dat hoorde bij het ouder worden. Andere leeftijd, andere boeken.

Het is niet anders, dacht ze ten slotte, maar jammer is het wel.

VERA
Opa heeft het weer

'Dag kind, fijn dat je er bent!' riep opa van boven aan de trap.

Ik ben geen kind meer, dacht Vera, maar ze zei het niet.

Ieder jaar in de kerstvakantie ging Vera een paar dagen logeren bij opa in Rotterdam. Dat was al zo toen ze nog klein was, dus dat was dit jaar ook zo.

Ze had niet afgehaald willen worden van het Centraal Station, want ze wist langzamerhand wel hoe ze met de tram naar opa moest komen op de Nieuwe Binnenweg.

Opa woonde daar boven een slijterij, dat was wel handig, vond hij. Hij was al over de zeventig, maar dat kon je niet aan hem zien. Dat kwam doordat zijn haar altijd in de war zat, net als bij sommige leraren op school, en hij altijd en eeuwig een oude spijkerbroek droeg.

'Kom gauw boven,' zei opa. 'Ik heb net je logeerkamertje in orde gemaakt met een speciale verrassing.'

In haar oude kamertje zag Vera op het tafeltje bij het raam een doos staan met een barbie-setje erin. Het was een complete set met een haardroger, een krultang, een droogkap en de hele beautycase daarbij. Nou ja, zeg, hoe verzint die ouwe het?

'Wat moet ik daar nou mee, opa?' zei ze.

'Ik dacht dat je dat wel aardig zou vinden,' zei opa. 'Jij hebt toch altijd je barbie bij je als je komt logeren?'

'Ach opa, barbie is van vroeger, daar doe ik allang niet meer aan.'

233

'Dat was vorig jaar. Sinds wanneer is vorig jaar meteen al vroeger?' zei opa spijtig.

Daar wist Vera geen antwoord op en opa hield ook verder zijn mond, terwijl hij uit het raam stond te kijken.

'Moet je niet naar huis bellen om te vertellen dat je veilig bij je grootvader bent gearriveerd?' vroeg hij ten slotte.

'Mama is niet thuis,' zei Vera, 'maar ik sms wel even.' Ze griste haar mobieltje uit haar tas en ging ijverig aan de slag. 'Met mij alles ok hier' tikte ze in.

'Hoe doe je dat toch? Laat mij eens kijken,' zei opa. 'Klere, dat is me even niet niks, zeg. Ben jij effe gis!'

'Wil jij ook nog mama de groeten doen?' vroeg Vera.

'Ja, dat is te zeggen, hoe doe je dat dan?' aarzelde opa.

'Weet je dat niet? Het is heel makkelijk. Wat wil je sms'en?'

''s Even kijken. Vriendelijke groeten van je liefhebbende vader. Of iets dergelijks. Lijkt me wel mooi.'

'Kijk, hier bij de acht staat t-u-v, dus voor de v moet je drie keer acht intoetsen. Zie je wel? Doe het dan.'

Opa deed het. 'En verder?' vroeg hij.

'Voor de r drie keer zeven, dat zie je toch?' zei Vera ongeduldig.

Na vijf minuten zwoegen stond er alleen nog maar: 'vr-rien.ddel.ukke'.

'Laat mij maar even,' zei Vera. En ze toetste vlug in: 'xxx4u.pa'.

'Wat is dat nou weer?' vroeg opa.

'Dat zie je toch,' zei Vera hoofdschuddend. 'Daar staat: "kusjes for you van pa".'

'O, gaat dat zo tegenwoordig,' mompelde opa. 'Neem me

niet kwalijk hoor. In mijn tijd schreven we nog brieven, met de hand geschreven. Of ansichtkaarten met "Groeten uit Rotterdam" erop. Goed, laten we maar de stad in gaan. Naar Diergaarde Blijdorp maar weer?'

'De dierentuin? Wat moeten we daar doen?' Vera had iets heel anders in haar hoofd.

'Net als altijd,' zei opa. 'Apies kijken, dat vond je vorig jaar nog prachtig en het jaar daarvoor ook. Bovendien is er nu een tunnel waardoor je onder de haaien van het aquarium kunt lopen. Dat schijnt heel interessant te zijn.'

'Gatsie, haaien! Niks voor mij,' zei Vera. 'Ik wil alleen maar naar de Koopgoot, gewoon wat funshoppen.'

'De Koopgoot?' vroeg opa. 'Dat chique winkelcentrum voor dure kapitalisten? Wat moet jij daar in godsnaam?'

'Ik ben nu te oud voor apies kijken,' zei Vera doodleuk. 'Ik ben nu meer iemand voor trendy kleren kijken.'

'Oké, jij je zin,' zei opa maar. 'Gaan wij naar die stomme Koopgoot.'

Vera liep dit keer voorop, ze kende de weg, terwijl opa achter haar aan sjokte.

Op de Oude Binnenweg zei hij: 'Kijk, hier zijn allemaal huizen van honderd jaar oud. Maar daar bij die gokhal is het opeens allemaal nieuwbouw. Daar is de zogenaamde brandgrens. Tot daartoe was het hele centrum van Rotterdam weggebrand in de oorlog.'

'Ja ja,' zei Vera en stapte stevig door richting Koopgoot. Dat was een grote winkelstraat die naar beneden afliep naar een tunnel toe. Vandaar kon je zo de kelder van de Bijenkorf in.

Vera keek haar ogen uit: Sissy Boy, H&M, Armani spijkerbroeken, Dieseljeans, het kon niet op. Ze wilde overal wel binnenwippen, niet om iets te kopen, maar gewoon om lekker rond te neuzen, dat is tenslotte ook funshoppen.

Opa stond er een beetje onhandig bij. Zo nu en dan ging hij de straat op en keek om zich heen.

'Dat is toch gek,' zei hij. 'In de oorlog was hier nog niets. Hier was alleen een bouwput met een grasveldje, waar ik de hond uitliet. Ik heb hier ook nog een geheime schat begraven. Die is nu niet meer terug te vinden. Ze hebben alleen maar nieuwigheid gebouwd over mijn herinneringen heen.'

'Geeft niks, opa,' zei Vera.

'Ja ja,' zei opa. 'Heb jij nog een hippe outfit gevonden in een van de zaken hier? Zo noemen jullie dat toch, hippe outfit? Ach kind, in de oorlog mocht ik al blij zijn als ik de ingekorte broek van mijn broer af mocht dragen.'

'Ik ben geen kind meer, opa,' zei ze. 'Wat gaan we nu doen?'

'Wij gaan wat drinken in mijn café aan de Kruiskade,' bromde opa. 'Want daar zijn wij aan toe.'

Ze liepen weer een eind terug, eerst langs de Schouwburg en daarna langs de Westersingel.

'Weet je dat hier in de Westersingel nog zeehonden hebben rondgezwommen?' zei opa. 'Dat komt zo: bij het bombardement door de Duitsers in 1940, toen de oorlog begon, toen stond de oude dierentuin daar verderop in brand. Ze moesten alle arme dieren zien te redden. Aapjes werden opgesloten in een telefooncel, elanden vastgebonden aan een lantaarnpaal en de zeehonden lieten ze...'

'Opa, dat heb je al zo vaak verteld,' zei Vera geïrriteerd.

'Ja, en al die keren vond je het een mooi verhaal,' zei opa.

'Het is trouwens geen verhaal, het is echt gebeurd. Ik zweer het je!'

'Nou, én?' zei Vera kwaad. 'Jij altijd met je verhalen van oorlog dit en oorlog dat. Wat interesseert mij dat nou? Man, er zijn rampen in Azië, er is honger in Afrika, er is oorlog in Irak of waar dan ook. Op het Jeugdjournaal zie je kinderen in vluchtelingenkampen en jij zit alleen maar te zeiken over die stomme ouwe oorlog van jou. Houd daar toch over op, man!' Tranen van woede stonden in haar ogen.

Opa keek haar onthutst aan. 'Jij moet één ding goed begrijpen, kleintje,' zei hij streng. 'Mensen zoals ik, die dat hebben meegemaakt, kunnen dat niet zomaar vergeten. Die blijven zich dat hun leven lang herinneren. Dat zul je moeten accepteren.'

'Nou, dat doe ik toevallig niet!' Vera was nog steeds kwaad.

'Wat wij nodig hebben, is een borrel aan de Kruiskade,' zei opa. Hij legde een hand op haar schouder en nam haar mee.

Het was een donker en rommelig café waar ze binnen gingen. Opa liep meteen door naar een tafeltje achterin.

'Hetzelfde maar weer, Henk?' vroeg de barkeeper en zette een biertje met een glaasje jenever voor hem neer.

Vera nam een cola. 'Niet met een rietje maar uit een glas,' zei ze erbij.

'Hoor eens,' zei opa na zijn eerste slok. 'Als jij zo nodig moet puberen, dan ga je je gang maar. Geen probleem. Maar doe me een lol en doe dat thuis tegen je ouders. En ga alsjeblieft niet puberen tegen je opa.'

'Ja, nou goh,' zuchtte Vera. 'Ja, nou goh. Ja, nou goh. Zo erg

bedoelde ik het niet, hoor. Dat heb ik telkens, dat ik niet bedoel wat ik zeg en dat ik niet zeg wat ik bedoel!'

Opa lachte en begon zachtjes te zingen: 'Diep in mijn hart
kan ik niet boos zijn op jou...'

JESSE

Het valt een beetje tegen

De kerstvakantie was heerlijk. Zo fijn om even niets te hoeven. Lekker lang in je pyjama op de bank hangen met Paul voor de televisie. Gamen tot je een ons woog, samen met pap hout halen voor de open haard. Naar de bios met opa en oma, en geen huiswerk. Misschien was dat nog wel het fijnste.

Jesse had het inmiddels behoorlijk naar zijn zin op het Max Havelaar. Hij was gewend aan zijn klas en ook aan de wisselende leraren. Maar dat huiswerk... Het was toch een enorme druk elke keer. Jesse werd er ook vaak onzeker van. Leerde hij het wel goed? Had hij het wel juist opgeschreven in zijn agenda? Hoe goed hij ook probeerde te luisteren, af en toe kon hij zijn afdwalende gedachten niet tegenhouden. In de kerstvakantie gaf dat allemaal niets, dat was het fijne. Hij voelde zich weer net een basisbig, en dat was fijn.

Nu was de vakantie afgelopen. Elke ochtend weer in het donker opstaan, als je het gevoel had dat het nog midden in de nacht was. Met je muts op en je handschoenen aan naar school fietsen. Hij praatte meestal nog niet zoveel met de andere fietsers omdat hij nog helemaal niet wakker was. En vandaag, donderdag, zouden ze hun rapport krijgen tijdens het mentoruur. Die gedachte alleen al lag als een steen op zijn maag. Waarom wist hij niet precies. Hij had toch zijn best gedaan?

Eerst hadden ze twee uur gym, daarna wiskunde, geschiedenis en het vijfde uur was hun vaste mentoruur. Zoals gewoonlijk wachtte Wissel hen op in de deuropening van zijn lokaal. Een voor een dromden ze naar binnen en toen Jesse langs Wissel kwam, haalde die even kort zijn hand over zijn hoofd. Dat maakte Jesse nog bezorgder. Op het Max Havelaar deden leraren niet snel zoiets. Dat was meer iets voor op de basisschool. Zou het met zijn rapport te maken hebben?

Zodra iedereen op zijn plek zat, werd het stil. In het lokaal hing een gespannen sfeer. Dit was immers hun eerste echte rapport. Na de herfstvakantie hadden ze ook een rapport gehad, maar de cijfers daarvan telden nog niet echt mee. 'Ze vormen een indicatie,' zoals Wissel toen gezegd had.

'Jongens, niet zo zenuwachtig,' zei Wissel lachend, terwijl hij zich naar zijn tas boog. 'Ik zal de rapporten zo meteen uitdelen, maar eerst wil ik nog even wat zeggen.' Hij ging rechtop staan met een stapel papieren in zijn hand.

'Behalve een rapport krijgen jullie ook een brief met uitnodiging voor een gesprek. Als jullie ouders je rapport bekeken hebben, wil ik daar graag met ze over praten. En jullie zelf zijn daar ook bij uitgenodigd. Samen wil ik bespreken hoe het eerste halfjaar gegaan is, en hoe de toekomst eruit zal zien. Die gesprekken vallen allemaal volgende week. Als het door mij gekozen moment voor je ouders lastig is, moeten ze me vanavond thuis maar even bellen. Dan maken we een andere afspraak.'

Wissel begon door het lokaal te lopen en hij legde op elke bank een rapport met een brief.

Jesses hart bonkte in zijn keel.

'Het uur van de waarheid is aangebroken,' fluisterde Chris

dramatisch. Maar hij leek zich geen moment zorgen te maken.

Zwijgend legde Wissel het rapport voor Jesses neus en meteen daarna gaf hij Chris het zijne. Fijn was dat. Zo kon Jesse eerst rustig zelf zijn cijfers bekijken zonder dat Chris meekeek.

Een 7 voor wiskunde, een 5 voor Frans, een 6 voor Nederlands, een 6 voor geschiedenis, een 6 voor Engels, een 7 voor gymnastiek, een 7 voor muziek en een 6 voor aardrijkskunde.

Jesse wist niet of hij met dit rapport nou blij moest zijn of niet. Drie zevens, dat was toch niet slecht. Toen keek hij nog eens naar de vijf en toen wist hij het wel. Een vijf, dat was heel slecht. Hij kreeg het ineens heel warm. Een zweetdruppeltje liep onder zijn haar vandaan zijn nek in. Had hij dit niet zien aankomen? Niet echt, want hij had de laatste tijd het gemiddelde van zijn cijfers niet meer uitgerekend. Of eigenlijk: niet willen uitrekenen.

De rest van het uur ging volledig aan hem voorbij. Chris had blijkbaar een goed rapport, want die was niet meer te houden. Hij zat maar te zingen en te wiebelen op zijn stoel en hij sloeg Jesse wel twee keer op zijn schouder. Dat Jesse niet zo vrolijk was, viel hem geen moment op.

Jesse zorgde dat hij het lokaal uit was voordat Wissel hem aan kon spreken. Nog even niet, was alles wat hij kon denken. Stel je voor dat hij op de gang begon te huilen. Hij zou zich doodschamen.

Met zijn hoofd naar beneden liep hij naar het volgende lokaal.

'Hé man, waar ga je heen?' Chris legde zijn hand op zijn schouder.

'Frans natuurlijk. Dat hebben we namelijk op donderdag het zesde uur.' Het kwam er nukkiger uit dan Jesse bedoeld had.

'Waar heb jij het vorige uur met je gedachten gezeten? Ben je soms verliefd?' Chris knipoogde overdreven naar hem. 'Het uur valt uit, sukkel. Prenger is ziek naar huis gegaan. Heb je dat niet gehoord?'

Ondanks zijn slechte humeur schoot Jesse in de lach om het komische gezicht dat Chris trok.

'Nee, dat heb ik niet gehoord.'

Thuis schrok zijn moeder net zo van zijn rapport als hij. Ze belde acuut naar zijn vader in Italië, ook al zei Jesse wel tien keer dat dat niet nodig was. 'Pap ziet mijn rapport dit weekend wel,' bleef hij volhouden.

'Pap kan morgenmiddag aan het eind van de middag thuis zijn. Ik bel meneer Wissel om te vragen of het gesprek dan kan. Ik vind het fijn als je vader er ook bij kan zijn.' Zonder Jesses commentaar af te wachten, belde ze meteen naar school.

'Het kan morgenmiddag om vijf uur,' zei ze toen ze opgehangen had. En Jesse voelde een vreemde opluchting. Hoe eerder dat gesprek plaatsvond, hoe liever het hem was.

Jesse ging vrijdagmiddag met Chris de stad in tot het vijf uur was.

'Mijn gesprek is vanmiddag, dan kan mijn vader erbij zijn,'

had hij gezegd. Meer woorden had hij er niet aan vuilgemaakt en Chris had het klakkeloos geaccepteerd. Chris had een worst bij de HEMA gekocht en die hadden ze gebroederlijk gedeeld. Om tien voor vijf fietste Jesse terug naar school en Chris naar huis.

Voor de school stond de grote vrachtwagen van zijn vader en dat gaf Jesse een vertrouwd gevoel. Net alsof zijn vader alles op kon lossen, terwijl hij best wist dat dat voor dit soort dingen niet gold.

Zijn ouders stonden al in de grote hal van de school en ze leken er net zo verloren als twee brugklassers die er voor het eerst waren.

'Kom, deze kant op,' wees Jesse. Grappig dat hij hier beter de weg wist dan zijn ouders.

Het was in bijna alle lokalen donker, behalve in dat van Wissel. De deur stond open en Wissel stond op zodra hij hen zag. Met uitgestoken hand liep hij op Jesses ouders toe.

'Wat leuk om u weer te zien!'

Hij knikte naar Jesse. 'Goedemiddag, meneer Van Gent,' zei hij met een knipoog.

'Gaat u zitten.'

Wissel had drie stoelen voor hen klaargezet. Onwennig schoven Jesses ouders in hun jassen op een stoel.

'U hebt het rapport van Jesse al bekeken?' Wissel schoof het hun voor de zekerheid nog even toe. Jesses vader boog zich erover. Hij knikte, hij had de cijfers immers al van mam gehoord.

'Wat vinden jullie ervan?'

'We zijn ervan geschrokken,' flapte mam eruit. 'Hij werkt

zo hard en ik had gedacht dat hij betere cijfers zou halen.'

'Heeft Jesse u de cijfers wel verteld?'

'Natuurlijk!' Trots keek zijn vader even naar hem. 'Maar als je alle cijfers op een rijtje ziet, dan valt het toch een beetje tegen.'

'Daar zegt u nu precies hoe het zit. Het valt een beetje tegen. Meer dan dat is het niet. Mijn collega's hebben het idee dat Jesse hard werkt, dus daar ligt het niet aan. Het zou kunnen dat hij niet op de goede manier werkt, maar het zou ook kunnen dat het tempo voor hem aan de hoge kant ligt. Dat moeten we de rest van het jaar nog eens rustig bekijken. Hij kan nu in ieder geval steunles Frans krijgen. Dat is elke donderdag het zevende uur. Het lijkt me verstandig als je daar voortaan heen gaat.' Wissel keek Jesse vriendelijk aan.

'Mevrouw Prenger kan dan met je kijken of je aanpak wel goed is. En ik wil samen eens met je kijken naar Engels, hoe je dat aanpakt. Kom maandag maar met je agenda, dan maken we een afspraak.'

'En als het tempo nou te hoog voor hem ligt?' vroeg Jesses moeder en haar stem klonk vreemd.

'Dan zou Jesse misschien beter op z'n plaats zijn in vmbo-t, maar het is nog veel te vroeg om dat te zeggen,' zei Wissel. 'Als hij in de loop van het jaar zijn draai wat beter vindt, kan hij waarschijnlijk best naar 2 havo.'

Even later liepen ze met zijn drieën door de stille gang. Geen van hen zei wat. Pas toen ze buiten kwamen, zei zijn vader: 'Je fiets kan wel achterin en die van mam ook. Dan kunnen we gezellig met zijn drieën terugrijden.'

'Ik werk echt heel hard!' zei Jesse toen ineens.

'Natuurlijk werk je hard. Keihard,' zei zijn moeder en ze sloeg een arm om hem heen. 'Ik vind dat je het geweldig doet. En het komt vast allemaal goed.'

Ze gaf hem een kus op zijn wang. En zijn vader gaf hem een stomp tegen zijn arm.

'Het belangrijkste is dat je je best doet en dat je het naar je zin hebt. Verder maakt het voor ons niks uit.'

'Goed,' zei Jesse en hij slikte. Zelf was hij nog niet zover.

JESSE
Spiekbriefje

Dat rapport en het gesprek met Wissel hadden er bij Jesse wel ingehakt. Hij was er erg onzeker van geworden. Zou hij de enige zijn geweest met zo'n rapport of zouden meer kinderen een tegenvallend rapport hebben?

Met Chris had hij hun rapport niet besproken, maar het was wel duidelijk dat zijn cijfers prima waren. Zo blij was hij met zijn rapport geweest. Daarnet had hij tijdens het fietsen nog eens gevist hoe het met Kees zijn rapport zat.

'Echt geweldig is mijn rapport,' had Kees opgeschept. 'Mijn ouders zijn hartstikke trots op me. Misschien kan ik nog wel naar de havo met zulke fantastische cijfers.' Jesse had niets meer gezegd en ook niet over zijn eigen rapport verteld. Kees zou het maar al te mooi vinden als zijn geweldige Cito-score van vorig jaar toch een vergissing bleek te zijn.

Hij was vanmiddag vroeg uit en zat in zijn eentje in de kamer. Zijn moeder stond vanmiddag op de markt. Jesse keek naar buiten. Zielig voor haar. Het sneeuwde behoorlijk en hij wist van het fietsen hoe koud het was.

Vóór hem lag zijn wiskundeboek. Morgen een toets. Stel je voor dat hij nu ook een slecht cijfer voor wiskunde haalde... Al die x'en en y's... Dat was toch belachelijk? Waarom konden ze niet gewoon met cijfers rekenen, net als vorig jaar?

Hoe moest hij dit leren? Van Kleef had gezegd dat hij de samenvatting moest snappen en kennen. De sommen uit het hoofdstuk kon hij nog eens maken als oefenstof.

Zuchtend sloeg hij de samenvattingpagina op. Hardop las hij de formules die daar stonden, steeds maar weer. Daarna legde hij zijn hand erop en hij probeerde uit zijn hoofd te herhalen wat er stond. Geen idee. Het was alsof zijn hoofd een zeef was.

Hij pakte een kladblaadje en hij schreef de formules erop. Met dat blaadje erbij maakte hij de oude opgaven nog een keer. Tot zijn verbazing ging dat eigenlijk heel goed. Zou dat komen doordat hij ze al eens gemaakt had, of zou hij het nu gewoon snappen?

Als hij morgen dat kladblaadje erbij kon houden, zou het geen enkel probleem zijn... Hij staarde naar het blaadje. En toen trof hem in één keer een vreselijke gedachte. Hij kon een spiekbriefje maken met de formules erop... Onwillekeurig schudde Jesse zijn hoofd. Nee, zo was hij niet. Maar nu de gedachte in zijn hoofd zat, ging die er niet meer uit. Steeds weer kwam het beeld van het spiekbriefje op, hoezeer hij ook aan iets anders probeerde te denken.

Als hij nu eens een héél klein briefje maakte? Hij pakte een kladblaadje en hij schreef de formules keurig onder elkaar. Daarna knipte hij het blaadje zo klein mogelijk. Kritisch bekeek hij het van een afstand, zoals een kunstenaar naar zijn schilderij keek. Nee. Te groot. Hij schreef de formules nog eens op, maar nu kleiner. Weer knipte hij het blaadje af en bekeek het. Nee. Nog steeds te groot.

Met zijn tong uit zijn mond schreef hij de formules nu zo klein als hij kon. Ze waren bijna onleesbaar nu. Hij knipte de randen van het blaadje af. Ja, zo was het goed. Met dichtge-knepen oogleden las hij de formules zorgvuldig. Hij kon het nog prima lezen, zo. Maar waar moest hij het laten? Het moest zo goed verstopt worden, dat Van Kleef er niets van zag. Los in zijn etui? Nee, dat was te riskant. Uiteindelijk besloot hij het in een ballpoint te verstoppen. Hij draaide de pen los en rolde het blaadje om de vulling. Nu schroefde hij de verstop-plaats dicht. Onzichtbaar zo! Achter de rug van degene die voor hem zat, kon hij de pen onopvallend weer uit elkaar ha-len op het goede moment.

Hij pakte zijn agenda. Voor morgen moest hij ook nog een berg Frans maken. Dat ging hij nu maar doen.

Het eerste uur hadden ze meteen de wiskundetoets. Omdat het glad was, had Jesse niet zo hard kunnen fietsen als anders. Op het nippertje glipte hij het lokaal in. Van Kleef was de blaadjes voor de toets al aan het uitdelen.

'Ha, Jesse!' riep hij hem vriendelijk toe. 'Fijn dat je er toch nog bent. Je kunt de toets natuurlijk altijd inhalen, maar het is het prettigste om hem meteen mee te kunnen maken.'

Jesse schoof op zijn vaste plek bij wiskunde: de derde bank van achteren in de middelste rij naast Chris. Pas toen hij zat, merkte hij dat de plaats vóór hem leeg was.

'Is Vera er niet?' fluisterde hij paniekerig tegen Chris. Die keek hem verbaasd aan.

'Die had gisteren ook al griep. En ze was vanmorgen vast ook niet bij jullie fietsgroep.'

Stom! Jesse kon zich wel voor zijn hoofd slaan. Hij had het een nog geen moment met het ander in verband gebracht. Natuurlijk wist hij dat Vera ziek was, maar nu pas zag hij dat er vóór hem zo'n opvallend gat ontstond.

Gisteren bij het maken van zijn spiekbriefje had hij zich in gedachten achter de veilige rug van degene vóór hem verscholen. Maar dat dat uitgerekend Vera zou zijn... Niet aan gedacht. Het zou nu dus nog een hele kunst worden om het onopvallend uit zijn pen te wurmen.

'Alles van tafel behalve je pen,' zei Van Kleef en hij deelde het blad met de opgaves uit. Hier en daar klonk nog een zucht of een verschuivende stoel, maar toen werd het doodstil in het lokaal.

Jesse trok het blad naar zich toe en las de eerste opgave. Op dat moment verscheen het spiekbriefje zo helder in zijn gedachten, dat het leek alsof het vóór hem lag. Meteen wist hij welke formule hij hier moest toepassen.

Een beetje verrast door de vreemde gebeurtenis werkte hij rustig de opgave uit. Vervolgens las hij de volgende opgave en daarbij gebeurde precies hetzelfde. Hij werd er helemaal vrolijk van. Geweldig, zo'n spiekbriefje! Dit was wel de veiligste manier om het te gebruiken. Bijna grinnikend maakte hij de derde opgave.

Van Kleef schoof zijn stoel naar achteren en begon langzaam door het lokaal te wandelen met zijn handen op zijn rug. Af en toe bleef hij bij een leerling staan om het werk ervan te bekijken.

Toen hij bij Jesse was, vroeg hij fluisterend: 'Lukt het?' Hij was natuurlijk extra vriendelijk omdat Jesse een gesprek met Wissel had gehad.

Jesse keek op en knikte. Hij merkte dat hij breed glimlachte. Meneer Van Kleef legde even zijn hand op zijn schouder.

'Fijn dat wiskunde je sterke vak is!' Toen liep hij gelukkig weer door, anders had hij gezien dat Jesse bijna in de lach schoot. Hij moest eens weten!

Na de toets voelde Jesse zich beter dan hij in dagen gedaan had. Met de spiekbriefjespen in zijn broekzak ging hij naar de wc voordat het volgende uur begon. Toen hij de deur goed op slot had gedaan, haalde hij de pen uit elkaar. Het spiekbriefje zat nog keurig op zijn plaats. Nauwkeurig peuterde hij het eruit en bekeek het nog eens.

Grappig, het was alsof zijn hersens er een foto van hadden gemaakt. Het beeld in zijn hoofd was inderdaad precies hetzelfde als dat wat hij nu zag. Dat moest hij vaker doen, zo'n spiekbriefje maken. Alleen hoefde hij het niet meer zo ingewikkeld op te bergen en mee naar school te nemen. Het maken ervan was blijkbaar al genoeg.

Hij gooide het briefje in de wc en trok door.

Keurig waste hij zijn handen en liep de gang op voor de volgende les. Hij was er weer helemaal klaar voor!

Verbieden verboden

Ze stonden 's ochtends vroeg bij het tankstation in het donker met een stel op de rest te wachten. Isa rilde en dook diep
met haar neus in haar sjaal. Het was koud. Nu het winter was,
viel het fietsen haar zwaar. Vooral als het regende of waaide.
Eén keer was ze onderuitgegaan, toen had ze helemaal niet in
de gaten gehad dat het glad was. Ze had zich behoorlijk be-
zeerd toen.

'Zijn we er allemaal?' vroeg Jesse.

Die Jesse, dacht Isa. Hij was altijd degene die vroeg of ze er
allemaal waren. Ze telde de groep kinderen om zich heen. Als
ze met negen waren, konden ze vertrekken. Maar Lisa was er
nog niet, en Kees ook niet.

Isa keek naar Jesses grote gestalte. Hij zag er niet uit of hij
last had van de kou. Het zou wel schelen als je groot en stevig was, dacht ze. Jesse is leuk, dacht ze ook. Dat vond ze al
een tijdje. Niet zo stoerdoenerig als de jongens uit haar klas.
Die konden een kabaal maken, daar baalde ze wel eens van.
Ze zaten altijd aan elkaar en onophoudelijk waren ze aan het
geinen en stoeien, trekken en duwen. Bah, jóngens!

'We krijgen sneeuw vandaag!' zei Vera.

'Echt?' Isa veerde op uit haar sjaal. Dat zou leuk zijn! Ze keek
omhoog, maar in het donker was er natuurlijk niets te zien
van het wolkendek.

Kees was er inmiddels en daar kwam Lisa ook. Ze ging bij

Isa staan. Zij tweeën fietsten nog altijd naast elkaar. Het startsein kwam van Vera: 'We kunnen!'

Ze waren vrolijk vandaag, en schreeuwerig. Dat verschilde van dag tot dag, andere keren legden ze zo goed als zwijgend de weg naar de stad af.

Het was nog altijd niet echt licht toen ze het plein op reden. 'Niet op het plein fietsen!' werd hun toegeroepen door een leraar die bij het hek stond. Ze wisten best dat die regel bestond, maar het was niet eerder gebeurd dat daar iemand stond om hen erop te wijzen. 'Afstappen!'

Ze deden braaf wat hun gevraagd was en liepen met de fiets aan de hand naar het fietsenhok. Zoals iedere dag hadden ze nog wel even tijd om in de kantine op te warmen voor het eerste lesuur begon. Het was het enige moment op school dat Isa nog met de kinderen van haar oude groep 8 doorbracht, op Lisa na dan. In de pauzes stond Isa meestal bij de kinderen van haar eigen klas.

De eerste bel maakte dat ze in beweging kwamen, elk naar hun eigen lokaal. De uitgelaten stemming zat er nog steeds in. Ook klas 1c was drukker dan normaal. Isa had het gevoel dat ze ergens op wachtten, op iets leuks of zo, zoals ze vroeger in afwachting was van de komst van Sinterklaas. Daarom had ze meer moeite dan anders om zich op de les te concentreren.

Nu werd hun klas sowieso drukker. Net of ze meer durfden. Ze deden wel eens andere dingen onder de les, stiekem huiswerk maken, sms'en of briefjes naar elkaar schrijven, en ze kletsten ook meer.

Toen de bel voor de eerste pauze ging, leek dat wel het startsein voor een wedstrijd. Ze propten hun boeken en schriften in hun rugzakken, dromden het lokaal uit en renden over de gang richting kantine.

'Ja hoor, piepers! Hebben ze het nu nog niet afgeleerd? Niet rennen, brugjes!' hoorde Isa in het voorbijgaan een paar lange lummels zeggen. Daar luisterden ze dus niet naar.

Maar verderop stond een leraar: 'Ho, ho! Rustig aan! Niet rennen!'

Ze schakelden een versnelling terug en liepen snelwandelend verder. In de kantine was het al zo druk, dat het Isa ineens tegenstond. Vooral omdat ze niet zo groot was, had ze een beetje moeite met die kantine vol lijven.

'Zullen we vast naar boven gaan?' stelde ze voor. 'Dan gaan we in de gang bij wiskunde zitten.'

Daar, vlak na de klapdeuren, lieten ze zich op de grond zakken met hun rug tegen de verwarming. Nog lekker warm ook!

Maar hun geluk duurde niet lang. Van Kleef kwam eraan.

'Wat doen jullie hier? Je mag hier niet zitten, meiden. Gaan jullie naar beneden?'

'Maar meneer, het is zo vol in de kantine!' protesteerde Isa.

'En wij hebben straks wiskunde van u, dan moeten wij hier toch zijn!' voegde Rachida eraan toe.

Maar Van Kleef was onverbiddelijk. 'Sorry meiden, het is verboden om in de pauze in de gang te zitten. Moven!'

Nog tegensputterend liepen Isa en Rachida met de leraar mee naar beneden. Voor de tweede pauze hadden ze een andere oplossing bedacht. Ze trokken hun jassen aan en gingen naar buiten, een blokje om naar het winkelcentrum. Isa had geld bij zich. Konden ze mooi wat lekkers kopen.

Maar er hing een briefje op de deur van de super: 'Verboden voor leerlingen tussen 10.50 en 11.05 uur en tussen 12.45 en 13.10 uur.'

'Nou ja! Wat is dit!' zei Rachida.

'Wat stom! Mag er niks meer tegenwoordig?' Ook Isa was verontwaardigd.

'Willen ze niks verdienen of zo?' vroeg Rachida zich af.

Maar Isa had wel een idee. Er kwamen te veel leerlingen in de pauzes in de supermarkt en wat kochten ze? Een zak chips of een zakje snoep en één blikje cola. Of ze jatten dat. Die veroorzaakten meer overlast in de winkel dan dat men er wat op verdiende.

Rachida haalde een pakje kauwgum uit haar jaszak. 'Kijk, ik heb dit nog.'

Ze liepen terug. Heel voorzichtig begon het te sneeuwen.

'Yes!' juichte Isa. 'Vera had gelijk!'

Er waren meer kinderen deze pauze naar buiten gegaan. Zeker ook vanwege de beginnende sneeuw. Op het plein zagen ze een aantal van hun klasgenoten ergens naar kijken. Nieuwsgierig liepen ze ernaartoe. Een stel jongens was aan het stoeien. Of was het vechten? Het ging er wel heel serieus aan toe. Dat lokte natuurlijk ook de surveillerende leraren. Die braken de kring open en bevalen de jongens uit elkaar te gaan. 'Niet vechten!' riep een leraar die Isa niet kende met een zware stem.

'Wat is hier aan de hand?' vroeg de ander.

De kemphanen stonden tegenover elkaar en moesten hun verhaal doen, maar Rachida trok Isa weg. 'Kom mee, jongensgedoe, niet interessant.'

Het zette door, de sneeuw. Het volgende lesuur, Engels, kon Isa haar ogen niet van dat prachtige dwarrelen afhouden. Ze vergat dat ze voorzichtig moest zijn met de kauwgum in haar mond.

'Isa!' klonk het algauw. 'Géén kauwgum in de klas! In de prullenbak ermee!'

Het was een sport om het zo lang mogelijk in je mond te houden vóór je betrapt werd. Nu had ze te opvallend haar kaken bewogen. Ze stond op om naar de prullenbak te gaan. Tijdens het lopen voelde ze weer dat ze naar de wc moest. Had ze net in de pauze moeten doen natuurlijk, maar toen had ze geen tijd. Kon ze het nog een uur ophouden?

'Mag ik wel even naar de wc, mevrouw?' vroeg ze toen ze haar kauwgum uitgespuugd had. Ze stond nu toch al bij de deur.

'Nee, niet nu, de pauze is net geweest. Ga zitten, Isa.'

Isa trok een gezicht. 'Ik was het vergeten en zo lang houd ik het niet uit!'

'Daar moet je dan maar op tijd aan denken!'

Mevrouw Tilborg bleef weigeren en dus ging Isa maar weer zitten. Ook nu was het onrustig in de klas en de waarschuwingen waren niet van de lucht.

'Niet drinken! Doe die flesjes eens weg! Jongens, de pauze is voorbij!'

'Niet samenwerken! Je moet deze oefening zelf maken, het is géén groepswerk, dames en heren.'

'Niet praten! Klas 1c, ga stil aan het werk. Niet praten!'

Het laatste uur hadden ze een s.o. Nederlands. Onverwachts. Maar de sneeuw trok Isa's blik.

'Niet spieken, Isa, ogen op je eigen blaadje!'

Verontwaardigd keek Isa meneer De Waal aan. 'Ik keek helemaal niet af, meneer! Ik keek naar buiten!'

'Ik kan niet zien waar jij je blik op richt. Opzij kijken is een verdachte richting,' was het antwoord van de leraar.

Isa haalde geïrriteerd haar schouders op. Niet dit, niet dat! Wat mocht er nog wél?

'Je hoort aan het werk te zijn,' voegde De Waal eraan toe.

Ja, dat was het enige wat mocht in deze school: werken!

Maar aan al het werk kwam een eind. De verlossende bel joeg hen naar buiten en niemand die riep: niet rennen! Er lag nu echt een pak sneeuw! Eindelijk! Als een stel jonge honden dat te lang binnen is gehouden, dolden ze door de sneeuw. Daar vloog de eerste sneeuwbal door de lucht. De hele klas deed mee.

Pats! Raak! Pats! Yes!

Daar kwamen Lisa, Vera, Jesse en de rest van 1b naar buiten. Klas tegen klas werd dat! Isa's wangen gloeiden van opwinding. Ze schepte de sneeuw met blote handen, maar voelde geen kou.

Rachida trok aan Isa's mouw. Kijk, wees ze.

Een aantal van hun leraren kwam naar buiten. Van Kleef, van wie ze niet in de gang mochten zitten, Tilborg van het kauwgum- en het wc-verbod en De Waal, die dacht dat ze spiekte, waren erbij.

Wie was er begonnen? Later zou Isa dat niet kunnen bedenken, maar ineens waren ze met zijn allen de leraren aan het bekogelen. Samen met klas 1b. En als Van Kleef, De Waal en Tilborg en hun collega's het nu maar sportief hadden opgevat en sneeuwballen terug hadden gegooid, waren ze er niet zo lang mee doorgegaan. Maar nu deden ze dat wel en de leraren gingen terug de school in om een veilig moment af te wachten. Wauw! Ze konden de leraren tegenhouden met hun sneeuwballen!

Uitgelaten lachten ze naar elkaar. Dit was kicken! Ze werden steeds fanatieker. Leerlingen lieten ze door, met slechts een enkele sneeuwbal in hun nek of tegen hun rug, de leraren niet. De dappere man of vrouw die de school probeerde te verlaten kon rekenen op een stevig salvo van sneeuwballen.

Ineens liepen er toch leraren achter hen het plein af.

'Hé kijk, ze ontsnappen via de achterdeur!' werd er geroepen. 'Kom op, 1b, wij gaan daarheen!'

Zo verspreidden ze zich, maar toen kwam de rector zelf voor de deur staan, veilig achter glas, met twee opgeheven handen. 'Geen sneeuwballen! Geen sneeuwballen!' Ze konden zien dat zijn lippen die woorden vormden. Ze konden het ook horen nadat hij de deur op een kier opendeed. 'Geen sneeuwballen! Verboden sneeuwballen te gooien!'

Hij kwam naar buiten. Een enkeling durfde nog te gooien, maar er werd niet meer raak gegooid. Te riskant.

Nu was het voor iedereen verstaanbaar. 'Als het zo moet, dan komt er een algemeen verbod. Geen sneeuwballen gooien! Begrepen? Geen sneeuwballen!'

Hij wuifde dat ze weg moesten gaan. Mopperend verspreidden ze zich. Nog één eenzame sneeuwbal vloog door de lucht.

Isa was boos. Ze begon te foeteren: 'Geen sneeuwballen!

Niet rennen! Niet praten! Niet naar de wc! Niet op de gang! Niet kauwgummen! We mogen niks! Alles is verboden! Dat verbieden moest verboden worden!' Isa stampte eens flink in de sneeuw.

Lisa sloeg troostend haar arm om haar heen. 'Die leraren hebben gewoon geen gevoel voor humor,' zei ze. 'Weet je wat je wel mag? Door de sneeuw naar huis ploeteren. Dus spaar je energie!'

ISA

Gek werd ze ervan

'Weet je het zeker?' Isa's vader boog zich met een bezorgd gezicht over Isa heen en voelde aan haar voorhoofd.

Ja, Isa wist het zeker. Na vier dagen op de bank wilde ze wel even op.

'Je gloeit inderdaad niet meer zo. Maar misschien moeten we eerst even tempen...'

'Nee, dat moeten we niet!' Isa gooide het dekbed van zich af, dat op de grond gleed. Ze kwam overeind en wachtte tot de duizeling voorbij was. Ze had vier dagen onder haar dekbed liggen rillen van de koorts terwijl al haar spieren pijn deden en haar hoofd bonkte. Gek werd ze ervan. Nu voelde ze zich voor het eerst weer wat beter.

'Wacht, ik haal warme kleren voor je.'

Nou, vooruit. Braaf trok Isa de joggingbroek en de warme sokken aan die haar vader uit haar kast had geplukt.

'Wat ga je doen?' vroeg hij.

'Even msn'en?'

Haar vader lachte. 'Doe dat nou maar niet.'

'Waarom niet? Ik heb niemand gesproken al die tijd.'

'Eerst maar wat anders doen,' hield haar vader voet bij stuk.

Hij volgde haar met zijn blik tot Isa aan de tafel zat. Net of hij in de startblokken stond om haar op te kunnen vangen als ze zou vallen. Maar het ging best, hoor!

'Dan ga ik tekenen.'

Hij pakte de kleurpotloden en het tekenblok en legde dat voor haar op tafel. Wel mooi dat je bediend werd, als je ziek was. Ze snifte. 'Geef je m'n zakdoekjes ook even aan?'

'Ja, hier. Gaat het wel?'

Isa schudde voorzichtig met haar hoofd. 'Jawel.'

'Dan ga ik naar boven, de was ophangen. Als er iets is, roep je maar.'

'Ja, ik ben geen klein kind meer,' mompelde Isa.

De potloden zagen er behoorlijk verwaarloosd uit. Dat kreeg je als je in de brugklas zat, al moesten ze voor mens en natuur wel eens een opdracht maken met een potloodtekening erbij. Isa begon ermee alle punten scherp te slijpen en sorteerde ze op kleur, dat zag er veel mooier uit in de doos. Goh, nu leek het net een beetje vakantie, omdat ze thuis was op een doordeweekse dag. Maar het was geen vakantie, ze had griep.

Een meisje uit haar klas had pfeiffer en die bleef nogal eens 's middags thuis. Isa had wel eens jaloers naar haar gekeken als ze wegging: het leek haar ook wel wat om 's middags thuis te zijn! Even niets moeten... Maar ziek zijn was helemaal niet leuk, dat was ze eigenlijk een beetje vergeten. Ze had zich echt beroerd gevoeld, en ook al had haar moeder allemaal lekkere dingen in huis gehaald, ze lustte niets.

Maar nu ging het weer. Ze was nog maar een klein beetje beroerd en zat nu lekker te tekenen. Even niets hoeven... Wanneer was het eigenlijk weer vakantie? Ze waren nu ergens halverwege de kerst- en de voorjaarsvakantie, dus dat duurde nog wel even. En haar klasgenoten... Het was donderdag vandaag. Even kijken, welk uur? Het vierde was bezig. Haar klasgenoten maakten nu het proefwerk wiskunde.

En toen kwam het onvermijdelijke boven: niets hoeven? Eigenlijk moest ze heel veel. En als ze beter was, moest ze nóg veel meer... Ze had deze week twee proefwerken en twee s.o.'s gemist: die moest ze allemaal inhalen, natuurlijk. En voor volgende week stonden er ook een paar in haar agenda, voor welke vakken wist ze niet uit haar hoofd. En dan moest ze inhalen wat ze gemist had in de les en haar huiswerk bijwerken...

Isa werd er draaierig van. Haar hoofd begon weer te bonken en haar armen en benen voelden ineens weer zwaar. Zo zwaar, dat ze het potlood in haar hand bijna niet meer kon optillen. O nee, hè. Isa duwde zichzelf kreunend omhoog, en strompelde naar de bank om zich onder haar dekbed te verbergen.

'Je moet jezelf wel de tijd geven om uit te zieken,' zei haar moeder die zaterdagochtend. 'Anders lig je zó weer onder de wol.'

'Daar heb ik helemaal geen tijd voor!' riep Isa paniekerig uit. 'Weet je wel wat ik allemaal moet doen?' Ze had net Rachida gebeld om het huiswerk over te nemen. Haar agenda stond barstensvol.

'Kun je dat niet overleggen met je mentor? Die snapt toch wel dat als je ziek bent, je dan niets kunt doen?'

'Maar ik ben nu niet ziek meer!'

Haar moeder fronste haar wenkbrauwen. 'Echt beter ben je ook nog niet. Lieve schat, je hebt de hele week nauwelijks iets gegeten.'

'Ik heb besloten dat ik beter ben,' zei Isa eigenwijs en ze

voegde eraan toe: 'Ik kan wel leren en eten tegelijk. Mam, ik móét voor school aan de slag.'

Haar moeder zuchtte. 'Af en toe snap ik niets van jou. De ene keer ben je almaar aan het uitstellen, en nu kan ik je niet tegenhouden.'

Isa ging naar haar kamer en maakte op haar bed stapeltjes van alle vakken. Allemaal bergen werk. Ze legde er plak-briefjes op, met 'huiswerk', 'proefwerk', 'inhaaltoets'. Dat leek haar een slimme methode. Maar ineens was ze niet meer zo zeker van zichzelf. Moest ze dat allemaal doen? Waarom moesten ze altijd zo veel doen voor school? Het was niet eer-lijk... Je had niet eens tijd om ziek te zijn, dat werd onmid-dellijk afgestraft omdat je daarna extra hard moest werken.

En waar moest ze beginnen? Eerst huiswerk inhalen? Eerst voor volgende week leren? Of toch beginnen met de gemiste proefwerken?

Ze staarde naar de boeken en schriften op haar bed. Dit kon een normaal mens toch niet aan...? Gek werd ze ervan, van die stapels... Hoe moest ze nu...? Veel liever wilde ze...

Benauwd draaide ze zich om. Haar bureau was leeg, op de kleurpotloden en het tekenpapier na. Zou ze even gaan teke-nen? Eventjes maar, om moed te verzamelen, en daarna ging ze echt aan het werk. Ze deed haar oortjes in en begon aan een nieuwe tekening. Een heuvelachtig landschap werd het, een tamelijk leeg landschap met kale bomen en struiken met tak-ken die vreemd misvormd omhoog kronkelden...

Later op de dag – Isa was net met Frans begonnen – kwamen Claudia en Rachida langs.

Help, dacht Isa, nu geen babbelbezoekjes! Ze had geen tijd voor vriendinnen!

'Ik was nog wat huiswerk vergeten,' zei Rachida. 'En we komen even kijken hoe het met je is.'

'Ja, of je alweer mee kunt doen aan onze opdracht voor M&M,' voegde Claudia eraan toe.

'Die moet maandag namelijk ingeleverd,' vulde Rachida aan.

Claudia knikte. 'Dat hadden we uitgesteld, weet je nog?'

'En nu dachten we,' zei Rachida, 'jij was ziek, dus laten we op jou wachten. We hebben nog niet veel gedaan.'

Isa keek hen aan alsof ze Chinees spraken. Of misschien hadden haar hersens nog koorts. Maar wat ze wel begreep: nog meer werk...

Claudia zag het kennelijk aan haar. Ze legde uit: 'Je weet wel, we moesten mensen uit de buurt ondervragen, verschillende mensen.'

'Uit verschillende bevolkingsgroepen,' verbeterde Rachida haar.

'Dat zeg ik,' zei Claudia. 'Over wonen in Nederland, hoe ze dat bevalt en zo. Hoe Nederlanders zijn en wat ze goed vinden aan Nederlanders en wat niet.'

Ja, dacht Isa, ze had vast nog koorts, haar buik en benen voelden weer zo pappig.

'Jullie zijn niet vast begonnen?' vroeg ze tegen beter weten in.

'Nou, we hebben nog niet veel gedaan,' gaf Claudia eerlijk toe.

'En Kees dan, die zat toch ook bij ons in de groep? Moet die er niet bij zijn?'

Claudia grinnikte. 'We hebben afgesproken dat Kees het verslag schrijft.'

'Dat leek ons geschikter,' zei Rachida ook met een giechel. 'Hij heeft ook de vragen gemaakt. Wij werken liever met z'n drieën. Toch?'

'Wij?' Isa schoof een paar van de stapels op haar bed opzij, zodat ze kon gaan zitten. 'O ja, wij. En wanneer wilden jullie dat precies doen?'

'Nu misschien?'

Grote goden, hoe kreeg ze dat allemaal af? Ze keek de meiden aan, die verwachtingsvol terugkeken.

'Lukt dat?' vroeg Claudia.

'Eh...'

Op dat moment riep haar moeder van beneden of ze thee wilden. Isa ging gretig in op deze ontsnappingsmogelijkheid. Slurpend van hun thee vertelden Claudia en Rachida over hun opdracht voor M&M.

'M&M? Welk vak is dat?' vroeg Isa's moeder.

Inmiddels was Isa's zusje Marije de kamer binnengekomen. 'M&M's? Wie heeft er M&M's? Die lust ik ook wel, lekker!'

'M&M 1 is geschiedenis, M&M 2 is aardrijkskunde,' antwoordde Isa. 'Geloof ik.'

'Nee, andersom,' dacht Claudia.

Rachida legde haar vinger op haar neus. 'Nee toch, ik dacht dat Isa gelijk had.'

'Maar waar staan die emmen dan voor?' vroeg Isa's moeder.

'Voor lekkere chocolade.' Marije was ook aan tafel komen zitten. 'Ik wil ook naar de brugklas!'

Rachida lachte. 'Mens en maatschappij.'

'En dat zijn dus twee vakken,' zei Claudia. 'Vroeger heetten ze aardrijkskunde en geschiedenis. En we moeten voor één daarvan dat werkstuk maken.'

'En voor welk van die twee is dit werkstuk?'

De meiden keken elkaar aan. 'Eh... welk vak was het ook alweer?'

Isa's moeder keek over de tafel naar Isa. 'Ik geloof dat Isa maar een briefje mee moet nemen naar school dat ze dit niet heeft kunnen afmaken omdat ze ziek was. Bovendien, Isa gaat nu de straat niet op. Het is akelig koud buiten!'

Isa knikte. Juist. Een mens kan niet alles. Zeker niet een mens die net ziek is geweest. Ze voelde zich vreselijk opgelucht.

Maar Claudia zei: 'Dan krijgen we nog steeds op onze kop omdat we alles hebben uitgesteld tot het laatste weekend. Ze gaan vast zeggen dat je er rekening mee moet houden dat iemand ziek kan worden.'

Isa keek geschrokken naar haar moeder. Die moest nu niet gaan zeggen dat het inderdaad hun eigen schuld was, dat was zó stom!

Maar Rachida was haar voor. 'Ik weet het!' riep ze uit. 'Als we onze ouders nu aan het werk zetten? We vragen ze gewoon om een paar van die vragenlijsten met verschillende antwoorden in te vullen. Jullie hebben autochtone ouders en ik allochtone. En als Kees er morgen een verslag van maakt, is het toch maandag af!'

'Dat is best een goed idee!' vonden Isa en Claudia.

'Ik help ook wel invullen,' zei Marije behulpzaam. 'Krijg ik dan M&M's van jullie?'

Maar Isa's moeder keek bedenkelijk. 'Daar leren jullie niet zo veel van.'

'Genoeg,' besliste Isa. 'En dan heb ik tenminste tijd voor inhalen en toetsen leren.'

'Zullen we je helpen?' stelde Claudia voor. 'Als Rachida nu je werkboeken voor je gaat overschrijven, help ik je met de toetsen. Ik zal wel zeggen welke vragen we hebben gehad.'

Plotseling voelde Isa zich stukken beter. Zo, en dan ging ze nu maar eens aan het werk. Dan kwam het allemaal wel goed. En de volgende keer dat ze ziek werd, zou ze dat beter plannen!

JESSE
Rozenservice

Ineens was het er, het kraampje in de hal. Jesse wist niet wanneer het er precies gekomen was. Er stond wel eens vaker een stand in de hal. Op 10 december was er een van Amnesty International geweest, omdat dat de dag was van de Rechten van de Mens. Wissel had hun er tijdens een mentoruur over verteld. Je kon bij het kraampje een handtekening zetten, maar Jesse had dat al in de klas gedaan tijdens het mentoruur.

Daarna was er een van Unicef geweest, daar kon je kerstkaarten kopen en de opbrengst was voor een goed doel. Jesse had zijn leven nog geen kerstkaart verstuurd en ook dit jaar had hij het niet gedaan. Dit soort kraampjes waren niets voor hem. En nu stond er dus weer een.

Het was Jesse pas opgevallen omdat er een enorme drukte was rond dit kraampje. Veel meer dan bij de eerdere stands. Wat had dit kraampje dat de andere niet hadden? Jesse besloot in de volgende pauze eens poolshoogte te gaan nemen. Met zijn broodtrommel ging hij op een van de plantenbakken zitten die vlak bij het kraampje stonden.

'Heb jij...?' Een paar giechelende meiden uit de vierde kwamen voorbij. 'Echt, voor Caspar? Vind je die leuk? Weet hij het? Dat jij hem leuk vindt?'

Jesse nam een hap van zijn brood. Waar ging dit over? Zou er een waarzegger achter dat kraampje zitten? Er verscheen weer een meisje, maar zij liep in haar eentje naar de kraam.

Ze keek steeds om zich heen, alsof ze bang was dat iemand haar kon zien. Jesse ging geïnteresseerd verzitten. Het meisje kreeg een rood hoofd zodra ze tegen de jongen achter het kraampje begon te praten. Daarna vulde ze een papiertje in en ze betaalde.

Jesse volgde haar met zijn ogen terwijl ze er weer wegliep. Had ze iets in haar handen? Iets lekkers? Nee. Waar had ze dan voor betaald?

De bel ging en Jesse was nog geen steek wijzer. Net toen ze bij biologie naar binnen gingen, tikte Chris hem op zijn schouder. 'Zeg jij tegen Hesbrink dat ik naar de ortho ben en er elk moment aan kan komen?'

Jesse knikte en Chris was al weer weg. Naar de ortho? Chris had een prachtig gebit en daar was geen beugel aan te pas gekomen. Veel tijd om erover na te denken had Jesse niet. Hesbrink stapte vlak na hem het lokaal in.

'Chris kan elk moment komen, hij is naar de ortho,' zei Jesse.

Hesbrink trok zijn wenkbrauwen op. 'Chris naar de ortho? Weer wat nieuws.' Hij trok de deur achter zich dicht en liep door naar zijn bureau. Daar klapte hij zijn tas open. Intussen zocht klas 1b rumoerig zijn plek op en haalde iedereen zijn boeken uit z'n tas.

Op dat moment glipte Chris naar binnen. Snel schoof hij naast Jesse en met één handbeweging legde hij zijn boeken op tafel. Met een schijnheilig gezicht keek hij naar Hesbrink.

'Zo, Chris, je gebit weer helemaal op orde?'

Chris antwoordde niet, maar bleef schijnheilig grijnzen. Hesbrink liet het er maar bij zitten en begon met de les.

'Wat was dat nou?' fluisterde Jesse zodra het kon.

'Straks!' siste Chris tussen zijn tanden door.

Pas na schooltijd kreeg Jesse meer te horen.

'Dat kraampje in de hal,' legde Chris uit terwijl ze naar de fietsenstalling liepen. 'Dat is voor valentijnsdag. Rozenservice. Zesdeklassers zorgen ervoor.'

'O.' Valentijnsdag had Jesse nog nooit geïnteresseerd. Dat was toch iets waar meiden zich druk over maakten? 'Wat heeft dat met de ortho te maken?'

Chris keek om zich heen, lachte verlegen en trok zijn schouders op. 'Valentijnsdag komt uit Amerika. Je kunt op die dag laten merken dat je verliefd op elkaar bent.'

Nu was het Jesses beurt om een rood hoofd te krijgen. Wat was hij af en toe toch langzaam van begrip!

'Van mijn zus weet ik,' ging Chris verder, 'dat de rozenservice op school sinds een paar jaar bestaat. Als je iemand leuk vindt, kun je die anoniem een roos laten bezorgen op VALENTIJNSDAG. Ik wilde niet dat iedereen het zag, dus daarom ging ik net aan het begin van de les naar het kraampje.'

Jesse keek Chris nu vol bewondering aan. 'Dus jij laat iemand een roos bezorgen op valentijnsdag?' Dat Chris dat durfde!

Chris trok zijn fiets uit het rek en knikte. 'Ik vind Claudia uit 1c al een tijdje leuk, dus eh...'

Jesse pakte zijn fiets en zwaaide zijn been over het zadel. 'Vindt ze jou ook leuk?'

Chris haalde zijn schouders op. 'Geen idee. Ik hoop maar dat ze het leuk vindt om een roos te krijgen. Heb jij niet iemand die je leuk vindt?'

'Nee!' zei Jesse net iets te snel. Een klein stukje fietsten ze samen op en toen scheidden hun wegen. 'Tot morgen!' riep Chris en hij fietste zijn straat in.

Bedachtzaam trappend reed Jesse de stad uit. 'Heb jij iemand die je leuk vindt?' De vraag van Chris echode na in zijn hoofd. Op de basisschool was hij nooit met dit soort dingen bezig geweest. Valentijn, iemand leuk vinden, geen seconde dat hij erover nadacht. En nu was het ineens niet meer belachelijk als een jongen dit soort dingen serieus nam.

De hele weg naar huis draaiden zijn gedachten rond in cirkels. Elke keer als hij zichzelf de vraag stelde welk meisje hij leuk vond, stuitte hij op een ondoordringbare muur in zijn hoofd. Alsof hij van zichzelf niet mocht weten op welk meisje hij viel.

'Er is een rozenservice op school voor valentijnsdag,' vertelde Jesse aan zijn moeder toen hij thuiskwam.

Ze was meteen heel enthousiast. 'Leuk! Dat hadden wij vroeger niet. Ga jij iemand een roos sturen?'

'Tuurlijk niet,' zei Jesse en hij werd rood.

Zijn moeder draaide zich om naar het aanrecht. Ze begon een prei te snijden. 'Nou ja. Je kunt natuurlijk ook een kaartje sturen. Je hebt van die speciale valentijnskaarten.'

'Dan moet je wel weten naar wie.' Jesse pakte zijn tas op. 'Ik ga huiswerk maken.'

Later die middag kocht Jesse een kaart bij de kantoorboekwinkel. Niet dat hij wist aan wie hij die zou sturen, maar gewoon, voor de zekerheid. Het was een handige kaart. Je hoefde er zelf niets op te schrijven. 'Ik vind je leuk...' stond er voorgedrukt op. Hij stopte de kaart in de envelop en daarna in zijn tas. Gebruiksklaar. Voor het geval dat hij ineens wel zou weten wie hij leuk vond.

De volgende dag was het valentijn. De school gonsde en zoemde. Overal werd er gegiecheld. Vanaf het tweede uur zouden de rozen bezorgd worden.

Chris zat onrustig te schuiven in zijn bank. 'Zou ze het stom vinden? Misschien had ik het niet moeten doen. Vindt ze me een watje dat ik een roos stuur.'

Hanna draaide zich ineens om. 'Heb jij iemand een roos gestuurd?'

Chris stamelde wat, duidelijk overvallen door deze directe vraag. Maar Hanna trok zich daar niets van aan. 'Elk meisje vindt het leuk om een roos te krijgen. Dat weet ik zeker. Ook al zou ze niet verliefd op je zijn. Het is toch een eer! Ik wou dat ik een roos kreeg,' zei ze er ineens verlegen achteraan. Meteen draaide ze zich weer om.

Chris haalde opgelucht adem en Jesse knikte in zichzelf. Dus zo zat het. Stom was het dus eigenlijk nooit.

In de pauze stormden alle klassen naar de aula. Iedereen wilde weten wie er nou eigenlijk een roos had gekregen of niet. Jesse en Chris gingen op zoek naar Claudia. Onopvallend natuurlijk, om haar gezicht te zien.

Claudia zat met Isa in een van de vensterbanken te kletsen. In haar hand had ze een grote rode roos, op haar wangen stonden blosjes.

'Weet je echt niet van wie?' vroeg Isa.

Jesse keek naar Isa's handen. Leeg. Zij had geen roos gekregen. Jesse voelde ineens een vreemde opluchting, die hij van zichzelf niet helemaal begreep. Isa? Die had toch gewoon bij hem op de basisschool gezeten?

'Hé Chris, Jesse, kijk!' Claudia's stem sloeg over en haar wangen werden nog roder. 'Ik heb een roos gekregen!' Ze keek Chris nadrukkelijk aan. Zou ze iets vermoeden?

'Leuk!' zei Jesse enthousiast. Hij probeerde de aandacht een beetje van Chris af te leiden. Misschien wilde hij niet dat Claudia het wist.

'Van wie zou die toch zijn?' zei Chris op een overdreven toon. Hij trok zijn wenkbrauwen vragend op en trok Jesse toen mee. Claudia en Isa barstten in gegiechel uit.

'Jij wou toch dat het anoniem was?' vroeg Jesse, zodra ze op gehoorsafstand waren.

'Nou ja.' Chris glimlachte. 'Ze moet het toch een keer weten?'

Jesse had nog een hoop te leren over de liefde. Dat was deze dagen wel gebleken. Hij dacht aan de kaart in zijn tas. En hij dacht aan Isa zonder roos. Bij de pilaar stond haar Eastpak, ver van haar en alle anderen. Achteloos slenterde hij erlangs. Hij zette zijn tas ernaast en bukte zich om zijn veter vast te maken. Toen liet hij de kaart in haar tas glijden. Onopvallend liep hij weer weg. En of hij haar echt leuk vond? Vast niet. Hij deed het voor de zekerheid en voor dat vreemde gevoel van opluchting daarstraks.

VERA

Een baaldag

Vera stond kwaad voor de spiegel die morgen. Haar gezicht stond op vijf voor half zeven. Ze had gewoon zomaar de pest in. Dit werd een dag van balen, zwaar balen, van shit en supershit. Ze voelde zich zo chagrijnig als een konijn op maandag, al had ze nog nooit een konijn op maandag ontmoet. In ieder geval wist ze het al van tevoren: het zou vandaag niet meer goed komen.

Dat had Vera de laatste tijd wel vaker, zo'n vaag dreinerig gevoel dat haar iets dwarszat en ze niet goed wist wat dat eigenlijk was. Dan had ze opeens nergens meer zin in, geen zin in school, maar ook geen zin om iets leuks te doen, geen zin in lachen en zelfs geen zin in huilen. Dan wou ze alleen maar hangen op de bank of niksen op haar kamertje. Soms overkwam haar dat, daar begon ze niks tegen.

Toen ze eenmaal met tegenzin op school was, was het al meteen raak. Berkman, haar leraar Nederlands, begon weer te zeuren over haar werkstuk. Ze had het al moeten inleveren, maar nu moest hij het toch binnen 24 uur van haar hebben, anders zou ze sowieso een dikke onvoldoende krijgen. Nou, dat zou moeilijk worden, want ze had er nog niets aan gedaan.

'Ja, dan leer je zelfstandig werken,' zei Berkman.

Nou ja zeg, zelfstandig werken, daar had ze helemaal niet om gevraagd! Dat hoefde van haar helemaal niet. Vera had als

273

onderwerp 'Carry Slee' genomen en dat mocht, al was het dan zogenaamd geen echte literatuur. Maar dat maakte Vera niets uit. Ze had haar boek *Spijt* gelezen en dat vond ze erg mooi en hartstikke zielig. Daarom was het toch gewoon een goed boek? Het ging over een jongen die op school zo erg gepest werd dat hij er zelfmoord van ging plegen. Kippenvel met tranen had zij ervan gekregen, echt waar. Wat kon zij er anders van zeggen dan dat ze het heus heel erg vond en dat pesten megastom is? Maar nee hoor, je moest uitzoeken wanneer Carry Slee geboren was en 'hoe haar ontwikkeling als schrijfster was geweest'. Wat had dat er nou mee te maken? Als zij een boek gaaf vond, dan was het toch ook gaaf? Punt uit.

In de pauze zat ze alleen aan een tafeltje voor zich uit te staren. Ze wilde nu met niemand iets te maken hebben. Ze had het even helemaal gehad. Toen de bel ging, nam ze opeens een stevig besluit: deze meid gaat vandaag toevallig niet meer aan deze rotschool meedoen. Deze meid piept er lekker tussenuit. Deze meid gaat mooi pleiten, weg uit deze troep. Net goed. Ze snoof haar neus op, haalde diep adem en stapte naar de fietsenstalling zonder op of om te kijken.

Ze tilde haar fiets uit het rek en ging ervandoor. Het maakte haar niet uit waar ze heen ging, als het maar ver van die kloteschool was. Vera trapte stevig door alsof ze bang was dat ze nog zou worden teruggehaald.

Ze nam de eerste de beste weg linksaf en reed zodoende het park in. Eigenlijk mocht je daar volgens de bordjes niet fietsen, maar ze had nu geen zin om zich aan bordjes of regeltjes te houden. Toch moest ze opeens heftig afremmen, want er trippelden een heleboel duiven op het pad. Ze belde nog wel, maar daar trokken die slome vogels zich niets van aan.

Aan de kant van de weg zat een oud dametje op een bank duiven te voeren. Ze had een veel te grote zwarte hoed op.

'Ja ja, ja ja,' lachte ze. 'Uitkijken voor overstekend wild hier, hoor. Ja ja, ze kennen me wel, de duifjes. Nietwaar, jongens? Ja ja, kom maar bij tante Sofie. Ja ja, van de gemeente mag ik jullie niet voeren, maar ik doe het toch. Ik laat me niet bepiepelen door regeltjes van meneer de burgemeester, daar ben ik te oud voor. Zo is het maar net. Vind je ook niet, kind?'

Vera stond het zo eens aan te kijken en vond dat vrouwtje tamelijk grappig.

'Zeker, mevrouw Sofie,' zei ze. 'Is het hier iedere dag zo druk met duiven en zo?'

'Sinds mijn man dood is wel,' zei tante Sofie. 'Ik kom hier al jaren met mijn voer. Ja ja, je moet toch wat als je alleen bent, dus die beestjes zijn blij toe.'

In de verte kwam een oud mannetje aangelopen met grijze piekharen die alle kanten op stonden. Hij had een lange wijde legerjas aan. Hij liep voortdurend in zichzelf te mompelen en te mopperen.

'Klerezooi,' hoorde Vera hem zeggen. 'Het is allemaal één grote klerezooi in dit klerepark met al die klereduiven. Wat moet je toch met die krengen van beesten, Sofie? Dat pikt maar en dat poept maar en zo brengen ze enge klereziektes mee! Jazeker, duiven zijn de ratten van de lucht en zo is dat. Afmaken die handel. Het is toch allemaal één grote klerezooi!'

'Gaat het een beetje, Henk?' vroeg tante Sofie vriendelijk. 'Doe je wel voorzichtig?'

Het mannetje Henk grijnsde breeduit tegen haar. Hij zei

nog één keer 'klerezooi' en daarna schuifelde hij vloekend en scheldend verder.

'Ach ja, die Henk,' zei tante Sofie tegen Vera. 'Hij heeft geloof ik een oogje op mij. Geef hem eens ongelijk. Maar hij heeft geen schijn van kans, daar is hij te chagrijnig voor. Moet jij trouwens zo langzamerhand niet eens op school aan?' vroeg ze opeens. Vera schrok en tante Sofie zag dat.

'Ja ja,' zei ze, 'ik zag het wel aan je ogen toen je aan kwam fietsen. Jij bent aan de spijbel. Geeft niet, moet kunnen, kan gebeuren. Iedereen heeft recht op een rotdag, net als Henk, al maakt die wel van iedere dag een rotdag. Dat vind ik een beetje overdreven.'

Vera voelde zich betrapt maar toch moest ze lachen om die grappige mevrouw, tante Sofie.

'Ik, eh... moet maar weer eens verder... Ik bedoel...' hakkelde ze. 'Ik moet nog wat doen, in verband met mijn werkstuk. Over Carry Slee, begrijpt u? Ja. Dus. Dan ga ik maar. Doei!' Vlug fietste ze weg. De duiven koerden toen ze omkeek. Tante Sofie wuifde haar na.

VERA
Ali C.

Als vanzelf kwam Vera in de buurt van het winkelcentrum. En omdat het begon te motregenen ging ze de droge Hema maar eens in.

Binnen was niet veel te beleven, zo op een doordeweekse dag. De verkoopsters leunden verveeld tegen de schappen, keken aandachtig naar hun nagellak en kwebbelden wat met elkaar.

Vera keek wat wezenloos om zich heen, toen ze opeens bij de afdeling snoep een joch zag dat bezig was met jatten.

Hij had een grote puntzak vol geelroze spekkies gepakt en stak die gauw onder zijn zwartleren jack. Hij keek even snel om zich heen en zag Vera staan kijken, maar hij trok zich niets van haar aan.

'Wat sta je nou te kijken?' zei hij brutaal tegen haar. 'Heb ik soms wat van je aan of zo?'

Hij had best een leuk gezicht met felle donkere ogen en zwart stekeltjeshaar.

'Is dat wel goed wat je aan het doen bent?' vroeg Vera maar eens.

'Bemoei je er niet mee!' riep hij. 'Als jij zo nodig een spekkie moet, jat je het zelf maar.'

Vera zei niets meer. Ze pakte resoluut de puntzak onder zijn jack vandaan en stak die bij zich.

'Hier met die puntzak, zak,' beet ze hem toe.

'Jij bent zelf een puntmuts, muts!' schreeuwde hij. 'Dat is mijn snoep!'

Een van de verkoopsters kwam op het lawaai af.

'Kan ik misschien ergens mee helpen?' vroeg ze slijmerig.

'Bemoei je er niet mee, ik ben namelijk met deze dame hier in gesprek,' zei de jongen.

Vera vond dat wel om te lachen, maar de verkoopster vertrouwde het niet helemaal.

'Zeg eens, bijdehandje,' zei ze. 'Je bent hier toch geen snoep aan het stelen? Daar houden wij hier helemaal niet van.'

'Ik een dief?' riep de jongen. Hij hield zijn jack open. 'Zie ik er als een dief uit? Niet toch? Nou dan!'

Het lukte hem om onschuldig te kijken. Maar de verkoopster trapte er niet in.

'Ik ken jou langer dan vandaag,' zei ze. 'Dus oprotten jij, wegwezen jij. Nu!'

Nog voor hij kwaad kon worden, pakte Vera hem bij de arm en nam hem mee. Bij de kassa haalde ze de zak spekkies tevoorschijn, legde die op de lopende band en betaalde hem.

'Zo doe je dat dus,' zei ze toen ze buiten stonden. 'Ik begin langzamerhand honger te krijgen. Zullen we alles samen op dat muurtje daar gaan opeten?'

Er was daar een speelterreintje met een klimrek dat er verlaten bij stond, nu alle kinderen op school zaten – behalve zij tweeën dan.

'Moet jij niet op school zijn vandaag?' vroeg Vera.

'Moet je horen wie het zegt,' zei de jongen. Daar had Vera niet van terug. Ze waren duidelijk collega-spijbelaars, dat begreep ze wel.

'Weet ik veel,' ging hij door. 'Ik had nou eenmaal de smoor in. Nou, dan heb je de behoefte om snoep te vreten.' Hij pakte nog een spekkie en ging met volle mond verder.

'Ik heb gewoon mijn Cito-toets verknald. En nou moet ik naar het vmbo. En nou is mijn vader kwaad omdat ik niet genoeg mijn best heb gedaan, zegt hij. Want hij wil dat ik advocaat word, met een vette Mercedes, maar daar moet je vwo voor hebben. Voor mij hoeft dat niet, advocaat worden, hoor. Ik vind het al mooi zat om alleen maar een doodgewone astronaut te worden. Dat moet toch kunnen?'

'Dan wórd je toch astronaut?' troostte Vera hem. 'Je moet niet worden wat je ouders willen, maar wat je zelf wil. Een astronaut moet toch kunnen sleutelen aan zijn ruimteschip? Nou, dat leer je op het vmbo en niet op het vwo volgens mij.'

Even keek ze hem aan. Deze jongen zou dus volgend jaar al een brugpieper zijn. Dat had ze helemaal niet van hem gedacht. Maar ze herinnerde zich nu van groep 8 dat de jongens in haar klas toen ook allemaal kleiner waren dan de meisjes. Lang geleden was dat eigenlijk, de basisschool.

'Als ik je nou vertel dat ik Vera ben,' zei ze, 'hoe heet jij dan?'

'Ik ben Ali B.,' zei de jongen. 'Wist je dat niet?'

'Ik geloof er niks van,' zei Vera.

'Nou goed, dan heet ik Ali C.,' zei hij. 'Maakt mij niet uit.'

Ze aten zwijgend de laatste spekkies op. Ali C. probeerde het in elkaar gefrommelde zakje in de vuilnisbak te mikken. Mis. De tweede keer lukte het hem wel. Vera applaudisseerde. In de verte kwam een dikkige knul aangeslenterd, baseballpetje met de klep naar achteren, Ajax T-shirt en expres afgezakte spijkerbroek.

Hij bekeek ze toen hij dichterbij was, bleef wijdbeens voor ze staan en riep ten slotte naar Vera: 'Hallo schatje, ga je lekker?'

'Wie is dat?' vroeg Ali C. jaloers.

'Ik zou het bij god niet weten,' mompelde Vera. 'Laten we maar een beetje gaan moven.'

Ze liepen weg en stapten stevig door zonder om te kijken. Maar die knul kwam toch achter ze aan.

En toen hij vlakbij was, kneep hij Vera zomaar in haar billen!

Razendsnel draaide zij zich om. 'Handjes thuis, klootzak!' riep ze.

'Waarom zou ik?' vroeg die knul met een grote grijns.

'Het zijn míjn billen,' riep ze. 'Die zijn voor afblijven!'

Nu ging Ali C. zich er ook mee bemoeien.

'Blijf jij wel even van mijn verloofde af,' zei hij dreigend. 'Kijk uit hoor, nog één woord en ik ruk die rotkop van je lijf.'

'Wat nou?' zei de knul.

Ali C. schopte tegen zijn schenen, zo hard als hij kon.

'Effe dimmen jij, onderdeurtje!' riep de knul. Maar hij liep wél weg.

'Oef!' zuchtte Vera. 'Bedankt zeg.'

'Graag gedaan,' zei Ali C. alleen maar.

'Ik bedoel meer...' zei Vera. 'Ik heb nog nooit een echte man gehad die voor mij opkwam of zo. Jij bent de eerste, al ben je meer een jongetje dan een man.'

'Ach ja, zo gaan die dingen,' mompelde Ali C. verlegen. 'Logisch toch?'

Lachend gaf ze hem zomaar opeens een zoen op zijn wang.

Hij veegde hem meteen weg.

'Nou, dan ga ik maar eens op huis aan,' zei hij. 'Doei, see you!'

Hij liep het pleintje af en zwaaide nog eenmaal over zijn schouder, zonder om te kijken.

'Jij ook dikke doei!' riep Vera hem na.

Langzaam fietste ze naar huis. Onderweg moest ze telkens grinniken over de dingen die ze die dag had meegemaakt. Ze was er helemaal door opgekikkerd, en voelde zich niet chagrijnig meer.

VERA
Op het matje

'Zo, ben je daar?' zei haar moeder toen Vera thuiskwam. 'Hoe was het op school?'

'Ging wel,' zei Vera maar.

'Ze belden op van school,' zei haar moeder terwijl ze haar glas thee hard op de keukentafel zette. 'Ze vroegen zich af waar je was. Waar was je dan? Ik begon me al ongerust te maken.'

Vera kreeg een kop als vuur. Ze was er gloeiend bij.

'Nou?' vroeg haar moeder streng. 'Waar was je?'

Vera dacht even aan haar avonturen van de afgelopen dag en moest glimlachen. Maar het ging verder niemand iets aan wat er nu zo grappig aan was.

'Dat gaat je geen donder aan,' flapte ze eruit. Ze kon het niet helpen. Ze had niets schandaligs gedaan, niets waarvoor ze zich hoefde te schamen, maar dit was nu eenmaal iets wat ze voor zichzelf wou houden.

Haar moeder deed erg haar best om niet te laten merken dat ze kwaad was. Dat kon je wel aan haar zien.

Ze moesten in ieder geval diezelfde middag nog naar school voor een gesprek met Wissel. Over 'haar functioneren op het Max Havelaar' nog wel. Dat had hij tenminste gezegd. Ze gingen er meteen met de bus naartoe.

Onderweg bleef haar moeder maar vragen over haar gespijbel en Vera hield koppig haar mond.

Max Havelaar lag er intussen verlaten bij. Er was geen mens meer in de school behalve de conciërge en een enkele schoonmaker.

Wissel ontving ze in een kamertje waar Vera nog niet eerder was geweest. Er hing een vergeelde poster van de Eiffeltoren aan de muur en er stond een plastic nepplantje in de vensterbank. Vera's moeder hield haar jas aan, dus deed Vera dat ook. In de klas mocht je nooit je jas aanhouden, maar nu zaten ze daar zo aan een tafel tegenover Wissel te wachten op wat hij zeggen zou.

Hij legde keurig uit dat op een school als het Max Havelaar spijbelgedrag absoluut niet getolereerd werd. Als het regelmatig gebeurde, konden de ouders erop worden aangesproken, zei hij. De onderwijsinspectie kon erop afgestuurd worden en dat kon boetes kosten. In het uiterste geval kon de leerling geschorst worden.

Vera's moeder schrok er duidelijk van en was erg onder de indruk, maar Vera was het opgevallen dat Wissel bij al zijn strenge praatjes toch heel aardig bleef kijken. Alsof hij het niet echt meende.

Ze begreep ook niet goed waarom hij zo serieus deed over een beetje gespijbel. Goed, ze wist best dat het niet mocht en als je stout was geweest moest je straf krijgen, nablijven of strafregels schrijven of zoiets. Zo was ze het op de basisschool gewend, dus zo hoorde het. Waarom moest iedereen dan nu opeens zo moeilijk doen?

Haar moeder wilde net een heel verhaal ophangen over hoe onmogelijk Vera soms kon doen, maar Wissel kapte dat af. Hij wilde van Vera zelf horen wat er aan de hand was.

'Eerlijk gezegd vind ik jou helemaal niet iemand die zomaar van school wegloopt,' zei hij vriendelijk. 'Je bent anders altijd gewoon een prima meid. Was er misschien iets speciaals waardoor je het niet meer zag zitten?'

'Ja, goh, daar vraagt u zowat,' begon Vera en Wissel moest lachen, haar moeder ook. Vera begreep niet wat daar nou aan te lachen was.

'Nou ja,' ging ze geïrriteerd verder. 'Berkman zat ook de hele tijd maar te zeiken, ik bedoel te zeuren, ik bedoel te vragen over dat stomme werkstuk over Carry Slee. En ik weet niet hoe dat moet, ik weet van zoveel niet hoe dat moet. Daar word ik zo droevig van. Daarom ben ik ertussenuit geknepen. Ik kon er gewoon niet meer tegenop, al dat gedoe. Ik weet het gewoon niet allemaal meer. Ik weet niks meer.'

En toen kon het Vera opeens helemaal niets meer schelen. Ze flapte er alles uit wat haar al die tijd dwars had gezeten. Ze vertelde over haar onzekerheid iedere dag als ze de school binnenging. Over hoe moeilijk ze het vond om erbij te horen als de anderen in de pauze grapjes stonden te maken. Over hoe ze zich soms buitengesloten voelde en hoe moeilijk het was om de weg te vinden op school, over dat ze meestal niet onder woorden kon brengen hoe ze zich voelde. Over alles eigenlijk praatte ze maar door.

Alleen over tante Sofie en Ali C. vertelde ze niets. Dat was privé, vond ze.

Ten slotte hield ze op, wat ze kwijt wilde was ze kwijt. Op is op.

Wissel keek Vera's moeder eens aan, kuchte even en zei: 'Het is me nu wel duidelijk, dacht ik zo. Wat jij hebt, komt wel vaker voor, zelfs op het Max Havelaar. Iedereen heeft wel eens zo'n depri gevoel op school, laat je dat een troost zijn. Dat gaat gelukkig meestal wel weer over, maar ik kan best begrijpen dat je zo nu en dan een zogenaamde baaldag nodig hebt. Nee echt, daar kan ik best inkomen. Daarom wil ik je spijbelen voor één keer door de vingers zien, op voorwaarde dat je me belooft dat je er geen gewoonte van maakt. Hier wilde ik het voorlopig even bij laten, tenzij mevrouw hier nog iets aan toe te voegen heeft?'

Vera's moeder was zo te zien allang blij dat dit met zo'n sisser was afgelopen. 'Nee, nee, 't is al goed,' mompelde ze alleen maar.

Ze namen afscheid en gaven Wissel allebei een hand, iets wat Vera in de klas nooit van zijn leven zou doen.

In de bus terug zei Vera's moeder: 'Bij ons op de hoek heb je die lunchroomzaak. Weet je dat ze daar hele lekkere mokkapunten hebben? Daar ga ik er nou eens lekker een van nemen. Jij ook? Je hebt het misschien niet verdiend, maar je bent er wel aan toe.'

VERA
Sjans op de brugklasavond

Vera zou met Hanna samen iets voor de brugklasavond maken, aardappelsalade om precies te zijn. Iedereen moest wat meenemen voor de catering van het 'Open Onderbouwbuffet', dan zou Max Havelaar verder voor de frisdrank zorgen. Zo had meneer Van Dijk, de onderbouwcoördinator, het bedacht. Nou hadden Vera en Hanna helemaal geen zin om met het tigste zakje chips aan te komen, dus hadden ze die aardappelsalade verzonnen.

Vera kwam bij Hanna om het te maken. Dat was wel zo gezellig. Ze hadden de grootste lol bij het maken van hun supersalade. Bij Hanna thuis hadden ze een grote langwerpige schaal en daarop boetseerde Vera een prachtig mannetje van aardappel, met een dik buikje, net zoals meneer Van Dijk had. Hanna had nog augurken, dat kwam goed uit, eentje voor de neus van het mannetje en één bij wijze van piemel. Nee echt, het was helemaal goed zo, niets meer aan doen.

'Wat doe jij aan vanavond?' vroeg Hanna toen ze uitgelachen waren. Daar had Vera nog niet aan gedacht. Haar zwarte spijkerbroek was de strakste die ze had, in haar wijde rode T-shirt met lange mouwen voelde ze zich altijd lekker in haar vel, dan misschien nog het kettinkje dat ze van haar opa had gekregen en dat was het alles bij elkaar wel zo ongeveer. Het was toch maar gewoon een brugklasavondfeestje en geen galabal? Daar hoefde je jezelf toch niet voor op te tutten? Voor de jongens hoefde het in elk geval niet, dat waren jochies van nog geen anderhalve meter.

Nu Hanna er zo over begon, had Vera opeens geen zin meer in die hele avond. Wat moest je eigenlijk doen op zo'n feestje? Ze wist het bij god niet, want ze had het nog nooit eerder zo meegemaakt. Nou ja, ze zou wel zien.

Het was die avond nog een heel gedoe om hun aardappelman van Hanna's huis naar het Max Havelaar College te transporteren: Vera met hun twee fietsen aan de hand en Hanna voorzichtig met de grote schaal waar een lap aluminiumfolie overheen gedrapeerd was, die telkens met de wind mee weg dreigde te zeilen. En dan hadden ze ook nog de slappe lach.

Maar toen ze eenmaal veilig en wel aangekomen waren, hadden ze ook meteen veel bekijks. Iedereen wilde graag een hapje aardappelsalade proeven, ook meneer Van Dijk.

Dennis pikte er meteen het piemel-augurkje uit en stak het zuigend in zijn mond. 'Ja ja,' zei hij, 'het lekkerste eerst!' Hij grijnsde er breeduit bij, de zak. Nu was het hele effect van hun aardappelmannetje in één keer weg.

Vera ging maar eens verderop kijken naar de hapjes van de anderen. Veel chips, bergen vol. Bij een tafeltje stond die jongen uit 1c die ze wel kende, Jorg. Hij had taco's met zelfgemaakte guacamole, dat was wel lekker.

Hun eigen Willem, die conciërge bij hen op school was maar dj in zijn vrije tijd, draaide zijn eerste nummers. Het dansen kon beginnen. Vera vond zichzelf geen groot swingtalent, maar ze hiphopte zo goed en zo kwaad als het ging mee met de rest. Toch voelde ze zich niet erg op haar gemak. Wat doe ik hier en wat moet ik hier? bleef ze maar denken.

De enthousiast schreeuwende dj had kennelijk een voorkeur voor heftige heavy metal. Vera zag grinnikend hoe de jongens vreselijk hun best deden om hier stoer bij te blijven. Ze stonden enorm te kronkelen en te springen, maar het sloeg nergens op. Vooral die kleine Jorg was geen gezicht. Hij stond te hossen als een slappe zoutzak.

Maar toen, bij het volgende nummer, gebeurde er iets raars. Jorg drong naar voren en ging als een halve gek volledig uit zijn dak. Hij liet zich op de grond vallen, sprong weer overeind en ging koppeltje duikelen. Hij tripte hurkend als een kikker rond en probeerde zelfs op zijn hoofd te gaan staan. Steeds meer meiden en jongens gingen in een kring om hem heen staan, moedigden hem aan en klapten op de maat. Ook Vera deed mee, want dit vond ze wel grappig. Jorg knipoogde zelfs nog even naar haar. Toen de muziek ophield, bleef hij met zijn armen wijd zogenaamd uitgeput op de vloer liggen.

Blijkbaar had meneer Van Dijk aan de dj een seintje gegeven dat het nu tijd werd voor iets rustigers, want er werd hierna een of ander sentimenteel ouwelullennummer van de Dijk gedraaid.

'Schuifelen verplicht!' riep Dennis meteen.

Dat close dansen, waarbij je voortdurend een jongen van je af moest duwen, was helemaal niets voor Vera. Dat was haar veel te klef. Mij niet gezien, dacht ze, en ze ging in een donker hoekje bij de uitgang maar wat in haar eentje staan dansen. Het was niet meer dan een beetje heen en weer wiegen en sloom voor zich uitkijken.

Maar op een gegeven moment merkte ze dat er op zo'n vijf

meter afstand nog een jongen solo stond te dansen, Jorg. Vera liet hem zijn gang maar gaan. Zij zette een stapje naar rechts, hij tegenover haar een stapje naar links. Zo ging dat een hele tijd door. 'Ik kan het niet, ik kan het niet,' zong Huub van de Dijk, 'ik kan het niet alleen!'

En toen was het opeens voorbij. Douwe, de andere conciërge, deed de tl-buizen aan en de spotjes uit. 'Dames en heren,' riep hij. 'Het is de hoogste tijd! Wij gaan de tent sluiten!'

Na het weekend zou dit feestlokaal weer een gewone schoolkantine zijn. Ze stommelden met zijn allen de deur uit.

Buiten stond Vera eindeloos te klooien met haar fietssleuteltje.

'Zal ik je voor alle veiligheid nog even thuisbrengen en met je meefietsen?' hoorde ze achter zich. Daar stond Jorg.

'Maar je woont toch helemaal niet in mijn buurt?' zei Vera.

'Geeft niet. Ik ga altijd met een omweg naar huis,' zei Jorg. Hij zwaaide op zijn fiets en wachtte tot zij erbij kwam. Zo fietsten ze een tijdlang zwijgend over de donkere weg naar huis.

'Was best wel leuk, hè, vanavond?' zei Jorg ten slotte.

'Gaat wel,' zei Vera maar.

'Is best een goeie school, Havelaar, hè?' zei Jorg nu.

'Gaat wel,' zei Vera weer. Ze wist niet wat ze anders moest zeggen. Het is best een leuke jongen, dacht ze, al is hij klein, maar hij zal me vast een trut vinden.

'Weet je nog toen ik je in de snackbar zag?' zei Jorg. 'Dat was toen je niet mee wilde naar die duffe film.'

'Da's waar ook,' zei Vera. 'Vond je dat toen niet stom van mij?'

'Welnee,' zei Jorg. 'Ik wou alleen zeggen, hoe zeg je dat nou, zullen we een keer... eh, ik bedoel, zullen we een keer samen naar de bioscoop gaan? Maar dan naar een echte film. Met Eddie Murphy. Of zo.'

'Is goed,' zei Vera en verder niks.

Voor ze het wist, waren ze bij haar huis.

'Hier woon je dus,' zei Jorg.

'Kan je wel zeggen, ja,' zei Vera. Ze stak haar sleutel in de voordeur, draaide zich om en zei: 'En nog bedankt, hè!'

'Waarvoor?' vroeg Jorg.

Ach, wat maakt het ook uit, dacht Vera. Het hoort erbij en hij is er aardig genoeg voor. Ze stapte op hem af en gaf hem een zoen op zijn rechterwang en in één moeite door ook nog een op zijn linkerwang. Ze keek hem aan en moest lachen, want ze had nog nooit iemand zo stomverbaasd zien kijken.

Hij wilde terugzoenen, maar daar begon ze niet aan. Ze dook onder zijn arm weg, ging gauw naar binnen en smeet de deur achter zich dicht.

Door het kleine ruitje in de voordeur zag ze nog hoe Jorg heen en weer zwiepend op zijn fiets, heel hard en vals fluitend de straat uitreed.

ISA

Een bijzondere gymles

'Een twee stap tik, op en op, tik en tik en tik en hop.'

Als een echte juf stond Isa in de gymzaal voor haar klas. Ze had haar rug naar hen toe gekeerd en deed het nog een keer voor. Daarbij keek ze af en toe over haar schouder.

Toen draaide ze zich om. 'Zo moeilijk is het niet: met links stappen, en met rechts aantikken. Nee Kees, aantikken betekent niet met gewicht, eh... niet gaan staan, dus.'

Isa voelde dat ze rood werd terwijl ze dat laatste zei. Ze veegde met haar hand langs haar bezwete voorhoofd. Het was ook zo gek om voor juf te spelen voor je eigen klas. Om de beurt moesten ze iets met hun sport doen, een stukje training, een oefening, een dans. Je kreeg er een cijfer voor, en vandaag was het haar beurt om les te geven. De jongens hadden luid geprotesteerd: 'Nee, niet alweer dansen!' En: 'Ik háát dansen.' De meiden van de klas hadden gejuicht: 'Yes!' De jongens en de meiden reageerden wel vaker verschillend. Maar ze moesten met alles meedoen!

Het viel nog niet mee anderen iets te leren. Wat voor haar vanzelfsprekende bewegingen waren, daarvan bakten een aantal klasgenoten helemaal niets. Vooral de jongens. Maar ze gaf niet op! Wat deed Jacco, haar leraar, als zij het niet snapten bij hun training streetdance?

'Goed, nog een keer dan. Kijk eens goed wat ik doe.'

Isa deed de bewegingen weer voor. Een stel jongens deed toch mee, dus zei Isa: 'Nee, alleen kijken!'

Daarna deden ze het weer samen, langzaam en zonder muziek. Achter zich hoorde ze een paar kreten: 'Aha, moet dat zo!' En: 'Oké, nu heb ik hem.'

'Nog een keer!' gaf Isa opdracht. 'Een, twee, drie én...'

Ze startte de combinatie van streetdancebewegingen en benoemde wat haar voeten deden. Maar ook haar armen deden mee, en na die paar passen kreunde Jorg: 'Hoe doe je dat toch? Ik krijg het echt niet voor elkaar. Of mijn benen doen het goed, of mijn armen. Maar tegelijkertijd...'

Andere jongens vielen hem bij: 'Ja, Isa, dit is veel te moeilijk!'

Onzeker keek Isa naar Berendsen, de gymleraar, die ook meedeed. Hij grijnsde. 'Kom op, jongens, jullie laten je toch niet kennen! Probeer het nog maar een keer hoor, ik vind dat Isa het heel goed uitlegt.'

'Dat kan wel wezen,' zuchtte Mohammed, 'maar wij kúnnen het gewoon niet.'

Kees viel hem bij: 'Ja, jongens kunnen niet dansen. Dat zit niet in onze genen.'

De meiden van de klas lachten hem vierkant uit.

'Je braakt onzin uit, Kees!' zei Claudia. 'Op de brugklasavond dansten jullie ook. En Jorg helemaal!'

'Dat is heel anders dansen,' vond Jorg.

'Jongens kunnen dit soort dansen gewoon niet,' beweerde Mohammed.

'Streetdance is voor meiden,' zei ook Martijn.

Nu protesteerden alle jongens: 'Dit is saai, dit is stom, dit is meisjesachtig.'

Berendsen lachte. 'En rugby is voor jongens zeker?'

Een gejuich steeg op. Dat waren de jongens, en Jorg had de grootste grijns. De vorige gymles hadden ze rugby gehad van Jorg. Toen hadden sommige meiden geklaagd dat ze het te ruig vonden en dat ze zich pijn deden! Maar de meiden die dát weer leuk hadden gevonden, begonnen 'Boe!' te roepen. Zo gingen ze tegen elkaar in. Berendsen kwam naar voren lopen en wachtte met zijn armen over elkaar tot ze uitgeraasd waren.

'Sport is voor iedereen,' zei hij toen het stil was. 'Je moet alles proberen. Dat je de ene tak van sport leuker vindt dan de andere, da's logisch. Smaken verschillen. Daarom doen we dit ook. Zo leer je met allerlei sporten kennismaken die door jouw klasgenoten beoefend worden. We zijn dus onze grenzen aan het verleggen, en da's helemaal niet verkeerd.'

'Dansen is geen sport!'

Wie riep dat? Isa keek om zich heen. Mohammed weer? Kees? Ze had de stem niet herkend. Fel verdedigde ze haar sport. 'Dansen is wél een sport. Je beweegt, je krijgt er een goede conditie van, je krijgt er een goed getraind lijf van. Dat is niet anders dan bij jullie sporten.'

Berendsen liep naar Isa toe. 'Ze mag dan niet groot zijn, deze taaie meid, maar ze heeft spieren van staal en een atletisch lichaam. Ze zegt helemaal de waarheid, jongens!'

'Dat stond laatst in de krant,' zei Janneke ineens. 'Dansen kost net zo veel energie als een potje voetbal.'

'En zo is het maar net,' zei Berendsen. 'En nu door met de les!'

Isa keek haar klasgenoten weer aan. 'Ik doe het nog een keer voor.'

Daarna oefenden ze samen de danscombinatie nog een paar keer. Isa benoemde steeds de passen die ze maakten: 'Een twee hoog laag, uit in uit in, een twee hoog laag, draai snel om, pam pam.' Even later commandeerde ze: 'Muziek!'

Isa had geen microfoontje zoals Jacco. Haar stem kwam niet boven de muziek uit, maar ze bleef gewoon meepraten zoals Jacco ook altijd deed, elke pas opnieuw. Toen ze over haar schouder keek, zag Isa dat het bij de meiden steeds soepeler ging en dat hun gezichten steeds meer plezier uitstraalden, maar de jongens keken nog steeds een beetje moeilijk. Ze waren vaak nog aan het stuntelen. Het tegelijk bewegen van armen en benen was ook lastig bij streetdance, wist ze. 'Anders doe je alleen je voeten,' gaf ze als tip.

Nu draaide ze zich om en keek toe. Er waren een paar jongens die afhaakten nu ze haar voorbeeld niet meer voor zich hadden, maar de meesten hadden dit stuk aardig onder de knie, zag Isa tevreden. Zelfs Kees en Jorg deden het niet slecht. Isa liet de muziek stopzetten en vroeg: 'Hoeveel tijd heb ik nog, meneer?'

Genoeg om de passencombinatie zoals ze die had bedacht af te maken. Het werd lastiger: met armen die elkaar naast hun heup moesten vinden, een klap opzij, een draai. Er werd heel wat gegiecheld en gemopperd omdat het eerst niet zo goed lukte. Ze vielen om bij de draai. Maar hadden ze het eenmaal door, dan ging het best lekker! Haar klasgenoten dansten steeds overtuigender.

'En dan acht tellen door de ruimte lopen, je zoekt een nieuwe plaats op en dan begint alles opnieuw!'

Isa straalde. Wat was dit leuk! En het ging best goed. Die acht tellen was natuurlijk goed voor chaos, maar zelfs daar wenden ze aan en ze liepen door de zaal zonder te botsen. Alhoewel... Kees en Martijn deden het erom. Nou ja, Isa ging gewoon door met haar combinatie. Zelfs Mohammed lukte het om zo'n beetje mee te komen, al danste hij niet goed op de maat. Bijzonder knap vond Isa dat, want door het duidelijke ritme in de muziek kon het niet missen wanneer je je voeten neer moest zetten en hij ging dwars tegen de maat in. Maar hij danste!

Tot slot, na de allerlaatste keer dansen met de hele klas, ging Isa in haar eentje door om te laten zien wat ze zoal leerde met streetdance. Ze danste een paar voorbeelden van Jacco, waar wat lastige draaien en indrukwekkende sprongen in zaten. Haar lijf leek licht als lucht en soepel als elastiek, zo gemakkelijk en vanzelfsprekend gleed ze van de ene beweging in de andere.

'Wauw, goed zeg! Streetdance is te gek,' riepen een paar meiden.

'Het viel best wel mee,' gaf Jorg toe.

Aarzelend knikten meer jongens. Openlijk toegeven zouden ze nooit doen natuurlijk, maar dit was al heel wat. Isa kreeg een applaus van de klas en een acht van Berendsen.

'Wie is volgende les aan de beurt?' vroeg de gymleraar nog. 'Else? Wat doe jij? Badminton? Wie een eigen racket heeft, mag dat meenemen. Dan gaan we nu nog even trefbal spelen.'

'En toch! Dansen is voor meisjes,' hoorde Isa Mohammed zeggen voordat ze in de kleedkamers verdwenen. 'Een echte jongen danst niet.'

Rachida legde een arm om het middel van Isa. 'Trek het je niet aan.'

Isa haalde haar schouders op. Bij de lessen die zij bij Jacco volgde, was ook maar één jongen. En dan deed ze ook nog moderne dans, waar helemaal geen jongens waren. Jammer eigenlijk.

'Maar hoe moet dat op het eindfeest?' vroeg ze ineens geschrokken. 'Zouden ze ook dan niet willen dansen?'

Claudia voorspelde: 'Heus wel, let maar op. En anders trekken we ze gewoon de dansvloer op.'

Isa zag het al voor zich: zij die de grote Jesse met zich meetrok om te dansen. Ze barstte in lachen uit. De andere meiden keken haar verbaasd aan.

'Wat is er zo leuk?'

Isa voelde opnieuw hoe haar wangen kleurden. Hè, dat stomme blozen altijd. Niemand wist het nog. Zelfs haar beste vriendinnen wisten van niets. Het was iets van haar, van haar alleen.

Het ging toch ook niemand wat aan? Zelfs Jesse zelf ging het niet aan. Misschien. Ze wist helemaal niet of ze wel zoiets wilde als verkering en zoenen en zo... Brr, het leek haar een beetje vies. Als ze daaraan dacht, werd ze helemaal zenuwachtig.

Maar toch... Ze vond het leuk om met Jesse te praten. Ze moest altijd erg om hem lachen. Ze fietsten ook wel eens naast elkaar op weg naar school of weer naar huis. En haar hart ging echt een beetje sneller kloppen als ze hem tegenkwam in de gang op school of in de kantine. Ka-doem, ka-doem, als de beat van de muziek bij haar streetdance. Ze werd blij van dansen, maar sinds een tijdje ook van Jesse... En dan moest dansen met Jesse helemaal top zijn...

Isa knipperde met haar ogen. De meiden om haar heen keken haar nog steeds aan. 'Isa?'

O ja, ze vroegen wat er te lachen viel. 'Mijn acht!' maakte ze er gauw van. 'En dat mijn les voorbij is.'

Onder de douche spoelde ze het zweet weg. Ze liet de warme stralen op haar gezicht kletteren en dacht aan de jongen die in haar gedachten was gaan wonen. Tot nu toe wilde ze altijd liever alleen dansen, of met vriendinnen, maar op het eindfeest wilde ze met Jesse dansen. En al duurde het nog even, ze zou het doen ook... Dat had ze zich nú al voorgenomen.

VERA *Doei*

'Ik zeg tegen hem: "Ja, dáhag", en ik geef hem gelijk een schop tegen z'n schenen. Dus daar was ik ook mooi van af, maar ik had wel eerst nog een cola van hem gekregen.'

Hanna vertelde maandag in de pauze in geuren en kleuren aan Vera hoe ze laatst een jongen had afgepoeierd, ene Patrick uit 1c.

Ze zaten daar nog flink over te giechelen, toen Jorg eraan kwam.

'Mag ik er even bij komen zitten?' vroeg hij beleefd.

'Ga je gang,' zei Hanna, 'ik ga toch weg, ik moet nog wat anders doen. See you.'

En weg was ze, ze knipoogde nog even naar Vera. Zou zij iets weten van haar en Jorg? Vera was er niet gerust op, ze vond het vervelend dat Hanna haar in de steek liet. Nu zat ze alleen met die Jorg en ze wist zich met haar houding geen raad.

Gelukkig was Jorg gewoon normaal en deed hij niet moeilijk. Hij haalde wat te drinken voor haar en maakte wat grapjes. Het was eigenlijk best gezellig.

'Wat ik nog vragen wou,' zei hij tussen twee slokken door, 'hebben wij eigenlijk verkering?'

Vera lachte hem vriendelijk uit. 'Verkering?' zei ze. 'Dat hadden we lang geleden op de Woutertje Pieterse, mijn oude school. Middelbare scholieren doen toch niet aan zoiets stoms als verkering?'

298

'Zijn we dan soms verloofd?' lachte Jorg. 'Of hebben wij "een intieme relatie" zoals altijd in de *Story* staat?'

'Alsjeblieft niet, zeg,' zei Vera. 'Da's weer te veel van het goede.'

'Laten we het er dan op houden dat we wat hebben met elkaar,' zei Jorg ten slotte. 'Oké?'

'Oké,' zei Vera en ze gaf hem een ferme handdruk om dit te beklinken.

'We hebben wat met elkaar, maar ook geen centimeter meer. Je moet niet klef gaan doen hier op school, anders gaat iedereen er maar over roddelen en dat wil ik niet!'

'Is goed, is goed,' zei Jorg. 'Maar we kunnen toch wel iets buiten school afspreken? Morgenmiddag bijvoorbeeld in het Multatulipark hierachter. Gewoon alleen maar wandelen en eendjes voeren, dat moet toch kunnen? Jij was tenslotte zo lief om mij te zoenen, dan wil ik ook wat terugdoen. Dat is wel zo beleefd, vind je niet?'

Vera glimlachte. 'Is goed,' zei ze verlegen.

De pauze was voorbij. Ze stonden op van hun tafeltje en lieten niemand merken dat ze wat hadden. Dat ging geen mens wat aan.

'Doei,' zei Jorg nog en hij racete naar het wiskundelokaal.

'Doei,' zei Vera.

Ze zouden na school ieder apart naar het park fietsen zodat niemand ze samen zag.

Vera zat wel een beetje in de zenuwen op haar fiets. Aan de ene kant vond ze het wel spannend dat ze nu een soort vriendje had en nog een aardige jongen ook. Daardoor voelde ze zich opeens heel wat, alsof ze in GTST speelde. Maar aan de andere kant was het natuurlijk ook gewoon eng. Ze vermoedde wel dat er vanmiddag iets zou gebeuren, maar wát er zou gebeuren, daarvan had ze geen flauw idee.

Bij de ingang van het park stond Jorg haar al op te wachten. Om te beginnen trakteerde hij haar op een kauwgumpje. Zij zag dat zijn handen trilden toen hij het pakje openmaakte.

'Je ziet, ik heb nog meer kauwgumpjes,' zei hij. 'Dat is om aan de eendjes te voeren.'

Vera lachte. 'Dierenbeul,' zei ze.

Wandelend onderweg naar de vijver praatte Jorg honderduit en dat vond Vera wel prettig, zo hoefde ze zelf niet veel te zeggen.

Biologie vond hij het leukste vak, vertelde hij, mens en natuur. Dat kwam doordat zijn grootvader hem had meegenomen op een reis door Indonesië. Dat had hij zo fantastisch gevonden, dat land, die mensen en die natuur, daar wilde hij meer van weten. Dan zou hij later iets in ontwikkelingshulp gaan doen. Of wat anders, als het maar in een ver land was.

Ze keek naar zijn gezicht terwijl hij zo enthousiast aan het praten was. Ze vond het leuk om naar te kijken.

'Gek eigenlijk,' zei hij. 'Dit heb ik nog nooit aan iemand anders op school verteld.'

Ze gingen op een bankje bij de vijver in het zonnetje zitten. Jorg zuchtte diep, schoof dichter naar haar toe en trok haar naar zich toe.

'Wat is er?' vroeg ze onzeker.

'Het moet er toch eens van komen,' zei hij. 'Zoenen, bedoel ik.'

'Eerst mijn kauwgumpie uitdoen,' zei Vera vlug.

Maar toen dat gebeurd was, moest ze eraan geloven ook. Jorg trok haar naar zich toe, zoende haar in haar nek, beet haar in haar oor en drukte ten slotte zijn lippen op haar mond. Ze kreeg zowat geen adem meer. Ze merkte zelfs dat hij met zijn tong in haar mond probeerde te komen. Maar dat wilde zij mooi niet hebben, echt niet! Ze hield haar kaken stijf op elkaar.

'Oefff,' zei ze uit de grond van haar hart toen hij eindelijk losliet. 'Ik was bijna geplet, man. Ik heb zowat geen adem meer.'

'Ik heb anders nog adem zat,' zei Jorg nahijgend.

Ze zaten een tijdje stil naar de eendjes in de vijver te staren. Er kwamen wolken, de zon scheen niet meer.

'Ja, sorry hoor,' zei Vera toen, 'ik weet niet hoe dat moet en ik weet niet hoe je dat doet, zoenen. Ik weet niet eens of ik het wel wil. Vind je dat gek? Ja hè, je vindt me vast een stomme trut. Geef het maar toe.'

'Ach ja, tjeeses,' zei Jorg. 'Dat valt best mee, hoor.'

Vera stond op. 'Ik moet er weer eens vandoor, ik zou vandaag op tijd thuis zijn,' loog ze en ze keek op haar horloge. Ze beende weg. 'Doei,' zei ze nog.

'Doei,' mompelde Jorg.

Toen Vera thuiskwam, ging ze direct naar boven, naar haar kamer. Ze had nu even geen behoefte om haar moeder of vader te zien, ze wilde alleen zijn. Ze moest trouwens ook nog huiswerk maken. Dat wilde niet echt opschieten. Ze zat alleen maar poppetjes en bloemetjes te tekenen in haar multomap, ze liep wat heen en weer te ijsberen door haar kamer en piekerde zich suf.

Ten slotte nam ze een besluit, ze wilde niet eeuwig blijven dubben. Ze pakte haar mobieltje en belde Jorg op.

'Ja, met mij,' zei ze. 'Wat ik zeggen wou, ik heb er nog eens over nagedacht en je moet het me niet kwalijk nemen, maar ik geloof dat het beter is dat we ermee ophouden. Ik weet gewoon niet of wat ik voel voor jou... of dat... nou ja... ik vind dat we het uit moeten maken.' Ziezo, dat was eruit.

Aan de andere kant van de lijn was het even stil.

Toen zei Jorg: 'Dus je wilt me dumpen? Lekker is dat.'

'Maar je moet me goed begrijpen,' hakkelde Vera. 'Het ligt er niet aan dat ik je niet aardig vind. Ik vind je best wel aardig. Maar ik wil gewoon niet van die toestanden met zoenen en zo. Ik bedoel, we kunnen toch vrienden blijven?'

'Ach mens, zeik niet,' zei Jorg alleen maar en hij hing op.

'Doei,' zei ze nog in haar mobieltje.

Het was maar goed dat ze niet in dezelfde klas zaten, dacht Vera de volgende morgen. Anders moet je elkaar onder ogen komen en net doen of er niets aan de hand is.

Maar aan het eind van de middag zag ze Jorg toch in de kantine bezig. Hij had blijkbaar de beurt om schoon te maken. Met een verbeten gezicht liep hij allerlei doosjes, zakjes en papiertjes in een plastic zak te smijten.

Toen ze langs hem liep zei Vera zo gewoon mogelijk: 'Doei.'
En Jorg zei ook: 'Doei.'

ISA
Jaartje groter

Met gemengde gevoelens zag Isa de datum van haar verjaardag dichterbij komen. Natuurlijk was het leuk om jarig te zijn, maar hoe vier je een verjaardag als je op de middelbare school zit?

Net als anders, natuurlijk, had haar moeder gezegd toen ze haar om raad vroeg, maar wat weten moeders nu over de middelbare school? Hoe de anderen dat doen, had haar vader gevraagd toen ze voor de zoveelste keer een diepe zucht slaakte. Isa wist het niet. Je viert je verjaardag niet meer, had Lisa gezegd, ik kom gewoon gezellig bij je slapen en we nemen heel veel chips mee naar je kamer en that's it.

Was dat het echt? Saai, vond Isa.

Ze was er nog steeds niet uit toen het tot de veertiende nog maar twee nachten slapen was, al telde ze de nachtjes slapen voor haar verjaardag allang niet meer. Wat moest ze doen? Ze zat er echt mee.

En de dag vóór haar verjaardag wist ze het nog niet. Lisa mocht blijven slapen, dat was prima, maar waarom nodigde ze niet nog een paar vriendinnen uit, stelde haar moeder voor. Ze was tenslotte op een vrijdag jarig, dus dat kon mooi.

Opgelucht vloog Isa haar moeder om de hals en ze ging direct naar boven om te bellen. Ze wist al wie ze erbij zou vragen: Claudia, Vera, Zora en Rachida.

Maar ze had de weg naar haar mobiel nog maar halverwege afgelegd of ze twijfelde alweer. En Jesse dan? Eigenlijk zou ze...

Nee, natuurlijk kon ze Jesse niet vragen. Maar ze wist ineens waarom ze zo lang had geaarzeld met plannen maken. Nee, er was absoluut niets te verzinnen zodat Jesse er ook bij kon zijn. Dan moest ze er een discofeest van maken en meer jongens uitnodigen en daar had ze dus geen zin in.

Of toch wel?

Nee, toch maar niet, geen jongens...

Jeetje, wat mankeerde haar? Sinds wanneer wist ze niet meer wat ze wilde?

De volgende ochtend hees ze zich na een vroeg, maar uitgebreid verjaardagsontbijt in een staat van tintelende opwinding in haar regenpak. Het licht van de lantaarns weerspiegelde in de natte straten, maar gelukkig regende het niet al te hard. Vijf voor half acht was ze bij het tankstation. Jesse was er al, zag ze. Met een schokje herkende ze zijn grote gestalte. Ze kneep hard in haar remmen die feestelijk piepten.

'Hai,' zei ze, hem stralend aankijkend.

'Hoi,' groette hij terug.

Verwachtingsvol wachtte ze af. Wist hij...?

'Jij bent vroeg!' zei ze toen maar.

'Ja,' zei hij. 'Jij anders ook.'

Nee, hij wist het niet. Hoe kon ze dat denken? Zeggen? Niet zeggen? Maar daar kwamen Claudia en Lisa al aangefietst en die begonnen van ver luidkeels te zingen. 'Lang zal ze leven, lang zal ze leven!!! In de gloria! HOERA!!!'

Ze vielen haar om haar nek, zodat Isa bijna haar evenwicht

verloor. Nog maar net wist ze zichzelf en haar fiets overeind te houden. De verjaardagszoenen klapten vrolijk in de druilerige morgen.

'Eh...' zei Jesse, die naar hen stond te kijken. 'Jarig?'

'Nee hoor,' proestten Lisa en Claudia. 'Dat lijkt maar zo.'

'O, nou, gefeliciteerd,' bromde Jesse.

Ineens trilde er iets in het binnenste van Isa. Ze werd even heel boos op haar vriendinnen. En nog kwader op zichzelf omdat ze er niets van zei.

Toen kwamen de anderen er ook aan en gingen ze op weg naar school.

'Zijn we er allemaal?'

Isa keek het kringetje rond. Lisa, Vera, Zora, Rachida, Claudia, Jesse, Martijn en Kees stonden om haar heen in de hal van de school.

'Let's go,' gaf Isa het startsein.

Zelf liep ze met Lisa voorop de school uit en het plein af. Het was de kleine pauze en ze hadden net genoeg tijd om naar het winkelcentrum te lopen dat even verderop lag. Het was een lawaaierig en gezellig groepje dat daar liep, en Isa was dan ook heel tevreden over haar inval van die ochtend. Ze had van haar moeder geld meegekregen om haar vriendinnen op iets lekkers te kunnen trakteren op school, maar vanochtend op de fiets had ze ineens uitgeroepen: 'Wie gaat er in de pauze mee naar het winkelcentrum? Ik trakteer op langejannen!'

Zo wist ze tenminste zeker dat Jesse ook van de partij zou zijn.

Langejannen was het enige snoepgoed waar ze dol op was. Van het geld kon ze drie zakjes kopen, de rest was voor vanavond, besloot ze.

Smakkend en kauwend liepen ze terug. Isa liet de armen van Rachida en Lisa los en ging naast Jesse lopen.

'Lekker,' zei hij.

Isa keek op naar zijn grote lijf. Je had vast een heel andere kijk op de wereld als je was zoals Jesse. Ze werd ineens heel nieuwsgierig naar wat zich allemaal in dat hoofd afspeelde. Soms wilde ze dat ze dat aan iemands ogen kon zien. Nee, schrok ze, toch maar niet, dan zouden ze aan haar ook kunnen zien wat ze dacht. En dat wilde ze liever voor zichzelf houden. Zoals dat Jesse mooie kijkers had. Sinds kort lette ze op ogen. Sommige mensen hadden Jesse-ogen.

'Ik ben dol op langejannen,' zei Isa. 'Ik kan er wel twintig achter elkaar opeten.'

'Ik houd het meest van salmiakballen,' zei Jesse. 'Vroeger hield ik heel veel van colalolly's. Daar kon je zo lekker lang over doen.'

'Brr,' gruwde Isa. 'Vies!'

'Weet je wat ik nog meer lekker vind? Zure matten, Engelse drop en wijngum.'

'Ik heb een mp3-speler gekregen voor mijn verjaardag,' veranderde Isa van onderwerp. Ze hield er niet van om over eten te praten. Zelfs niet over snoep.

'Te gek, zeg! Dat wil ik ook zo graag, misschien neemt mijn vader die een keer voor mij mee.'

'Het lijkt mij niks, een afwezige vader,' zei Isa voorzichtig.

Jesse schokschouderde. 'Och...'

Toen was het even stil. Gauw verzon Isa weer iets anders om te vragen. 'Moet je ook voetballen morgen?'

'Ja,' zei Jesse. 'We spelen thuis.' Hij draaide zich iets meer naar haar toe en praatte ineens een stuk zachter. 'Om tien uur. Kom je kijken?'

Ineens ging er van alles tekeer, alsof plotseling haar binnenste werd verbouwd. Isa slikte.

'Morgen kan niet...' zei ze aarzelend. 'Ik geef een slaapfeestje en dan zijn we natuurlijk nog niet wakker. En dan moeten mijn vriendinnen ook nog weg zijn...'

'O, ja, ik snap het.' Jesses stem klonk onzeker. 'Nou, een andere keer misschien...'

'Zeker weten!' zei Isa.

Toen waren ze weer bij school en gingen ze allemaal naar hun eigen klas.

De verbouwing in haar lijf was nog niet klaar, merkte Isa tijdens Frans. Jesse wilde dat zij naar zijn voetballen kwam kijken! Ze had een afspraak met Jesse! Nu weet ik niet wanneer en hoe laat hij dan de volgende keer moet voetballen, dacht ze.

Maar tijdens Nederlands kwam ineens iets anders boven: zou hij haar geloven? Of zou hij nu denken dat ze hem afgescheept had?

Na Nederlands waren ze vrij. Alle brugklassen waren op dezelfde tijd uit op vrijdag, dus konden ze ook weer met elkaar terugfietsen. Tijdens de fietstocht naar huis, die gelukkig droog was, probeerde ze Jesses blik te vangen, maar hij keek niet één keer haar kant op.

Ze hadden twee dvd's gekeken en muziek gedraaid. Net nog hadden ze gedanst. Nu kropen ze met verhitte koppen in de slaapzakken die ze op een rijtje in de woonkamer hadden gelegd. Hun eigen matrassen had Isa aangevuld met kampeerspullen van de buren. Ze waren nog lang niet moe.

'Jammer dat Zora er niet bij is,' zei Vera. Zora mocht niet van haar ouders, dus ze waren met zijn vijven.

'Wacht!' riep Lisa. 'Ik weet iets.'

Ze kroop uit haar slaapzak en pakte haar mobieltje. 'Wat is haar nummer?'

Vera zei het voor en Lisa toetste in.

'Die slaapt natuurlijk al,' zei Isa, maar keek verbaasd op toen ze Lisa vrolijk hoorde zeggen: 'Hoi Zora! Ik dacht, we bellen even, dan ben je er toch een beetje bij. Hebben we je wakker gemaakt? O, je sliep nog niet.'

Ze kropen allemaal dicht tegen elkaar aan en omdat Lisa het mobieltje niet tegen haar oor hield, maar voor zich, konden ze allemaal meeluisteren.

'Ja, het is hier heel gezellig. We liggen als worstenbroodjes op een rijtje in de woonkamer met een grote bak chips voor ons,' zei Isa.

'Mag dat wel?' kwam Zora's stem uit de mobiel.

'Tuurlijk! Isa is maar één keer jarig,' antwoordde Rachida.

'Zora, de volgende keer kom je ook, hoor!' riep Vera.

Ze kletsten nog een tijd en verbraken toen de verbinding.

'Als ik jarig ben, geef ik een feestje met jongens erbij,' zei Lisa met glimmende ogen.

'Jongens zijn stom!' zei Claudia.

'De meeste wel!' riep Vera en bijna tegelijkertijd zei Rachida met opgetrokken neus: 'Vind ik ook.' Ze begonnen te lachen.

Isa wilde zeggen dat zij het ermee eens was, maar hield nog net op tijd haar mond.

'Ze doen zo stoer,' zei Claudia, 'dat is niet leuk.'

Lisa zei: 'Je moet juist zelf een beetje stoer doen, en relaxed, niet te veel slijmen en zeker niet aan ze gaan hangen.'

'Puh,' stoof Rachida op, 'dat was ik ook niet van plan.' Ineens giechelde ze. 'Misschien wel bij Jorg, dat vind ik toch zo'n scheetje, die zou ik wel om zijn nek willen hangen.'

'Als je even met een jongen staat te kletsen of zo, wordt er al snel iets over geroepen, en dan ga je je schamen,' zei Vera. 'Dat vind ik stom.'

'Ze zijn kinderachtig, de jongens uit onze klas,' zei Lisa vol minachting. 'Die uit de tweede of derde zijn veel leuker.'

Vera knikte heftig. 'Dat vind ik nou ook.'

'En wie vind jij leuk, Isa?' vroeg Lisa.

Isa voelde dat ze een beetje rood werd. Gelukkig was er maar weinig licht in de kamer. Ze haalde haar schouders op. 'Ach,' zei ze. 'Ik vind Jorg ook wel grappig, maar Kees vind ik om te kotsen, blèèèh.'

Lisa zei: 'Kees vindt jou anders wel leuk.'

'Oud nieuws,' zei Isa.

Lisa boog zich naar de andere meiden. 'In 2c zit een SLD-tje! Wauw!' Ze rolde met haar ogen.

'Wie? Wie?' vroegen Claudia en Rachida tegelijk.

'Bart!'

'Bart?' riep Claudia uit. 'Een Super Lekker Ding? Nee, hoor, dat is eerder een Super Lelijk Ding!'

'Nee!' Lisa barstte bijna van verontwaardiging. 'Niet Bart Vermeer, maar Bart van Daalen!'

'O, die,' zei Rachida. 'Ja, dat is inderdaad een SLD-tje.'

Ze giechelden en vervolgens gingen ze alle jongens van de klas langs. Toen het uiteindelijk stil was, kon Isa nog de slaap niet vatten. Met open ogen lag ze in de slaapzak in het donker te staren. Ze dacht aan alles wat er die dag gebeurd was. Ze dacht aan hun gesprekken van net. Ze dacht aan Jesse.

Gek, er was een tijd dat je met jongens speelde, toen kwam de tijd dat je ze stom vond en uit de weg ging en nu... Isa wist het niet meer. Ja, de meeste jongens vond ze nog steeds stom. Hartstikke stom zelfs. Maar Jesse... Waarom nu juist Jesse? Hij was veel te groot voor haar, ze paste wel drie keer in hem! En toch vond ze het altijd leuk om met hem te praten. En waarom had ze dat niet gewoon gezegd toen Lisa ernaar vroeg?

Ze kwam er niet uit. Ze draaide zich op haar andere zij. Ander onderwerp dan maar. Dertien was ze nu. Jaartje ouder, jaartje groter. Ze grinnikte in de donkere kamer waarin alleen de ademhaling van haar vriendinnen te horen was. Dertien was ze en brugklasser. Ze kon nog net denken dat ze blij was met dit nieuwe jaar voor ze in slaap viel.

ISA
Ik haat je!

'Isa, ga je zo met je huiswerk beginnen?'

Isa zat achter de computer te msn'en. Zonder haar moeder aan te kijken bromde ze: 'Ja, straks.'

Haar moeder zei niets terug, maar liep ook niet door. Reden dus om een blik achterom te werpen. Ze stond naar Isa te kijken met de wasmand vol strijkgoed in haar handen. Daarna keek Isa weer naar het computerscherm wat Rachida haar had geschreven.

'Ik dacht dat ik had gezegd,' zei haar moeder langzaam, 'dat jij vanaf vandaag op vaste tijden je huiswerk zou gaan maken. 's Middags om half vijf en 's avonds om zeven uur ga jij naar boven. En het is nu half vijf.'

'Dat heb je gezegd, ja,' zei Isa met haar rug nog steeds naar haar moeder gekeerd. Ze typte een kort antwoord en drukte op de entertoets. Ze was eigenlijk nog niet zover dat ze al naar boven kon. Ze had gedanst vanmiddag na school, inhaalles streetdance, en ze moest toch ook even chillen. 'Maar doe ik dat ook?'

'En waarom zou je dat niet doen?'

Isa kon de irritatie in haar moeders stem horen. Nou, zij ergerde zich óók dood aan die eeuwig terugkerende vraag. Ga je zo huiswerk maken, Isa? Dat was geen vraag, dat was een bevel! En bevelen kregen ze op school al genoeg. Doe dit. Doe dat.

O, een antwoord van Rachida. Snel typte Isa iets terug.

'En daarna ga ik je overhoren. Isa, ik praat tegen je!' Haar moeder klonk boos nu. 'Hou even op met typen!'

'En ik was met Rachida aan het praten. Je hebt me zelf geleerd dat het onbeleefd is om een gesprek te onderbreken.'

De wasmand werd met een bons op de grond gezet. 'Niet zo brutaal! En draai eens naar mij toe met je gezicht. We hadden het over je huiswerk. We hebben het daar gisteren over gehad.'

'Jij hebt iets tegen mij gezegd, ja,' zei Isa, terwijl ze zich omdraaide. 'Je hebt een nieuwe regel verzonnen waar ik het niet mee eens was.'

Haar moeder stond met haar handen in haar zij, haar benen uit elkaar, in wat Isa de aanvalshouding noemde.

'We beginnen de discussie niet opnieuw!' hoorde Isa haar moeder bits zeggen. 'Je gaat anderhalf uur per dag huiswerk maken. Dat is een heel normale tijd. En wij gaan overhoren! Dat gebeurt gewoon! Anders zul jij een niveau zakken en dat willen we niet.'

Isa haalde haar schouders op. Ze zat lang genoeg in de brugklas om te weten dat dat niet zo'n vaart zou lopen. En haar overgangsrapport was nog een eind weg. Tijd genoeg om de onvoldoendes op te halen.

'Waarom werk jij eigenlijk niet de hele week?' vroeg ze plotseling aan haar moeder. 'Dan heb je geen tijd om mij zo op de nek te zitten! Het is *mijn* school en *mijn* huiswerk en dus mijn verantwoordelijkheid!' Isa hoorde best dat ze snauwde, maar ze had er zo genoeg van!

Haar moeder zakte nu door één heup en zei: 'Omdat ik niet

wil dat mijn kinderen elke middag alleen thuis zitten. Daarom. En ik wil betrokken blijven bij wat jullie doen en wat die...'

'En dat kan niet als je tot zes uur werkt?' onderbrak Isa haar moeder.

'En wat die verantwoordelijkheid betreft...' begon haar moeder weer.

'Mam, wij zijn geen kleine kinderen meer!' zei Isa snel.

'Daar gaat het niet om. Je vader en ik...'

Maar Isa was haar weer voor. 'Wij redden ons echt wel hoor! Marije is ook al elf.'

'Laat me uitpraten! Het gaat om die verantwoordelijkheid! Jij hebt de laatste weken laten zien dat je niet aan het werk komt. Je stelt maar uit en je stelt maar uit! Hoeveel tijd besteed jij nu helemaal aan je huiswerk? Een half uur per dag? Dat is veel te weinig. En je komt met onvoldoendes thuis! Logisch als je al je tijd besteedt aan msn'en en tv-kijken. Vandaar dat ik er wil zijn om je aan het werk te sturen.'

Isa schoot overeind en ging voor haar moeder staan. 'O, dus daarom ben je thuis. Om mij aan het werk te sturen! Politieagentje spelen. Nou, wat een geweldige moeder heb ik!'

Stom mens! Isa liep terug naar de computer en typte: 'ruzie. kga.'

Ondertussen zei ze: 'Ik haal die onvoldoendes heus wel op, hoor!'

'Ja juist, politieagentje. Dat heb je goed gezegd. Zo voel ik me inderdaad.' Haar moeder ging steeds harder praten. 'Isa, ruim je kamer op! Isa, zet je schooltas niet midden in de kamer waar we er allemaal over struikelen. Isa, hang je jas op de kapstok. Isa, doe je gymkleren in de was. Isa, ga huiswerk maken. Isa, éérst vragen voor je iets lekkers uit de kast pakt. En een keertje de tafel afruimen is ook al te veel gevraagd. Alles moet ik je vragen, echt álles!'

Isa had verbijsterd naar de opsomming geluisterd terwijl ze de computer afsloot. Nu liep ze langs haar moeder en schreeuwde: 'Ik wil het zelf doen! Ik wil niet steeds dat gezeur aan mijn kop. Stom mens, ik haat je! Ik háát je!'

Isa rende de kamer uit, stampte de trap op en knalde de deur van haar kamer hard dicht. Ze zette een cd op en draaide de volumeknop helemaal open. In haar hoofd ging het nog een tijdje door: ik haat je! Ik háát je!

Dat mens was in staat haar humeur totaal te doen omslaan. Was ze in een superlekkere bui van streetdance thuisgekomen, ging ze in een vet relaxte stemming met Rachida chatten, was dat alles zomaar verdwenen en omgezet in kwaaiigheid. Ze balde haar handen tot vuisten, kneep haar ogen stijf dicht en spande al haar spieren. Mens, ik haat je! Ik haat je...

Die woorden werden trager en zachter en kwamen uiteindelijk tot bedaren. Isa stond nog steeds midden in haar kamer en concentreerde zich op de muziek. Langzaam ontspande ze. Handen los, gezicht ontspannen, schouders laten hangen, armen uitschudden, heupen losjes. Maar buik- en bilspieren trok ze aan, ze maakte zich lang.

Puh, het mocht wat. Als ze nu nog even had kunnen kletsen en bijkomen van school en trainen, dan had ze heus wel haar tas gepakt om in diezelfde relaxte stemming haar schoolwerk te maken.

Ze deed een paar van haar rekoefeningen. Het was niet de eerste keer dat ze zo tegen haar moeder had staan schreeuwen. Nou ja, het was haar eigen schuld! Moest ze maar niet zo stom doen. Isa boog voorover, raakte met haar neus haar knieën. Bleef even zo staan.

Maar ja.

Ze kwam omhoog, rolde haar wervelkolom af en strekte zich uit, op haar tenen. Ze wiebelde een klein beetje. Zij deed misschien ook wel stom. Want het was niet handig om te weinig aan je huiswerk te doen, dat wist ze best.

Maar ja.

Daarna boog ze met gestrekte armen en rechte rug naar voren. Waarom ze zo lelijk deed, wist ze niet. Ze wist wel vaker niet waarom ze iets deed. Brutaal zijn in de klas, schreeuwen tegen haar moeder, Marije afkatten, niet met je huiswerk beginnen.

Maar ja.

Isa boog met haar bovenlichaam naar rechts en naar links. Ze was aan het veranderen. Vroeger had ze altijd een goed humeur. Nu wisselde dat zomaar van het ene moment op het andere, ook zonder dat het iemands schuld was. En in andere dingen was ze ook anders aan het worden. Neem nou Jesse. Vroeger zou ze nooit één gedachte aan een jongen wijden. En nu... Ze dacht vaak aan hem.

Het was gek, net of je jezelf opnieuw moest leren kennen...

Ze ging op de grond zitten met één been gestrekt voor en één been achter. Zachtjes veerde ze een paar keer en boog toen door tot spagaat. Zo bleef ze zitten. Maar je moest het wel doen, dat huiswerk, dat snapte ze zelf ook wel. Maar níet omdat haar moeder het zei. Nee, omdat ze het zelf wilde. En wilde ze het?

Ja, ze wilde over naar de tweede, en ze wilde ook graag vmbo-t blijven doen.

Weet je wat? Dat moest ze toch maar tegen haar moeder gaan zeggen. Isa kwam overeind, schudde haar spieren los, draaide de muziek zachter en ging de gang op. Halverwege de trap kwam ze haar moeder tegen.

'Sorry,' zeiden ze tegelijkertijd. Toen moesten ze allebei lachen.

'Ik moet erg aan mijn puberdochter wennen,' zei haar moeder.

'En ik moet aan jou als pubermoeder wennen,' merkte Isa eigenwijs op. 'Vroeger was je leuker.'

'Jij ook!'

Weer lachten ze.

'Mam?' zei Isa. 'Eerst luisteren, dan iets zeggen! Ja? Ik weet wel dat je geen nieuwe discussie wil, maar kunnen we jouw nieuwe regel omzetten in iets anders?'

'Wat dan?'

'Ik beloof lang genoeg te werken en erg mijn best te doen. Maar dan wil ik zelf bepalen wanneer ik aan mijn huiswerk ga.'

'En ik mag je zeker niet meer aan het werk sturen.'

'Nee. En overhoren wil ik ook niet. Jullie moeten me vertrouwen dat het goed komt.'

'Op proef dan! Laat maar zien dat je je verantwoordelijkheid kunt nemen.'

Isa vloog haar moeder om de hals. 'Lief! Misschien ben je toch wel de liefste moeder van de wereld.'

Ze stonden nog steeds halverwege die trap. Haar moeder streek licht met haar vingers langs Isa's wang. 'Ja, ja!'

'Nou,' zei Isa, 'dan ga ik maar eens aan mijn huiswerk.'

'Goed idee,' zei haar moeder en liep de trap weer af.

VERA
Een eigen mening

Iedereen had het erover die ochtend. Het had zelfs in de krant gestaan. Dennis had die krant ook meegenomen en liet hem aan iedereen zien. Het was ook niet niks. Meestal hoor je over dingen die gebeuren in Amsterdam, Rotterdam of Den Haag, maar nu ging het over iets dat hier in de buurt was gebeurd. Dat was wel erg dichtbij.

Wat was er nu aan de hand? In het winkelcentrum in West waren rellen geweest. Het was ermee begonnen dat een stel knullen in zwartleren jacks aan het klieren was. Ze hadden daarbij een meisje met een hoofddoek lastiggevallen, en een paar Marokkaantjes uit de buurt pikten dat niet. Toen was het uit de hand gelopen, en een ruit van Blokker was daarbij gesneuveld.

Het eerste uur hadden ze Berkman. Hij merkte wel dat er onrust in de klas was en hij begreep ook waarom. Daarom zei hij: 'Dat overhoren gaat vandaag niet door. In plaats daarvan wil ik het met jullie hebben over wat er in de krant heeft gestaan, over die rellen hier in de buurt. Ik wil wel eens weten of jullie een eigen mening kunnen formuleren. Dat hoort tenslotte ook bij Nederlands. Wie mag ik als eerste het woord geven?'

Het werd erg stil in de klas.

Wat zullen we nou krijgen? dacht Vera. Je komt toch niet op school om je mening te geven? Je gaat alleen naar school om voldoendes te halen.

Gelukkig had Dennis er geen moeite mee om zijn mond open te doen. Hij had altijd al een grote mond, dus dit kon er ook nog wel bij.

'Belachelijk gewoon!' riep hij, terwijl hij met de krant zwaaide. 'Altijd moeten ze ons hebben, altijd worden wij Hollanders over één kam gescheerd. En waarom? Omdat wij zwarte jekkies dragen zeker. Kunnen wij het helpen dat die jekkies ons goed staan? Heel wat beter als hun in ieder geval.'

Triomfantelijk keek hij de klas rond. Hij had zelf een zwartleren jack met metalen knopen en hij was er zuinig op. Hij hing hem nooit aan de kapstok, maar hield hem zo veel mogelijk bij zich. Nu ook weer.

'Die meiden vragen er toch ook om,' ging hij doodleuk verder. 'Zo'n stomme hoofddoek van zo'n stomme meid staat toch gewoon stom? Maar daar mag je niets van zeggen, terwijl ik geeneens mijn cap in de klas mag dragen!'

Vera dacht aan Rachida en haar hoofddoek. Dit werd haar toch langzamerhand te gortig.

'Denkt iedereen hier in de klas er zo over?' vroeg Berkman intussen.

Aarzelend stak Vera haar hand op. Ze was helemaal niet van plan geweest om zich met de discussie te bemoeien, maar dit kon ze niet over haar kant laten gaan.

'Die hoofddoek van Rachida uit de andere klas is prachtig,' zei ze, 'en hij staat haar goed. Bovendien betekent het voor haar veel meer dan dat malle petje voor jou betekent.'

'Mijn cap is mijn vrije meningsuiting, toevallig,' zei Dennis verontwaardigd.

'Daarom draag je dat ding zeker altijd achterstevoren,' zei Vera maar. Iedereen moest daarom lachen, ook Berkman.

Maar Dennis liet het er niet bij zitten. 'Ach, schei toch uit,' zei hij. 'Weet je wat het is, die rot-Marokkaantjes gaan altijd meteen beuken omdat ze zich beledigd voelen. In plaats als dat hun zich aanpassen aan ons. Hun moeten gewoon normaal doen.' Het gebeurde wel vaker dat Dennis expres plat ging praten als hij zich opwond.

'Wat is dat, "normaal"?' vroeg Vera.

'Nou, ik,' zei Dennis. 'Ik ben normaal en hun zijn niet zoals ik, dus zij zijn niet normaal. Laat ze anders teruggaan naar hun eigen land of eerst behoorlijk Nederlands leren, dat kan ik altijd nog beter als hun.'

'Het is: "beter dan zij",' verbeterde Vera hem. 'Jij moet eens behoorlijk Nederlands leren.'

'Mag ik soms gewoon zeggen wat ik denk?' zei Dennis. 'Daar heb ik toch recht op? Niet dan? Nou dan.'

'Als jij wilt zeggen wat je denkt, moet je wel eerst nadenken voor je wat zegt,' zei Vera beslist.

Hier had Dennis niet van terug. De hele klas zat hem vierkant uit te lachen.

Na afloop van de les kwam Berkman naar Vera toe. 'Bedankt,' zei hij.

Verbaasd keek zij hem aan. Bedankt? Waarvoor bedankt? dacht ze.

'Ik was het helemaal met je eens,' legde hij uit. 'Maar als jij het zegt trekt Dennis zich dat meer aan dan wanneer een oude vent als ik het zeg. Het is heel belangrijk dat meisjes zoals jij ook voor hun mening uit durven komen. Echt waar, dat meen ik.'

Vera was er helemaal beduusd van, maar ze glom ook van trots. Zij was dus een meid met een mening, iemand om rekening mee te houden!

JESSE

Een blauwe bult in de struiken

Fijn, ze hadden vandaag voor het eerst sinds maanden weer gym op het veld. Jesse had er zin in. De hele dag in die duffe lokalen terwijl buiten de zon scheen... Na Frans hadden ze eerst pauze en daarna zouden ze met zijn allen doorfietsen naar het veld.

Chris was ziek vandaag en Jesse liep in zijn eentje naar buiten. Hij wandelde naar de grote vijver die vlak achter de school lag. De zon schitterde in het water en Jesse haalde diep adem. Voorjaar! Wat kon hij daar altijd van genieten. Een moedereend zwom met een heleboel kleintjes vlak langs de kant. Dat die al zo vroeg te zien waren!

Jesse bleef staan en tuurde de waterkant af om te zien hoeveel het er nou precies waren. Ineens zag hij een blauwe bult tussen de struiken. De bult bewoog en ging rechtop staan. Het was dikke Jaap.

'Wat doe jij hier nou?' flapte Jesse eruit.

Jaap haalde zijn schouders op en werd rood. 'Nou... gewoon.'

Jesse vond het niet gewoon en hij wist even niets te zeggen.

Blijkbaar vond Jaap het zelf ook niet zo gewoon, want hij besloot om het Jesse uit te leggen.

'Ik heb een hekel aan gym. Helemaal aan gym op het veld. Dus ik dacht: ik ga gewoon niet. Ik wou me hier verstoppen.'

Verbaasd keek Jesse hem aan. Een hekel aan gym? Daar kon

hij zich niets bij voorstellen. En om je dan hier in de bosjes te verstoppen, dat sloeg echt nergens op! Maar dat zei hij niet. Hij had dit jaar wel geleerd dat je je soms eenzaam en naar kon voelen. En Jaap had dat blijkbaar op andere momenten dan hij.

'Waarom heb je een hekel aan gym?' Jesse probeerde het ongeloof uit zijn stem weg te laten.

'Eerst moeten we altijd drie rondjes om het veld. Ik houd er niet eens één vol. Dus dan roept iedereen weer: "Hé dikke, loop toch eens door." Of: "Papzak, moeten we je soms slepen?" Dat vind ik verschrikkelijk. Ik weet wel dat ik dik ben, maar dan hoeven ze nog niet zo lullig tegen me te doen.' Jaaps stem sloeg over. 'Daarna gaan we voetballen of hockeyen of iets anders doms met een bal. En ik weet al precies hoe dat gaat. Berendsen wijst er twee aan en die mogen dan hun teams samenstellen. Die twee kiezen mij nooit, wie het ook zijn. Op het laatst ben ik alleen over en dan gaat iedereen ruziemaken wie mij moet nemen. En daar heb ik geen zin in. Ik doe net zo lief niet mee.'

Jaap vertelde het in één adem en hij werd er nog roder van. Daarna keek hij naar de grond, alsof Jesse hem zou gaan slaan. Jesse was er stil van. Ineens kon hij zich goed voorstellen dat gym niet leuk was voor Jaap. Als hij mocht kiezen, nam hij ook nooit Jaap. Dat was zo'n slome. Hij miste alle ballen, of het nou bij handbal was in de zaal of bij hockey op het veld.

'Jij mist ook alle ballen,' verdedigde Jesse zich zwakjes.

'Dat weet ik!' Jaap schreeuwde nu. 'Ik word al zenuwachtig als ik een bal zie. Op jullie gezichten zie ik wat er gaat gebeuren. Zodra een bal bij mij in de buurt komt, gaan jullie al ontzettend balen. O néé, straks mist die sukkel hem weer. Dat helpt niet echt, kan ik je verzekeren!'

Nu was het Jesses beurt om een kleur te krijgen. Jaap had gelijk. Zo reageerden ze allemaal, zonder uitzondering. Logisch dat hij daar zenuwachtig van werd.

'Sorry,' zei hij toen zachtjes. 'Ik snap nu ineens hoe erg dat voor je moet zijn. Ik heb er eerder gewoon niet aan gedacht.'

Jaap keek op. Er was even iets van verwondering in zijn gezicht te zien. Maar meteen daarna keek hij weer net zo boos en verdrietig als eerder.

'Mooi. Ik blijf nu gewoon hier, en jij zegt tegen niemand dat je mij gezien hebt.'

Hij draaide zich om en liep met zekere pas de bosjes weer in. Dat zag er ineens ontzettend grappig uit.

'Ah joh,' zei Jesse. 'Doe niet zo gek. Twee uur hier zitten helpt niks. Het wordt er alleen maar erger van.' Hij zweeg even. Hij had geen idee hoe het probleem van Jaap opgelost kon worden. Maar die draaide zich hoopvol om, alsof hij verwachtte dat Jesse met de gouden vondst zou komen.

'Ik beloof dat ik nooit meer iets stoms tegen je zal roepen. En als je de bal krijgt, zal ik ook niet meer vervelend doen. De rest van de klas kan ik niet veranderen, maar misschien kan ik er wel wat van zeggen als ik iets merk. Zullen we samen naar gym fietsen?' Jesse keek op zijn horloge. 'De pauze is al bijna voorbij.'

Tot zijn opluchting knikte Jaap. Hij stapte de bosjes weer uit en zwijgend liepen ze naar de fietsenstalling. Jesse voelde zich ineens ontzettend verlegen. Zo vaak voerde hij niet een serieus gesprek met een klasgenoot. Hoe moest je daarna dan weer gewoon doen?

Jaap doorbrak de stilte. 'Nu denk je natuurlijk dat je voortaan mijn vriend moet zijn. Dat hoeft niet hoor. Maar ik vind het wel fijn om nu met je naar gym te fietsen.'

In de kleedkamer schreeuwde iedereen door elkaar. Alleen tijdens buitengym waren het zelfs twee klassen. Dan gymden ze samen met de klas van Kees. Nog meer lawaai dan anders dus! De meeste jongens hadden zin om te gymmen. Jesse hing zijn tas op een haak naast die van Jaap en trok zijn gymkleren aan. Toen Jaap zijn T-shirt uit zijn tas haalde, riep Rik: 'Leuke nieuwe tent, Jaap! Kun je vast nog harder mee lopen.'

'Houd je kop!' grauwde Jesse. Voor het eerst voelde hij wat Jaap nu moest doormaken. 'Wij zeggen ook niets over dat gezwel op je neus.'

Overdonderd greep Rik naar zijn neus. Daar groeide inderdaad een roodgloeiende pukkel en daar was hij vast niet blij mee.

Het was ineens doodstil in de kleedkamer. Jesse had met zijn opmerking de normale gang van zaken doorbroken. Nog nooit was er iemand voor Jaap opgekomen. Jesse had niet verwacht dat het zo'n effect zou hebben als hij één keer zo uit de hoek zou komen. Makkelijk eigenlijk!

Berendsen stond aan de rand van het veld op hen te wachten. Tegelijk met de jongens kwamen de meisjes uit de kleedkamers. Op een kluitje bleven ze naar de gymleraar staan kijken.

'Drie rondjes om het veld!' riep Berendsen.

'Wat is die man voorspelbaar,' hoorde Jesse ergens uit de meisjesgelederen komen.

De club zette zich in beweging. Een paar snelle jongens sprintten weg. De meesten daarvan zaten op voetbal en hadden dus conditie. Normaal gesproken liep Jesse met hen mee, maar vandaag besloot hij bij de grote groep te blijven.

Hij merkte dat Jaap daar ook zijn best voor deed. Anders bleef die al heel snel achter, maar nu rende hij hijgend achter aan de grote groep. Een stel meisjes verminderde tempo en bleef nu zelfs achter Jaap. Zodra ze bij de bosjes kwamen, gingen ze lopen. Daar kon Berendsen hen namelijk niet zien.

'Blijf hetzelfde tempo houden!' riep Jesse. 'Dat is makkelijker. Als je straks weer moet beginnen hard te lopen, lukt het je nooit meer.' Dat had hij op voetbal geleerd.

'Fijn, zo'n coach,' hijgde Jaap, maar toch hield hij zich aan Jesses advies.

Hij hield vol tot en met het tweede rondje, veel langer dan anders. Met het groepje meisjes liep hij het laatste stuk, maar gek genoeg zei niemand er iets van. Misschien had Jesses opmerking in de kleedkamer indruk gemaakt.

Hijgend en puffend verzamelde de klas zich rond Berendsen na het hardlopen. Die had ondertussen de hockeyspullen klaargezet. Rotsticks, vond Jesse het. Ze leken meer van kauwgum dan van hout, zo vaak waren de breuken getaped.

'We gaan hockeyen,' zei Berendsen volledig ten overvloede, want dat had iedereen natuurlijk al gezien.

'Jesse en Rik kiezen de teams. Jesse mag beginnen.'

Jesse keek naar zijn klasgenoten. Een paar meiden stonden elkaar te duwen. Die letten helemaal niet op wat er gebeurde. De jongens die op voetbal zaten keken zelfverzekerd in zijn richting. Zij waren altijd degenen die het eerst gekozen werden. Jaap staarde naar een punt in de verte, alsof het hem allemaal niets kon schelen. Maar sinds vanmiddag wist Jesse beter.

'Jaap!' riep hij. Een verbaasd gemompel ging door de klas. De meiden hielden ineens op met duwen en keken met open mond naar Jesse. Rik hapte naar lucht, alsof hij iets wilde zeggen. Toen Jesse heel opvallend aan zijn neus krabbelde, slikte hij zijn woorden in.

'Jelmer,' riep hij toen.

Jaap stapte met opgeheven hoofd naar Jesse. Hij rechtte zijn schouders en hij ging naast Jesse staan alsof hij zijn bodyguard was. Grappig. Zo leek het net alsof ze een ijzersterk team zouden vormen.

'Dennis,' riep Jesse en vanaf dat moment had niemand het meer over zijn eerdere keuze. Voor hij de volgende riep, keek hij nog even naar Jaap. Die keek een stuk opgewekter dan eerder.

Zo moeilijk was het niet om iemand een plezier te doen. En het gaf hem zelf nog een goed gevoel ook!

Tussenuur

Isa was op weg naar lokaal 105. Het was druk in de gang en zoals altijd kreeg ze er een beetje een benauwd gevoel van. Maar ze wist dat ze goed rechtop moest lopen en iedereen gewoon moest aankijken bij het passeren, dan kreeg ze de ruimte.

Nu keek ze om nog een andere reden om zich heen. Altijd hoopte ze Jesse even te zien. Gewoon, omdat ze daar een blij gevoel van kreeg. Nu had ze wel een probleem. Omdat ze niet zo lang was, kon ze niet goed over de leerlingen die van het ene naar het andere lokaal liepen heen kijken. Daar stond tegenover dat Jesse zo groot was dat hij overal bovenuit stak.

Vandaag had ze weinig geluk: ze had hem nog niet gezien. Ook nu niet. Met een zucht liep Isa het lokaal Engels binnen. Ze ging naast Claudia op haar plaats zitten en pakte vast haar boeken uit haar tas. Het was rumoerig om haar heen. Nu pas viel het Isa op dat de lerares er nog niet was.

'Is Tilborg er niet?' vroeg ze aan Claudia. Maar die wist niet meer dan Isa.

Isa deed de dopjes van haar mp3-speler in haar oren en sloeg haar lesboek Engels open. Zo kon ze haar woordjes nog een keer overkijken. Maar ze kon haar aandacht er niet goed bijhouden. Zou Jesse ziek zijn? vroeg ze zich af. Om haar heen werd druk gekletst en de jongens begonnen algauw heen en weer te lopen en aan elkaar te trekken en te duwen en te stoeien.

Isa keek op. Nog steeds geen Tilborg?

'We gaan, jongens!' werd er al geroepen.

'Nee, wacht! Misschien komt ze nog.' Jorg stond bij de deur en keek de gang in.

Verschillende kinderen pakten hun tas weer in.

'Staat ze op de monitor?' vroeg Kees.

'Ik ga wel even kijken!' Jorg sprintte weg, de gang in richting trappenhuis waar een van de monitoren hing met mededelingen. Even later was hij terug. 'Tilborg is ziek!' schalde hij als een echte omroeper het lokaal in.

De klas juichte. Isa stopte haar lesboek weer in haar rugzak en liep met Rachida en Claudia naar de kantine. Daar zat ook 1b! Onmiddellijk zocht Isa's blik Jesse, die met zijn rug naar haar toe met Chris aan een tafel zat. Gelukkig, hij was dus niet ziek.

'Ies!' hoorde ze roepen. Dat was Lisa. Isa kon linksom en rechtsom naar het tafeltje waar zij zat. Die keus was niet moeilijk. Ze maakte zich lang, stak haar borst vooruit, trok haar buikspieren aan en danste naar Lisa toe. Vanuit haar ooghoeken keek ze wat Jesse aan het doen was. Geschiedenis, ze herkende de bladzijde. Ze zei niks, want hij mocht eens denken... Maar hij keek toch op. En glimlachte.

Hij glimlachte naar haar! Isa kreeg het er warm van. Snel liep ze door, stel dat hij haar rode wangen zou zien...

Een beetje buiten adem maar helemaal gelukkig liet Isa zich naast Lisa op een stoel zakken. 'Hai,' zei ze.

'Ook vrij?' vroeg Lisa.

'Ja, Tilborg is er niet. En jullie?'

'Berkman viel uit.'

329

'Nou, lekker! Tussenuur.'

'Hé, moet je horen wat er gisteren is gebeurd.' Lisa begon een enthousiast verhaal over haar wekelijkse oppasavond. Isa zat tegenover Lisa, maar als ze langs haar keek, kon ze Jesse nog net zien. Hij was best stoer, vond ze, en ze hield van stoer. Ze was een keer naar zijn voetballen wezen kijken. Leuk was dat. Hij was goed. Hij was fanatiek. Hij denderde het veld over. Zoals die jongen kon rennen, dat had ze niet achter hem gezocht. Hij had zelfs gescoord. Ze was toen best trots geweest. Gek, dat je trots kon zijn omdat iemand anders iets goed deed.

'Hé, je luistert helemaal niet!' Lisa's verontwaardigde stem haalde haar van het voetbalveld naar de kantine van het Max Havelaar.

'Hè? Wat?'

Ineens drong het tot Isa door dat Lisa al die tijd tegen haar praatte. Waarover ook alweer?

'Leuk zeg, maar niet heus. Vertel ik je wat, luister je niet! Waar zat jij met je gedachten?'

Eh... waar zij met haar gedachten zat? Wat had ze net gedacht? Isa wist het eigenlijk zelf niet meer. Overal en nergens. Dat had ze de laatste tijd wel vaker, dat haar gedachten zomaar wat rondzwierven door haar hoofd.

'Eh... Geen idee,' zei ze dan ook.

'Je weet toch wel waar je aan denkt?' vroeg Lisa nu verbaasd.

'Eh... nou, eigenlijk niet.'

Lisa veerde op. 'Dat is dan typisch een geval van verliefd!' constateerde ze opgetogen.

'Eh? Wat?' zei Isa weer.

'Verliefd, je weet wel, smoor, tot over je oren, verkikkerd, dat je een jongen dus hééél errug leuk vindt.'

'Ik denk eerder een typisch geval van concentratiestoornis,' verdedigde Isa zich. 'Ik wíl wel naar je luisteren, maar ik doe het niet. Ja, jeetje, nu ik het zeg, ik heb er in de klas ook last van. Ik kan me dus op het ogenblik echt niet concentreren op de les. Hebben ze ons daar niet ook op getest aan het begin van het schooljaar? Gek, toen had ik er zeker nog geen last van.'

Lisa boog zich vertrouwelijk voorover. 'Kom op! Niet zo flauw. Wie is het?'

Isa zuchtte.

'Ja!' riep Lisa. 'Het bewijs! Je gaat ervan zuchten, van verliefd.'

'En wat nog meer?' vroeg Isa nieuwsgierig.

Lisa ging er eens goed voor zitten. 'Nou, je denkt dus steeds aan hem. School en vriendinnen doen er niet meer toe, wat voor interessant verhaal ze ook te vertellen hebben. Alleen hij is belangrijk. Je wilt steeds in zijn buurt zijn en als je hem ziet...' Lisa's stem schoot omhoog, maar ze ging verder op een toon die aangaf dat het toch wel heel ernstig was: 'dan ga je blozen en je hart gaat als een razende tekeer.'

Het klopte allemaal, dacht Isa, maar ze had geen zin het met haar vriendin te delen. Lisa vond vooral jongens uit de tweede leuk en Isa kon het niet hebben als Lisa zou gaan lachen of kritiek zou hebben op haar keuze. En bovendien... Lisa vond dan natuurlijk dat ze iets moest doen. Dan zou ze vast elke keer als ze elkaar zagen informeren of ze al verkering had gevraagd.

En verkering... Ja, jeetje, dat was ook zoiets. Isa wist helemaal niet of ze dat wel wilde. Nou ja, ze bedoelde... Goh, ze vond Jesse dus al een tijd heel leuk, en ze hoopte altijd maar dat ze hem even zag of dat ze – per ongeluk toevallig hoor! – een keer naast elkaar konden fietsen op weg naar huis. Maar verkering...

Lisa zat haar nog steeds verwachtingsvol aan te kijken. 'Vertel nou! Ik ga het echt niet doorvertellen hoor, als je dat soms denkt.'

'Nee,' zei Isa, 'dat denk ik niet.' Hoe kon ze dit nu op een logische manier verklaren?

'Vertel je het niet? Dan zit er niets anders op.' Lisa griste met een snelle beweging Isa's agenda naar zich toe. 'Zijn naam staat er vast in. Dat doe je namelijk ook als je verliefd bent.'

Isa reageerde wel, maar niet snel genoeg. Lisa had haar agenda te pakken. Ach, ze zou er niks in vinden. Ze wist veel te goed dat je geen geheimen in je agenda moest schrijven, want hij werd altijd wel een keer afgepakt. Zij trok op haar beurt Lisa's agenda naar zich toe en deed die open. Toevallig bij het lesrooster. Hé, dat is handig! Isa's blik dwaalde over de rijen met uren en lokalen. Ze wist voor een deel Lisa's lesrooster uit haar hoofd, maar niet alles. En in welke lokalen ze zaten, wist ze al helemaal niet. En Lisa's lesrooster was Jesses lesrooster.

In de tijd dat Lisa op zoek was naar de naam die ze toch niet kon vinden, bekeek Isa het lokalenrooster van Lisa. Nu wist ze precies waar ze Jesse kon verwachten bij elke leswisseling. En als ze wilde, kon ze een omweg maken!

JESSE
Jesse en Jaap

De bel ging. Pauze! Jesse propte zijn Franse boek en schrift in z'n tas.

'Jeune homme, kun je nog even wachten? Ik wil nog huiswerk opgeven!' Mevrouw Prenger keek hem streng aan over haar bril.

Zuchtend viste Jesse zijn agenda en etui weer uit het voorvak. Hij had er vandaag echt geen zin in.

'Pour demain, bladzijde 76 oefening 14, 15, 16.' De stem van mevrouw Prenger snerpte door de rumoerige klas. Jesse was duidelijk niet de enige die behoefte aan pauze had.

'Messieurs, dames, u kunt gaan.'

Eindelijk. Met donderend geraas vertrok 1b uit het lokaal. Zodra Jesse een voet buiten het lokaal zette, wist hij het weer. Jaap. Hij stond op hem te wachten bij de deur. Een gevoel van beklemming overviel Jesse. Hij slikte.

Het was een week geleden dat Jesse Jaap in de bosjes had gevonden. Een blauwe bult tussen het groen. Jesse zag het nog zo voor zich. Jaap die zich verstopte om niet naar gym te hoeven. Jesse had hem overgehaald om toch samen naar gym te fietsen. Jaap had toen gezegd: 'Nu denk je natuurlijk dat je mijn vriend moet zijn. Maar dat hoeft niet, hoor.'

Misschien verwachtte Jaap op dát moment nog niet van Jesse dat hij meteen zijn vriend zou worden. Maar Jesse kon zich voorstellen dat Jaaps idee daarover tijdens die bewuste gymles veranderd was. Hij had Jaap immers daarna óók nog in zijn team gekozen en hem geholpen tijdens het hardlopen.

Vroeger zat Jaap ook bij hem in de klas met gym, maar nu zág Jesse Jaap iedere dag. Oké, Jaap sprak hem niet elke dag aan. Maar zelfs als ze niets tegen elkaar zeiden, leek het of Jaap straalde als een vuurtoren zodra Jesse in de buurt kwam. In de klas, in de aula, in de kantine, Jaap was er. Soms zei hij niets, maar alleen zijn blik maakte al duidelijk dat Jaap hem zag. Sterker nog, Jaap bewonderde hem. Dat had Jesse nog niet eerder meegemaakt in zijn leven, maar hij wist zeker dat het zo was.

En nu stond hij hier weer bij de deur. 'Samen naar gym fietsen?' vroeg Jaap. En hij keek Jesse trouwhartig aan, zijn blauwe ogen wijd open. Je moest wel een hele harde kerel zijn als je hier nee tegen kon zeggen.

'Oké. Ik eet eerst nog even mijn brood op met Jorg. Dat hadden we afgesproken.' Kletskoek, maar Jesse moest er niet aan denken ook nog de hele pauze met Jaap door te brengen.

'Prima!' Jaap knikte opgewekt. 'Dan zie ik je straks wel bij de fietsenstalling.' Doelgericht stapte hij weg. Het zou Jesse niets verbazen als Jaap nu alvast bij de fietsen ging staan, om hem straks vooral niet mis te lopen.

Chris sloeg op Jesses schouder in het voorbijgaan. 'Je hebt een nieuwe vriend, volgens mij.'

Jesse haalde een kop soep in de kantine en liep naar Jorg. Gek, nu voelde hij zich ook nog verplicht om te doen wat hij tegen Jaap had gezegd.

Jorg stak zijn vinger op ter begroeting toen Jesse bij hem

kwam staan en nam een hap van zijn boterham. Jorg zat bij Kees in de klas, de klas waarmee ze gymden.

'Heb je nog wel tijd voor mij?' Chris kwam naast Jesse staan en slurpte van zijn hete thee.

'Doe niet zo flauw,' viel Jesse uit. 'Ik weet ook niet wat ik ermee moet.'

'Wat is er aan de hand?' Jorg keek van de een naar de ander.

Voor Chris zijn mond open kon doen, legde Jesse het snel uit. Nog een flauwe grap over zijn 'nieuwe vriend' zou hij nu niet kunnen hebben.

Chris' plagerige glimlach verdween. 'Balen, man. Doe je je best, zit je gelijk aan die dikke vast.'

Jorg kauwde en keek nadenkend voor zich uit. 'Eigenlijk vond ik het wel goed van je, Jesse. Jij deed wat we allemaal hadden moeten doen.'

'Ja,' snauwde Jesse. 'En nu snap ik precies waarom niemand het tot nu toe deed.'

Jorg ging onverstoorbaar door: 'Weet je nog, hoe jij en Kees in het begin van het jaar op mij wachtten met fietsen?'

Jesse knikte. Natuurlijk wist hij dat nog. 'Dat was het idee van Kees, toen.'

'Maakt niet uit,' zei Jorg. 'Het maakte voor mij een wereld van verschil. Tot dat moment voelde ik me rot, alsof ik nergens bij hoorde. Doordat ik vanaf dat moment met jullie fietste, veranderde dat. Ik was niet meer die slome met wie niemand wou fietsen.'

'Dat is allemaal wel mooi en aardig, maar dat verandert niets aan deze toestand nu.' Jesse mikte zijn plastic bekertje

335

in de prullenbak. Mis. Chagrijnig schopte hij het een eind de kantine in.

'Jongeman!' De conciërge. Ook dat nog. Zuchtend bukte Jesse om de beker op te rapen. Dadelijk kreeg hij nog corvee ook.

'Jorg heeft gelijk,' zei Chris nu. 'We hadden allemaal moeten doen wat jij deed. We kunnen dat nog goedmaken, Jesse. Als Jorg en ik ook ons best doen voor Jaap tijdens de gymles, hoef je er niet in je eentje voor op te draaien. Dan ben jij niet meer alleen zijn reddende engel. Misschien wordt Jaap dan wel míjn vriend!' Chris wiebelde veelbetekenend met zijn wenkbrauwen. 'Wat dacht je daarvan?'

'En daar beginnen we nu mee.' Jorg stopte zijn broodtrommel in zijn tas. 'We fietsen met zijn vieren naar gym, en niet jij en Jaap met zijn tweetjes. Gaan jullie mee?'

Ongelovig keek Jesse van de een naar de ander. Dit klonk wel heel heilig allemaal.

'Nou kom op, slome. Straks komen we nog te laat.' Chris beende met grote passen de kantine uit en Jorg rende achter hem aan.

Jaap stond natuurlijk al hoog en breed met zijn fiets bij die van Jesse in de stalling.

'We fietsen met zijn vieren,' kondigde Jorg stralend aan. 'Ik pak even mijn fiets.'

Chris stond als eerste bij de stoeprand. 'Kom op, Jaap. Fietsen we die twee slome drollen eruit?'

Niet-begrijpend keek Jaap naar Jesse. Die haalde zijn schouders op. 'Ga maar. Jorg en ik komen eraan.'

Op hun gemak peddelden Jorg en Jesse achter de andere

twee aan. Chris zette de vaart er flink in, zodat er een behoorlijk gat tussen hen ontstond.

'Als wij Jaap niet meer zo links laten liggen, doen de anderen dat misschien ook niet,' zei Jorg. 'Hij is heus niet onaardig.'

'Ik hoop het.' Jesse kon het nauwelijks geloven, maar het gaf hem nu al meer lucht dat Jaap met Chris fietste.

Toen Jesse en Jorg de kleedkamer binnenkwamen, waren Jaap en Chris al klaar.

Ze hielpen Berendsen om een grote jutezak uit het hok te halen.

Berendsen knikte Jesse en Jorg toe. 'We spelen softbal vandaag. Chris en Jaap doen vast wat vangoefeningen. Als de rest straks klaar is, doen we drie rondjes rond het veld.'

In stilte trok Jesse zijn gymkleren aan. Om hem heen werd flink gepraat, maar Jesse had geen zin om zich daarin te mengen. Voor hij het wist, begon er weer iemand over die gedenkwaardige les vorige week.

Toen hij buitenkwam, zag hij vol verbazing hoe aardig Chris met Jaap aan het oefenen was. Heel gerichte ballen wierp hij in Jaaps handschoen, en die stond zowaar te glimlachen.

'Als het lukt, is het eigenlijk best leuk!' riep hij Jesse toe.

Berendsen blies op zijn fluitje. 'Dames en heren! We beginnen met drie rondjes om het veld.'

Jaap deed zijn best. 'Ik ga proberen hetzelfde tempo aan te houden!' riep hij over zijn schouder naar Jesse, terwijl hij rustig wegdraafde.

Ineens smolt Jesse. Die goeierd. Jaap had precies onthouden

wat Jesse vorige week tegen hem gezegd had. Hij wachtte nu ook niet op hem, maar hij ging zijn eigen gang. Misschien lag het ook wel een beetje aan hemzelf, dat Jaap hem ineens zo benauwde. En als Jorg en Chris nou meededen...

Jesse rende achter Jaap aan en ging naast hem lopen. 'Dit lijkt me een prima tempo om het in vol te houden,' zei hij vriendelijk tegen zijn bewonderaar.

'Mij ook!' Chris haalde hen in en bleef voor hen draven. Jorg kwam naast hem. Als een gesloten formatie gingen ze met zijn vieren het veld rond. Een groep meisjes haalde hen in. Jesse keek naar Chris. Zou die dat op zich laten zitten?

'Meisjes toch!' riep die. 'Het gaat niet om het winnen, maar om de solidariteit!' Hij trok zijn gezicht in een overdreven glimlach.

Een meisje schaterde, maar de groep liep toch door.

'Ze moeten het nog leren.' Jorg klonk berustend.

Dennis en Chris moesten teams kiezen, deze keer.

'Rik,' koos Dennis.

'Jaap.' Chris verblikte of verbloosde niet. Er ging een geroezemoes door de groep. En daarna ging het gewoon vanzelf. Ze speelden softbal net als anders. Toen Jaap aan slag was, keken Jesse, Jorg en Chris gespannen toe. Jaap sloeg wonder boven wonder in één keer raak en hij sprintte weg en haalde het derde honk.

Het drietal aan de kant juichte oprecht. Berendsen keek ze onderzoekend aan.

'Weet je wat ik geloof, jongens? Dat er iets heel bijzonders aan het gebeuren is tijdens deze gymlessen!'

ISA

Wij willen Willem

'Is het waar wat ze zeggen van Willem?' vroeg Isa aan Lisa. 'Weet jij dat?'

Tijdens de grote pauze zaten ze samen op een bank aan de rand van het schoolplein hun brood op te eten. Ze hadden hun jassen uitgedaan en hun gezichten naar de zon gekeerd. Het was lekker warm.

Lisa veerde op uit haar luie houding. 'Ja, stom hè? Dat zou toch niet zomaar moeten mogen.'

'Dus het is waar!' Isa's stem klonk verontwaardigd.

'Ze zeggen het, ja.'

Willem was cool. Willem wist alles van muziek. Willem was dj in zijn vrije tijd. Maar daar ging het niet om. Willem was een supergozer.

Willem was de hulpconciërge. En vanaf het begin van het schooljaar was hij favoriet bij alle brugklassers. Volgens Isa zelfs bij alle leerlingen. Willem knipoogde naar je als je te laat was. Hij maakte grapjes als je een boodschap voor een leraar moest doen. Hij veegde gewoon mee als je corvee had, terwijl hij luidkeels Marco Borsato zong. Hij was altijd bereid je band te plakken. Sterker nog: hij keek alsof je hem een groot plezier deed door aan te komen met een platte achterband.

Willem nam jou serieus, hij vond het leuk met je te praten, hij gaf je altijd het gevoel dat jij ertoe deed. Hij zeikte je niet af, hij mopperde niet en hij leefde uitgebreid mee als je paracetamol kwam halen of de les uit was gestuurd. Je zou het er bijna om doen.

Ze kwamen er pas later achter dat hij nog maar kort op school was, net zo lang als zij, en dat hij geen vast contract had.

'Ik begrijp het niet,' zei Isa.

'Dat soort dingen zijn niet te begrijpen,' antwoordde Lisa. 'Dat is politiek.'

'Dat is kut.'

Lisa grijnsde. 'Dat ook.'

De bel ging en loom hesen ze zich overeind.

'Ik heb geen zin,' zei Lisa met een zucht.

'Ik ook niet.'

'Nog twee uur... Nog twee lange rampuren...'

'Wat heb je?'

'Techniek en Fráns...'

Isa lachte. De weerzin tegen Frans droop eraf. Isa vond Frans leuk, maar dat had alles met hun jonge, hippe docent te maken. Gek eigenlijk dat een leraar kon bepalen of je een vak leuk vond of niet...

'Techniek is wel leuk,' deed ze een poging haar vriendin op te beuren.

'Mwah, mijn producten vallen sneller uit elkaar dan ik ze kan maken. Nee, Ies, techniek is niets voor mij.'

Terwijl ze de school in liepen, keken ze automatisch op-zij, naar het hok van de conciërges. Het 'hok' was nog een behoorlijke ruimte die door Willem was opgeleukt met posters van popsterren. Het zag er vrolijk uit achter de balie. Nu was alleen Douwe te zien, die met een nors gezicht aan de telefoon zat. Bij Douwe had je altijd het idee dat hij al die leerlingen maar lastig vond. Konden ze hém maar wegsturen!

Lisa liep de gang beneden in, Isa nam de trap. Haar klasgenoten stonden druk te praten in de gang bij het lokaal Engels. Hier ging het ook al over Willem. Ze riepen allemaal verontwaardigd door elkaar.

'Het is niet eerlijk! Willem doet zijn werk heel goed! Waarom moet hij dan weg?'

'Zitten wij met die chagrijnige Douwe opgescheept.'

'Kunnen ze die niet met pensioen sturen?'

'Joh, die man is nog maar vijftig of zo.'

'We pikken dit toch niet!'

'Nee, we moeten actie voeren!'

'Ja, actie!'

'Willem moet blijven!'

'Ja, wij willen Willem!'

En ineens begonnen ze allemaal te roepen: 'Wij willen Willem! Wij willen Willem!'

In dat tumult kwam mevrouw Tilborg aangelopen. Ze hield een moment lachend haar handen voor haar oren voor ze de deur opendeed. Nog steeds roepend en schreeuwend tolde de klas naar binnen.

Toen ze allemaal zaten en een beetje gekalmeerd waren, vroeg mevrouw Tilborg: 'Vertel eens waarom jullie zonet op zo'n eigenaardige manier de lucht uit jullie longen persten. Wat is er aan de hand?'

Ze begonnen allemaal tegelijk te praten. Tilborg wees Kees daarom als woordvoerder aan. Die sprak namens de klas toen hij vertelde dat ze boos waren omdat ze hadden gehoord dat Willem aan het eind van dit schooljaar weg moest.

Mevrouw Tilborg knikte.

'Dus het is waar?' vroeg Jorg.

'Ja, helaas wel.'

Isa wist niet of ze boven het lawaai van haar klasgenoten uit kon komen. Ze stak haar vinger daarom op.

Mevrouw Tilborg gaf aan dat ze moesten dimmen. 'Ik kan zo niemand verstaan,' zei ze. 'Stil een beetje! Isa, wat is er?'

'Maar waarom moet hij eigenlijk weg?'

'Willem is hier aangenomen op grond van een regeling voor jongeren die langdurig werkloos zijn. Zo kunnen ze wat werkervaring opdoen. Zijn tijd is straks om. Zo simpel is het.'

'Maar kan hij dan hier geen baan krijgen?'

'We hebben Douwe en Ritchy al. Er is geen geld voor een derde conciërge.'

'Kan Douwe niet weg?! Willem is veel beter!'

Die opmerking oogstte bijval van de hele klas. Maar mevrouw Tilborg fronste haar wenkbrauwen.

'Ik snap dat jullie Willem leuker vinden. Maar je kan nu eenmaal niet zomaar iemand ontslaan. En nu je boek pakken, we gaan met de les beginnen.'

'We gaan staken! Doe je mee? De vijfdeklassers organiseren een staking! Willem moet blijven!'

Het ging de volgende dag als een lopend vuurtje door de school. Max Havelaar riep zijn leerlingen op om vrijdag de les voor de kleine pauze tien minuten eerder te verlaten uit protest tegen het wegsturen van Willem. Alleen als de schoolleiding beloofde ervoor te zorgen dat Willem een vaste baan bij hen op school kreeg, zou iedereen gewoon tot de bel blijven zitten.

Net zo hard vlamde de onrust op en verstoorde die de lessen. In alle klassen werd erover gepraat, ook in 1c. Isa luisterde.

'Wanneer is het eigenlijk? Morgen al?'

'Wat? Hoe lang? Tien minuten maar?'

'Tien minuten? Belachelijk!'

'We staken geen tien minuten, we gaan het hele uur staken.'

'Nee, we staken de hele middag! We gaan echt niet terug naar de klas.'

'Wie zegt dat?'

'Iedereen is dat van plan!'

'Dat is Willem wel waard!'

'Wat is nou tien minuten? Niets toch zeker. Als we het doen, doen we het goed.'

'Ja, dat doen we!'

Isa luisterde en twijfelde. Iedereen? Niet meer terug naar school? Dat was dan toch geen staken, dat was... spijbelen! Of niet? De oproep was tien minuten geen les volgen. Of was het erg braaf om zo te denken...?

Die donderdag werd er onder elke les en tijdens elke pauze over gediscussieerd. Felle discussies werden het, over solidair zijn en de rechten van de leerling en durven en je nek uitsteken.

Isa was in de war. Het ging toch om Willem? Daar praatten ze niet over en ze hadden het al helemaal niet over die regeling dat hij even mocht werken en dan zomaar weer werkloos was. Nee, ze hadden het over het recht van de scholieren om te staken. Daarover had Isa nou nog nooit nagedacht. Was je dan dapper, zoals Martijn beweerde, of was je ongehoorzaam, zoals Rachida fijntjes opmerkte? En was tien minuten ongehoorzaam zijn minder erg dan een hele middag? Wat waren de gevolgen als je niet in de volgende les verscheen, laat staan de rest van de middag?

Er waren er meer die zich dat afvroegen. Isa werd boos aangekeken toen ze de vraag uitsprak.

Claudia beet haar onverwacht fel toe: 'Ben je bang? Schijterd, ga jij dan maar naar de les. Zit je wel in je eentje, hoor.'

Zou dat waar zijn? Ze zat er dan op z'n minst met Rachida. 'Mijn vader doet me wat als ik niet naar school ga,' fluisterde die.

Het bleef Isa bezighouden, en thuis piekerde ze gewoon door. Ze wilde best staken, maar niet de hele middag. Hoe moest ze dat doen? Wat zouden de anderen dan van haar vinden? Lag ze er dan uit? Op msn werd duidelijk dat ook de kinderen uit 1b van plan waren mee te doen. Het ging om Willem, hún Willem! Tuurlijk gingen ze actie voeren! Maar ook de hele middag?

'We zien wel,' had Jesse gezegd.

Die vrijdag was de sfeer op school anders dan anders. Er hing duidelijk iets in de lucht, hoewel die net zo stralend blauw was als de vorige dagen. Aan het einde van het eerste uur klonk ineens de stem van de rector door de intercom: 'Beste leerlingen, we zijn op de hoogte van jullie plannen om actie te voeren tegen het beëindigen van Willems aanstelling hier op school. We zijn allemaal onder de indruk van jullie steunbetuiging aan hem, Willem zelf niet het minst, maar we roepen jullie op na de pauze gewoon weer naar de les te komen. Iedereen die afwezig is, wordt als absent opgeschreven. Einde bericht.'

Ze konden amper hun aandacht bij de les houden. De minuten kropen voorbij. Er werd veelvuldig op horloges gekeken en aldoor gezucht. Was het nog geen tijd?

Wie was de eerste? Isa kon het niet zeggen. Twaalf minuten voor het einde van de les leken ze als één man op te staan, hun tassen in te pakken en het lokaal uit te lopen. Evie, hun lerares Frans, was erop voorbereid en had het huiswerk al op het bord geschreven. Ze had in blokletters erbij gezet: 'Denk altijd goed na over de gevolgen van de keuzes die je maakt!'

De school liep leeg. Uit alle lokalen stroomden de leerlingen, vrijwel niemand bleef achter. De gangen waren vol, de trappen raakten verstopt. Maar uiteindelijk was iedereen buiten. Dát was al bijzonder: normaal gesproken stonden ze nooit met zo veel op het plein. Iedereen kwam en ging op zijn tijd, en in de pauzes bleven er altijd mensen in de kantine. Het was bommetjevol.

Isa kreeg het benauwd. Ze mocht dan behoorlijk gegroeid zijn dit schooljaar, met haar één meter zesenveertig was ze nog steeds klein. De blauwe lucht was verdwenen, ze zag niets anders dan achterhoofden en ruggen, en ze had het gevoel te stikken in die massa. Paniekerig worstelde ze zich naar de rand van het plein. Bij de rozenstruiken bleef ze staan. Nu was ze wel haar klasgenoten kwijt, maar dat was dan niet anders.

Een gejoel steeg op vlak bij de deur van de school.

'Wat gebeurt er?' vroeg ze aan de meiden naast haar.

'Willem! Willem komt naar buiten!' riepen ze.

Dat was niet te zien, maar Isa kon het wel horen. De menigte begon te roepen: 'Willem! Willem! Wij willen Willem!'

Zijn stem kon ze ook horen. Versterkt door een microfoon zei hij: 'Hé jongens, ik ben heel blij met jullie. Jullie zijn geweldig...'

Het gejuich van duizend leerlingen overstemde hem.

Na een poosje kon hij verder: 'Ik vind het geweldig dat jullie me steunen. Maar doe me een lol, en ga na de pauze gewoon weer aan het werk, dat doe ik ook. Ik ben nog niet weg, weet je, en de directeur himself gaat een goed woordje voor me doen. Er is vast ergens een school waar ik aan het werk kan, als het hier niet is, dan ergens anders.'

Het schreeuwen en joelen was enorm. Willems stem kwam niet terug en langzamerhand viel de grote groep leerlingen iets uit elkaar. Vanuit haar plek bij de rozenstruiken kon Isa een deel van de fietsenstalling zien. Er gingen leerlingen weg! Nu zag ze ook dat veel lui hun tas bij zich hadden. Ja, ze pakten hun fiets en reden doodleuk weg.

Toen de bel ging, werd het dringen: een deel van Max Havelaar wilde de school in, een deel wilde het plein af. Vanaf de zijlijn bekeek Isa beide stromingen. Weer voelde ze paniek. Wat moest ze nu doen? Wat deden de anderen? Nu kon ze niet afkijken wat de rest deed! Ze tuurde naar de menigte in de hoop bekenden te zien. Wat deed Lisa? Wat deed Jesse? Wat deed Claudia? Wat deed Rachida?

Waarom moest ze nu aan Jacco denken, haar leraar streetdance? 'Niet afkijken, Isa, dans op je eigen benen! Jij kunt het heel goed zelf! Blik omhoog, kijk vooruit, ja móói!' hoorde ze zijn stem in haar hoofd.

Ze moest zelf kiezen. Heel even aarzelde ze nog, toen draaide ze haar rug naar de fietsenrekken en liep, nog steeds zo veel mogelijk langs de rand van de massa, in de richting van de school.

Het was mooi geweest, ze hadden een duidelijk gebaar gemaakt, zij had geen zin in straf. Want dat de spijbelaars straf zouden krijgen, daarvan was ze overtuigd.

Een kleine tien minuten later was bijna iedereen terug in school. Van 1c ontbraken drie kinderen, die werden opgeschreven in het klassenboek. En daarna begon de les.

JESSE
Rare kriebels

Het eind van het schooljaar was in zicht. En Jesse telde de dagen tot het eindelijk zover was. Hij was zo moe!

En dan ook nog die boekbespreking... Net na de kerstvakantie had Berkman een lijstje gemaakt waarop stond wie er wanneer een moest houden. Jesse was als laatste aan de beurt: in de week voor de proefwerkweek. Toen vond hij dat uitstel geweldig, maar nu zat hij met de gebakken peren. Afschuwelijk. Hij had het idee dat zijn hersens vol watten zaten. Hoe zou hij nog een serieus verhaal kunnen houden over een boek?

Jesse besloot meteen na schooltijd naar de bieb in het dorp te fietsen. Hij had nog geen idee over welk boek hij het moest doen. Kees en de rest gingen nog even de stad in, dus hij moest alleen fietsen.

'Hé, wacht even!' Hijgend kwam Isa aanrennen. 'Ik ga ook naar huis. Zullen we samen fietsen?'

'Ha Isa!' Jesse was verrast haar te zien. Hij had toch echt gedacht dat ze met de anderen mee zou gaan... Hij voelde een vreemd kriebeltje in zijn buik. Gelukkig merkte Isa daar niets van, want ze kletste honderduit.

Zodra Jesse zijn kriebeltje had weggeduwd, begon hij over zijn boekbespreking.

'Ik heb het voor me uitgeschoven, en nu heb ik nog maar een paar dagen. Zo stom! Ik weet niet eens welk boek ik zal doen. En alle boeken zijn al geweest, dat is het nadeel van de laatste zijn.'

'Ik weet een leuk boek,' zei Isa. 'Ik heb het net gelezen. Van Karel Eykman. *Link* heet het. Het gaat over drie jongeren in Utrecht. Ze raken bijna op het slechte pad. Echt heel spannend en geen meidenboek. En het is ook niet zo dik.'

Weer voelde Jesse zo'n vreemde kriebel. Hij haalde diep adem. Het zou wel door het weer komen. De zon scheen en ze fietsten net door een straat met bloeiende bomen die heerlijk roken. Misschien kreeg je daar wel van die rare kriebels van.

'Ik heb het trouwens in mijn tas,' zei Isa. 'Ik wou het net terugbrengen. Als je wilt, kun je het gelijk meenemen. Dan hoef je niet eerst naar de bieb. Ik moet het volgende week vrijdag pas inleveren, dus dan heb je nog tijd genoeg.'

'Goed idee!' Jesses stem piepte raar en daar schrok hij zelf van. Dat deed zijn stem wel vaker de laatste tijd.

Hij keek opzij naar Isa, maar die merkte er zo te zien niets van.

Bij het tankstation stopten ze. Dan kon Isa het boek uit haar tas halen. Jesse pakte het van haar aan en even raakte haar hand de zijne. Weer een gekke kriebel. Misschien werd hij wel ziek.

'Bedankt, Isa! Tot morgen!' Jesse zwaaide zijn been over zijn zadel en fietste weg. Hij betrapte zich erop dat hij extra recht op zijn fiets zat om groter te lijken. Wat deed hij toch belachelijk ineens!

Hij duwde met zijn wiel het tuinhek open en kwakte zijn fiets tegen de compostbak. Misschien ging hij straks nog weg.

Zijn moeder was nog niet thuis, want de keukendeur zat op slot. Bij binnenkomst liet hij zijn tas en zijn jas op de mat vallen en hij schopte zijn schoenen uit. Hij viste het boek van Isa uit zijn tas. Meteen maar beginnen. Hij schonk een glas sap in en zocht een plekje op de bank. Hij sloeg het boek open en hij begon te lezen.

Na een tijdje merkte hij dat hij al een hele poos naar de eerste bladzij zat te staren, zonder dat hij een woord gelezen had. Hij dacht aan Isa! Belachelijk. Hij kende Isa al vanaf groep 6, dus er was geen enkele reden om zo uitgebreid over haar na te denken, zei hij tegen zichzelf.

Hij dwong zijn ogen naar de letters van de eerste regel. *Joep en Ricky waren elke dag wel op deze plek te vinden.* Gekke naam, Ricky. Zo langzamerhand raakte hij in het verhaal en raakte Isa op de achtergrond. Dat voelde een stuk rustiger.

Na een uur lezen besloot hij informatie over de schrijver op internet te gaan zoeken. Dat moest toch en dat was een goede afwisseling voor het lezen.

Grappig, er was een basisschool naar Karel Eykman vernoemd. Serieus typte hij alle informatie die hij vond over in Word. Hij kon natuurlijk wel kopiëren, maar dan waren het niet zijn eigen woorden. En daar kon Berkman zo verschrikkelijk over drammen. Jesse meldde zich tussendoor aan op MSN. Niet dat hij nou echt ging kletsen, maar zo miste hij geen belangrijke mededelingen.

Er plopte een mededeling van Isa op het scherm. 'Ben je al in het boek begonnen?' Jesse kreeg het er warm van. 'Ja, best spannend. Kga nu weer verder lezen.'

'As je nog info nodig hebt... kwil best helpen.'

'Kben al heel ver, maar bedankt!'

Met een warm hoofd ging Jesse weer naar de bank. Verwarrend allemaal!

Drie dagen later was het zover. Jesse had zijn boekbespreking. Hij had het boek in zijn tas en een blaadje met belangrijke punten. Van Berkman mochten ze hun boekbespreking niet uitschrijven. Vlak voordat hij het lokaal in ging, botste hij tegen Isa op.

'Sterkte zo meteen,' zei ze. En meteen voelde Jesse die rare kriebel weer. Hij werd er zo langzamerhand gek van. Chris trok hem mee het lokaal in. Meneer Berkman begon de les keurig op tijd.

'Jesse, jongen, grijp je kans.' Berkman stapte opzij om plaats te maken voor Jesse. Die legde zijn blaadje op het bureau van meneer Berkman en het boek legde hij ernaast.

'Ik ga mijn boekbespreking houden over *Link* van Karel Eykman.' Jesse hield het boek omhoog en liet het aan de klas zien. Moeiteloos vertelde hij waar het over ging, en over het leven en werk van meneer Eykman. Ten slotte gaf hij zijn eigen mening over het boek.

'Zijn er nog vragen?' Jesse keek de klas rond.

'Zit er geen verliefdheid in het boek?' Deze vraag kwam van Berkman. 'Eykman schrijft bij mijn weten graag over ontluikende verliefdheid.'

Jesse kreeg een hoofd als een boei. Wat was dat nou voor een rare vraag! Stug schudde hij zijn hoofd. 'Nee, helemaal niet.'

'Hoe kwam je erop om dit boek te kiezen?' Vera keek onschuldig, maar Jesse had het gevoel alsof ze er alles van wist.

'Nou gewoon. Leek me een leuk boek.' Hij ging het de klas niet aan hun neus hangen. Echt niet.

'Verder nog vragen?' Toen de klas stil bleef, liep Jesse weer terug naar zijn plek.

'Goed gedaan, Jesse.' Berkman ging weer achter zijn bureau zitten.

'Je hebt het voordeel dat je al heel veel voorbeelden gezien hebt, maar het nadeel dat veel populaire boeken al geweest zijn. Je krijgt een 8.' Berkman schreef het cijfer in zijn agenda.

Weer voelde Jesse zijn wangen warm worden, maar dit keer snapte hij heel goed hoe het kwam. Zo'n hoog cijfer had lang niet iedereen gehaald!

Na de les was het pauze. Chris trakteerde hem op een flesje cola om te vieren dat hij zo'n goed cijfer had. Jesse stak het flesje in de lucht om te proosten. Zijn arm ging langzamer omhoog en hij merkte dat er een hand op lag. Een kleine hand. Isa.

'Hoe ging het?'

'Ik had een 8!' Hij glom van trots. 'Ik zal je je boek straks teruggeven.'

'Gefeliciteerd!' zei Isa. Ze stak haar duim omhoog en liep door. Jesse nam een slok van zijn cola.

Heerlijk! Nog een paar weken en dan was het vakantie!

JESSE
Wraak!

'Post!' Jesse legde de envelop met het schoollogo op tafel. Zijn moeder hoorde blijkbaar aan zijn stem dat er iets bijzonders was. Ze droogde haar handen af aan haar schort en maakte de envelop meteen open.

'Uitnodiging voor een gesprek met de mentor...' las ze hardop voor. Mompelend las ze verder. 'Dit gaat over wat je volgend jaar gaat doen! Havo of vwo!' Ze legde de brief neer en keek Jesse aan. 'Spannend! Heb je al een idee wat het gaat worden?'

'Nee,' loog Jesse. Nou ja, strikt genomen klopte het wel. Hij wist het niet, maar hij hoopte heel erg dat hij naar het vwo mocht. Het was sinds de kerst zo veel beter gegaan. Hij had ineens begrepen waar het om ging bij Frans, Engels, en al die vakken die hem in het begin abracadabra hadden geleken. Maar zouden de leraren óók gezien hebben dat het hem allemaal veel duidelijker was geworden? Zijn cijfers waren beter, oké. Maar soms hadden leraren in korte tijd een oordeel over je gevormd waar ze daarna nooit meer van afweken.

Zo was het geweest bij meester John en juf Sandra van de basisschool. Omdat hij onzeker was in de kleutergroep, had hij in groep 8 een vmbo-t advies gekregen. Wat hij in de tussentijd had gepresteerd, had blijkbaar geen enkele indruk gemaakt.

Dat hij een Cito-score van 544 had, leek daar zelfs niets aan te kunnen veranderen. Hij kon beter iets met zijn handen gaan doen, op een vrachtwagen gaan rijden, net als zijn vader. Hij hoorde het juf Sandra nog zeggen. Jesse voelde zijn oude woede weer opkomen als hij daaraan dacht. Gelukkig dat zijn ouders het er toen niet bij hadden laten zitten. Zou hij dit keer weer net zo hard zijn best moeten doen om te bereiken waar hij recht op had? Jesse hoopte van harte van niet.

'Je moet invullen wanneer je kan. We hebben de keuze uit woensdag of donderdag. Mij maakt het niets uit. Jammer genoeg kan je vader er niet bij zijn.' Mam keek hem aan.

'Donderdag heb ik training, dus liever woensdag,' zei Jesse. En elke dag dat hij het eerder wist, was er maar weer één.

'Oké.' Zijn moeder pakte een pen en vulde het formulier in. 'En als het een stom gesprek is, kunnen we altijd nog een keer terug met je vader.'

Jesse glimlachte. 'Precies!' Ook zijn moeder dacht terug aan zijn adviesgesprek van vorig jaar.

Woensdagavond 19.40, stond op het blaadje dat Jesse in zijn hand hield. Naast zijn moeder liep hij door de gangen van de school. In alle lokalen brandden lampen. Op de gang zaten ouders en kinderen te wachten tot ze aan de beurt waren voor het 'adviesgesprek'.

Mam knoopte haar jas los en wandelde verder, terwijl ze haar handen nonchalant in haar zakken stopte. 'Het wordt steeds gewoner om hier te lopen, vind je niet?'

'Ik dacht net hetzelfde,' zei Jesse. 'Dat ik het hier nog zo enorm groot vond op die open dag. Toen kon ik me niet voorstellen dat ik hier ooit zou wennen. En nu is het zo gewoon om hier te lopen.' Hij stopte voor een lokaal. 'Hier moeten we zijn.' Hij keek naar de klok aan het eind van de gang. Nog vijf minuten. Naast de lokaaldeur stonden twee lege stoelen. Zwijgend gingen Jesse en zijn moeder naast elkaar zitten.

Het leek alsof Jesse de klok heel hard kon horen tikken. Zoals in een film, vlak voor de bom afging. Ineens klonk er een bel, keihard door de stilte. Jesse sprong van schrik van zijn stoel. Zijn moeder schoot in de lach. 'Zenuwachtig?'

Vera en haar moeder kwamen het lokaal uit. Jesse kon niets van haar gezicht aflezen.

Wissel kwam naar de deur om hen welkom te heten. Hij gaf mam een hand en maakte een uitnodigend gebaar naar de twee stoelen die tegenover zijn bureau stonden. 'En, Jesse, spannend moment?' Wissel keek hem vriendelijk aan.

Jesse trok zijn mond in een glimlach. Wissel moest eens weten hoe het met zijn zenuwen gesteld was!

'Kijk,' zei Wissel toen ze zaten. En hij schoof hun een papier toe. 'Dit is de uitdraai van het laatste cijferoverzicht. Wat denk je er zelf van, Jesse?'

Daar trapte Jesse niet in. Als hij zou zeggen: 'Eigenlijk best goed,' zou Wissel dat vast meteen gaan relativeren. En als hij bescheiden zou zeggen: 'Niet onaardig,' zou Wissel dat meteen bevestigen. 'Inderdaad niet onaardig, maar het is beter als je eerst maar eens rustig havo gaat doen.' Of zoiets.

Jesse haalde dus neutraal zijn schouders op en dook daarna een beetje in elkaar.

'Ik vind het anders hartstikke goed, Jesse!' zei Wissel lachend. 'Zoals jij je ontplooid hebt het afgelopen half jaar, echt geweldig! Op de lerarenvergadering was iedereen erg over je te spreken.'

Ongelovig keek Jesse Wissel aan. Voorzichtig ging hij rechtop zitten. Dit gesprek leek een andere wending te krijgen dan hij verwacht had.

'Je bent een echte vwo-leerling, Jesse. Daar zijn we het allemaal over eens.' Wissel keek Jesse aandachtig aan, schroefde toen de dop van zijn vulpen en schreef met zwierige letters onder de uitdraai: 'Unaniem advies: vwo!'

'Geloof je me nu?' lachte hij.

Een warm gevoel doorstroomde Jesses hele lijf, alsof hij zich in een schuimbad had laten zakken. 'Ja. Nu geloof ik het!' En hij keek Wissel gelukzalig aan. 'Mag ik dat blaadje meenemen, voor de zekerheid?'

'Tuurlijk. Hang het maar boven je bed.' Wissel stond op en strekte zijn hand uit naar Jesses moeder. 'Gefeliciteerd, mevrouw. Jesse is een kanjer.'

'Dat wist ik al,' zei mam en ze straalde van trots.

Op weg naar huis bleef Jesses gezicht in een constante grijns. Die kreeg hij de eerste week niet meer van zijn gezicht. Hij kon alleen nog maar denken aan de zwierige krulletters van meneer Wissel. Unaniem advies: vwo! Zo heerlijk dat hij het zwart-opwit had! Hij zou pap meteen bellen als ze straks thuis waren. En vrijdag kon hij hem het briefje laten zien.

'Juf Sandra zou eens moeten weten,' zei mam, terwijl ze naast hem voort peddelde. 'Ik zou haar gezicht wel eens willen zien als ze dat blaadje in mijn handtas zag.'

Jesse keek opzij. Op zijn moeders gezicht was een tevreden glimlach te zien, héél tevreden.

Jesse schoot in de lach. 'Goed idee, mam. Jij kan haar gezicht niet zien als ze naar dit blaadje kijkt, maar ik wel! Ik ga morgen na school naar haar toe.'

'Is dat niet gek?' aarzelde zijn moeder.

'Helemaal niet! De meeste kinderen zijn al een keer langs geweest om hun rapport te laten zien. Ik nog niet. Mijn kerstrapport was ook nog niet zo super. Ik wist al wat ze dan zou zeggen. "Ik had toch gezegd dat je rustig aan moest beginnen?" Maar nu ga ik het haar graag laten zien.'

'Ik wou dat ik mee kon,' verzuchtte mam.

'Dat zou wél gek zijn,' zei Jesse streng.

Jesse was in tijden niet zo snel naar huis gefietst als die donderdag. Hij had na het zesde uur vrij. En hij kon dus mooi voor het einde van de schooldag de klas van juf Sandra binnenlopen. Gelukkig was donderdag ook de dag dat juf Sandra werkte, want Jesse kon niet langer wachten. Nu hij dit plan eenmaal bedacht had, moest hij het ook zo snel mogelijk uitvoeren. De hele weg zat hij als een gek in zichzelf te grinniken. De voorpret alleen al was de moeite waard. Was het kinderachtig? Misschien wel een beetje, maar dat kon hem niets schelen.

Voor het eerst sinds bijna een jaar liep Jesse zijn oude schoolplein op, keurig met zijn fiets aan de hand. Hij zette hem naast de fietsen van de juffen en meesters. Daar paste hij nu qua maat ook het beste bij. Hij haalde zijn schooltas uit de fietstas, slingerde die over zijn schouder en liep het trapje op naar de voordeur. Zijn hart klopte in zijn keel. Ineens wist hij hoe hij het aan zou pakken.

Door de gang liep hij naar het lokaal van juf Sandra. Twee kleuters speelden in een hoek met de blokken, aan een tafeltje in de gang zat een kind alleen te werken. Heel vertrouwd allemaal, maar toch leek het oneindig lang geleden dat hij hier zelf op school zat.

Keurig klopte Jesse aan de lokaaldeur. Juf Sandra zelf kwam opendoen.

'Jesse, wat een verrassing! Ik dacht al dat je nooit meer zou komen. Alle anderen zijn volgens mij al geweest.' Ze deed een stap opzij om hem binnen te laten. 'Vond je het soms moeilijk om mij je cijfers te vertellen?' Was daar iets van leedvermaak op haar gezicht te zien?

Jesse hoefde niet veel moeite te doen om zijn plannetje uit te voeren. Juf Sandra zelf had de voorzet al gegeven. Hij liet zijn hoofd iets hangen om er treuriger uit te zien.

'U hebt gelijk. Mijn kerstrapport kon echt beter.'

'Ik zei het al!' Juf Sandra's stem schalde triomfantelijk door het lokaal. 'Het was ook ons advies om vmbo-t te doen. Een jongen als jij...' Het woord advies liet ze nog eens extra hard klinken. Dan kon deze groep 8 meteen horen dat je maar beter naar juf Sandra kon luisteren. En zo te zien deden de kinderen dat ook. De meesten hadden de pen neergelegd en volgden nieuwsgierig het gesprek tussen Jesse en hun juf.

'Dat was inderdaad jullie advies, ook al had ik een Cito van 544,' knikte Jesse. Hij zorgde ervoor dat de kinderen hem ook goed konden verstaan en haalde nu het blaadje van Wissel uit zijn tas. Hij hield het voor de neus van juf Sandra.

'Het advies van de lerarenvergadering is anders, juf. Unaniem advies: vwo!'

Juf Sandra kreeg een kleur en stamelde wat. Maar voor ze echt wat kon zeggen, begon het broertje van Kees te klappen. Gelijk volgde de rest. Fluitend en stampvoetend klapte groep 8 voor Jesse.

Het duurde lang voor juf Sandra de kinderen weer stil kreeg en Jesse genoot.

'Gefeliciteerd, Jesse,' zei juf Sandra uiteindelijk. 'Dat heb je goed gedaan.'

En dat vond Jesse nou ook.

VERA

De laatste dag voor de zomer

Vera had best zin in het eindfeest van haar Max Havelaar College. Ze was er trots op dat het haar gelukt was om het eerste jaar op deze school goed door te komen. Ze was vrij gemakkelijk overgegaan, ze voelde zich niet meer zo oenig in de klas als in het begin en ze had inmiddels een paar leuke vriendinnen. Dat mocht best wel eens gevierd worden.

Het was alleen nogal dringen bij de ingang. Op zo'n feest voor de hele school kwamen wel zeshonderd leerlingen en dat moest professioneel geregeld worden. Vera zag tot haar grote verbazing dat iedereen bij de ingang gecontroleerd werd of hij geen alcohol bij zich had. Het was nog net niet zo dat je door een detectiepoortje moest, maar Vera voelde zich meteen al minder op haar gemak op dit massale feest.

In de kantine was het in de grote menigte even zoeken naar de anderen uit haar klas. Gelukkig kwam ze Hanna tegen, en die wist dat er achter in de zaal een speciaal barretje was 'voor de kleintjes', zoals ze zei.

Daar zag Vera algauw haar brugklasgenoten. Ook Isa en Jesse waren er. Dennis stond aan de bar en had het hoogste woord.

'Ja ja, dames, daar gaan we weer!' riep hij boven het lawaai van dj Willem uit terwijl hij uitgebreid aan zijn colaflesje likte.

Opeens zag Vera ook Jorg staan, haar 'ex'. Ze wist zich zo gauw met haar houding geen raad. Op gewone schooldagen kon je makkelijk langs elkaar heen leven, maar nu was het anders. Bovendien zag Jorg haar nu ook.

'Dag, Vera,' zei hij zo gewoon mogelijk. 'Ik wou net een colaatje gaan halen. Jij ook eentje?'

'Oké,' zei Vera maar.

Ze keek toe hoe hij zijn best deed naar voren te dringen aan de bar. Toch aardig van hem, dacht ze, om haar zomaar iets aan te bieden.

'Hé, kijk eens aan!' riep Dennis tegen Jorg. 'Wie hebben we daar? Gaat ie lekker, jongen? Neem jij twee cola, jongen? Dat zal Vera lekker vinden, dat gaat er bij haar wel in, ha ha! Anders stop je die van jou er maar in, of wil ze niet?'

'Zeg dat nog eens als je durft,' siste Jorg en hij zette zijn cola's hard neer op de bar.

'Wat nou?' zei Dennis. 'Ik heb toch niks verkeerds gezegd?'

'Weet je wat jij eens zou moeten doen?' zei Jorg. 'Jij zou je grote gore bek eens moeten houden.'

'Ik?' zei Dennis. 'Ik geef alleen mijn vrije mening. Mág ik? Kan ik het helpen dat Vera niks met jou wou?'

Jorg dook op hem af, gaf hem een klap in zijn gezicht en schopte tegen zijn knieën.

Dennis pakte hem beet en drukte hem achterover. Even later rolden ze stompend over de grond, terwijl de anderen er joelend en gillend omheen stonden.

Opeens was Wissel er. Hij trok Jorg met een stevige greep van Dennis af en riep: 'Wat is hier aan de hand? Zijn jullie nou helemaal gek geworden!'

'Maar hij is begonnen!' riep Dennis.

'Moet je maar niet van die rotopmerkingen maken, klootzak,' beet Jorg hem toe.

361

'Jongens,' zei meneer Wissel, 'ik weet niet of jullie het weten, maar er is hier een gezellig feestje aan de gang en dat willen wij zo houden. Dus nou kop dicht alle twee. En ik geloof dat het het beste is als jij, Jorg, voorlopig even naar buiten gaat om een beetje af te koelen.'

Zonder een woord te zeggen draaide Jorg zich om en liep met grote passen weg, naar de uitgang.

Iedereen deed daarna weer zo gewoon mogelijk. Vera zag dat Isa gezellig met Jesse ging dansen, maar zij dacht: ik moet hier weg, ik moet achter Jorg aan.

Ze riep nog hard tegen Dennis: 'Zak!' en ging op zoek naar Jorg.

Die stond bij de uitgang steentjes te keilen naar het bord waar 'Max Havelaar College' op stond. Vera pakte ook maar een steentje en gooide het op goed geluk naar het bord. Raak.

Jorg keek meteen om. 'O, ben jij het,' zei hij kortaf.

'Ja,' zei Vera, 'ik ben het. Waarom deed je zo ongelooflijk stom daarnet?'

'Weet ik veel.' Jorg smeet nog een steentje weg. 'Moet Dennis maar niet van die stomme, kloterige opmerkingen maken.'

'Ach, Dennis,' zei Vera, 'die is nou eenmaal zo. Daar moet je je niks van aantrekken.'

'Hij moet gewoon ophouden,' zei Jorg. 'Hij moet niet over jou en mij lullen. Dat kan ik er toevallig niet bij hebben, nu. Alles gaat mis met me, op school, thuis, alles. Dat komt... mijn ouders gaan uit elkaar. Daar zit ik niet mee, niet erg tenminste. Moeten zij zelf weten. Ze maakten nooit ruzie waar ik bij was, maar het was al jaren fout tussen die twee, volgens mij. Het probleem is alleen dat ik met mijn moeder mee moet. En mijn moeder wil verhuizen. Naar Arnhem nog wel, want daar komt ze vandaan. Moet ik hier van school af. Zie ik jou nooit meer. Shit.' Hij haalde nadrukkelijk zijn neus op.

'O, dus dát was het,' zei Vera zacht. 'Dat zat je al die tijd dwars. Arme jongen. Ik kan me best voorstellen dat je het rot vindt om van school af te gaan, maar is het nou echt zo erg dat je mij dan niet meer ziet?'

'Tuurlijk,' zuchtte Jorg. 'Heel, heel erg. Je weet niet half hoe kapot ik was toen jij het uitmaakte. Door de telefoon nog wel, trut. Maar je moet niet denken dat het dan wat mij betreft over is. Jij gaat nooit over.'

Hij veegde zijn hand langs zijn ogen. Hij wilde kennelijk niet laten merken dat hij zin had om te huilen. Daarom verborg hij zijn gezicht tegen haar schouder.

Zij gaf hem een stevige knuffel en ging met haar hand door zijn haar. Niet omdat ze hem zielig vond, maar omdat ze hem lief vond.

Ze zoende hem op zijn voorhoofd en op zijn neus. Hij ging zachtjes terugzoenen, op haar wang en vlak bij haar mond. Ze zeiden daarbij niets tegen elkaar, dat was niet nodig, ze begrepen elkaar zo wel.

Er was niets krampachtigs bij, zoals toen in het park. Het ging nu heel vriendelijk en soepel, alsof het vanzelfsprekend was. Vera vlijde zich dicht tegen Jorg aan, ze voelde zich op haar gemak bij deze jongen.

'Ach joh,' fluisterde ze, 'wat kan dat ons allemaal schelen, zo'n verhuizing. We hebben elkaar toch? En we hebben de hele zomer nog samen. Daarna zien we wel weer verder.'

JESSE
Het eindfeest

Jesse stond voor de spiegel en kamde zijn haar. Hij had speciaal voor deze gelegenheid nieuwe gel gekocht. Wat zou hij doen? Spikes of gewoon stekels? Hij besloot tot de stekels: voor de spikes was zijn haar net te kort en dan ging het er misschien lullig uitzien.

Voor zijn klerenkast had hij al uren doorgebracht en hij had uiteindelijk voor zijn nieuwe wijde broek gekozen. Zijn moeder vond die eigenlijk veel te wijd, maar Jesse vond dat juist stoer. Pet deed hij niet op, anders plette hij straks zijn stekels. Jesse bekeek nog één keer het resultaat. Toen knikte hij tevreden en denderde de trap af.

Daar stond zijn kleine broertje op hem te wachten.

'Dat duurde lang, man. Ik dacht dat alleen meiden zo lang voor de spiegel stonden.'

Zonder iets te zeggen duwde Jesse hem opzij.

'Mam, ik ga!' riep hij naar binnen.

Zijn moeder kwam de kamer uit en lachte trots naar hem.

'Je ziet er super uit, Jesse. Jammer dat je vader pas morgen thuiskomt, want hij had het leuk gevonden je zo te zien.' Ze gaf hem een snelle kus op zijn wang.

'Veel plezier en wel samen met de anderen terugfietsen, hè?'

'Tuurlijk!' riep Jesse over zijn schouder. Op naar het tankstation, waar al zijn oud-klasgenoten wachtten die ook op het Max zaten. Zou Isa er al zijn? Jesse voelde gekke kriebels in zijn buik komen en daarom dacht hij snel aan iets anders. Hij had die kriebels wel vaker tegenwoordig, als hij Isa zag of als hij aan haar dacht. Hij wist niet zo goed wat hij met die kriebels aan moest.

Daar was het tankstation. Het asfalt van het fietspad was nat van een zomerse regenbui en de zon weerspiegelde in een plas. Het rook naar pas gemaaid gras. Er stond nog niemand, leek het wel. Of toch. Daar bij die boom stond Isa.

Jesse voelde zijn hart sneller slaan toen hij naar haar keek. Ze zag er fantastisch uit. Het bijzondere aan Isa was dat ze zichzelf durfde te zijn. Zij durfde er anders uit te zien dan de anderen. Ondanks haar lengte viel ze op, veel meer dan alle andere meiden die Jesse kende. En ze durfde gewoon met hem te praten als ze hem tegenkwam.

Vera keek altijd de andere kant uit als hij eraan kwam. Misschien omdat ze Jesse stom vond, maar misschien ook omdat ze gewoon alle jongens stom vond. En Janneke en haar vriendinnen lachten alleen maar heel dom als ze bij een jongen in de buurt kwamen. Isa was anders.

'Ha Jesse!' riep ze al uit de verte. 'Goeie broek!'

Jesse kon zijn kriebels niet meer wegdrukken. Was hij verliefd op Isa? Was dat wat die rare gevoelens hem wilden vertellen?

De anderen kwamen nu van alle kanten al roepend aangefietst en dat gaf Jesse de tijd om aan zijn nieuwe toestand te wennen. Hij was verliefd! En al een hele tijd ook, alleen was hij zo'n stomme sukkel dat hij het niet doorhad. Wat zou Chris lachen als hij dat wist. Die was juist heel goed in dat soort dingen. Die kwam ook naar het eindfeest met een meisje dat hij speciaal daarvoor gevraagd had. Ging hij ook van tevoren ophalen en zo.

Dat had Jesse natuurlijk ook met Isa kunnen doen. Alhoewel, dat zouden de anderen wel heel gek gevonden hebben, als ze met zijn tweeën zouden fietsen in plaats van met zijn allen.

'Zal ik naast jou fietsen?' Isa's stem haalde hem uit zijn gedachten.

'Heel graag!' zei hij enthousiast en opgelucht, omdat Isa hem alweer voor was.

Ze fietsten naast elkaar zonder veel te zeggen. Achter hen klonk het geroep en gepraat van de rest van de groep. Jesse wist niet goed waar hij het over moest hebben, nu hij ineens wist dat hij verliefd was. Dat leek hem niet iets dat je op de fiets aan elkaar vertelde.

Toch was hun stilte niet onplezierig, vond Jesse, en hij keek opzij naar Isa. Ze keek terug en glimlachte naar hem. Jesses grijns terug leek zijn gezicht in tweeën te splijten. Met Isa was het ook fijn zonder dat je wat zei.

Veel te snel waren ze bij school en daar werd Isa bestormd door haar klasgenoten. Ze troonden haar mee en Jesse verloor haar uit het oog. Gaf niks, straks ging hij met haar dansen, dat had hij zich onderweg voorgenomen.

Hard klonk de disco uit de kantine. Die was helemaal versierd voor de gelegenheid en er hing zo'n glitterbal, waardoor het licht alle kanten uitspatte.

Kees kwam naast Jesse staan. 'Had je geen zin om naast me te fietsen?'

Jesse schudde zijn hoofd. 'Nee gek, dat was het niet. Isa vroeg of ik naast haar wilde fietsen.'

Kees keek veelbetekenend en zei ook nog iets, maar Jesse kon hem door de muziek niet verstaan. Dat was maar goed ook, misschien. Kees was vorig jaar nogal eens gepest met zijn verliefdheid op Isa, maar volgens hem was het niet waar toen. Jesse keek nog eens naar Kees, je wist natuurlijk maar nooit.

Toen stootte Kees hem aan. 'Kijk, dat is Else, die zit bij mij in de klas. Leuke meid, hè?'

'Nou!' riep Jesse wat al te enthousiast.

Voor Jesses gevoel duurde het uren voor hij Isa weer in beeld kreeg. Voortdurend stond hij in het rond te spieden. Toen zag hij haar ineens.

Tot zijn eigen verbazing beende hij meteen met grote stappen op haar af. Hij was zo blij dat hij haar eindelijk zag, dat hij z'n verlegenheid vergat.

'Dansen?' vroeg hij en Isa's ogen lichtten verheugd op. Ze vond hem ook leuk! Jesse had het gevoel dat hij de dansvloer op zweefde en hij durfde ineens veel uitbundiger te dansen dan ooit. Isa bewoog zich makkelijk op het ritme van de muziek. Ze verzon er allerlei bewegingen bij, waar Jesse niet op zou komen.

Toen het nummer afgelopen was, bleven ze allebei zonder iets te zeggen staan tot het volgende begon.

Na een paar nummers kreeg Jesse het heet, maar Isa zag er nog net zo koel uit als daarstraks.

'Zullen we wat drinken?' stelde hij voor. Isa knikte en liep direct achter hem aan.

Ook na een colaatje maakte Isa geen aanstalten om haar vriendinnen op te zoeken en Jesse werd steeds zekerder van zijn zaak. Als ze hem zat zou zijn, had ze allang een smoesje kunnen verzinnen.

Aan het eind van de avond werd een langzaam nummer gedraaid. De meesten bleven aan de kant zitten, slechts een paar stelletjes gingen de dansvloer op.

Isa trok aan zijn mouw.

'Zullen we?' En zo hield Jesse die avond voor het eerst van zijn leven een meisje in zijn armen; een meisje waar hij nog verliefd op was ook. Gelukkig dat hij er net op tijd achter was gekomen. Stel je voor dat hij het pas morgen had gemerkt, dan had hij de beste avond van zijn leven moeten missen!

Heel voorzichtig hield hij haar vast. Ze was zo klein en ze voelde zo anders, dat hij bang was dat hij haar pijn deed. Ze legde haar hoofd tegen zijn borst, zodat Jesse de warmte van haar wang door zijn T-shirt heen voelde. Hij kreeg het gevoel dat ze zweefden op de muziek.

Als vanzelfsprekend fietste Jesse ook op de terugweg naast Isa en niemand zei er wat van. Dat zou vorig jaar heel anders gegaan zijn, wist Jesse. Maar ja, toen was hij ook niet verliefd.

Bij het tankstation ging iedereen een andere kant uit, alleen Jesse bleef naast Isa fietsen. Op de hoek van haar straat bleef Isa onder de straatlantaarn staan.

'Hier woon ik,' zei ze.

'Dat weet ik, hoor,' zei Jesse en Isa kreeg een kleur.

'Het is ook zo anders dan vorig jaar,' verklaarde ze.

Jesse knikte, het was allemaal heel anders in de brugklas dan in groep 8.

Hij bukte zich naar kleine Isa, zoals hij haar vorig jaar nog noemde. En hij gaf haar zomaar een kus.

Ka-doem ka-doem

Isa wist al weken wat ze aan zou trekken op het eindfeest. Toevallig was ze ertegenaan gelopen toen ze een paar weken geleden met Lisa de stad in was: een prachtig kort donkerrood vestje van glimmende stof dat ze met koorden rondom haar middel kon knopen. Haar roze topje stond er mooi onder, en ze combineerde het met haar spijkerrokje en met twee verschillende roze kniekousen. Dat vond ze dus leuk. Grapje. Ze had zelfs een nieuwe riem in de goede kleuren gevonden.

Dat vestje had ze expres nog niet aangehad naar school. Best moeilijk om het zo lang in de kast te laten hangen, maar het was gelukt.

Nu droeg ze het voor het eerst en ze keurde het resultaat in de spiegel. Doordat het vestje om haar lijf heen geknoopt zat, leken haar borsten groter dan ze waren. Misschien was ze daarover nog het meest tevreden. Het stukje bloot tussen topje en rokje was net breed genoeg.

Isa vlocht een roze bandje door haar haar en tot slot maakte ze zich een beetje op. Zo, ze was er klaar voor!

Ze liep naar beneden. Daar liet ze zich bewonderen door haar moeder en Marije die samen op de bank tv zaten te kijken. Ze zag de jaloerse blik van Marije wel: die wilde ook zo graag groot zijn. Ze zuchtte ervan.

'Jouw beurt komt nog wel,' troostte haar moeder Marije

met een aai over haar hoofd. 'Na de vakantie ga jij naar groep 8 en dan is het al bijna zover dat je naar de middelbare school gaat.'

Isa strekte haar rug bij die woorden. Na de vakantie was zij tweedeklasser! Goh, de brugklas zat er zowat op! Vanavond eindfeest, maandag sportdag en de rest van de week hoefden ze alleen maar hun boeken in te leveren en hun rapport op te halen. Wat was dit jaar voorbijgevlogen!

Isa keek op haar horloge. 'Ik ga!' riep ze uit.

'Veel plezier, meid,' zei haar moeder. 'En niet alleen terugfietsten, hè?'

'Ja-ha, dat heb je al drie keer gezegd!' Dacht haar moeder nou echt dat ze dát zou doen? Ze zou niet eens durven! Moeders moesten er wat meer op vertrouwen dat hun dochters echt geen domme dingen deden. Isa keek wel uit!

'Nou, doei!'

Geïrriteerd liep Isa de kamer uit, naar de schuur, en sprong op haar fiets. Het was nu droog, gelukkig. Net had het nog flink geregend en ze was al bang voor haar haar geweest. Ze racete naar het tankstation, waar ze als eerste aankwam. Die haast sloeg nergens op, maar ze was de hele dag al onrustig. En ze wist best waardoor...

Ze keek eens om zich heen. Het was een vertrouwde plek omdat ze altijd hier op elkaar stonden te wachten, een schooljaar lang nu al. Het tankstation, de bomen langs de kant van de weg, de rij huizen erachter. Isa snoof eens diep. Het rook naar zomeravond, naar vrijheid en naar gelukkig zijn.

En toen zag ze Jesse. Isa voelde haar stem bibberen toen ze hem begroette.

'Ha Jesse! Goeie broek!' Die kende ze niet, zou ook wel nieuw zijn.

Hij ging naast haar staan en stamelde af en toe een zinnetje. Hij leek niet erg op zijn gemak. Verder keek hij zo... Ze wist niet goed hoe ze het moest omschrijven. Maar het belangrijkste was dat het niet zo moeilijk was om te zeggen: 'Zal ik naast jou fietsen?' toen alle anderen er ook waren. Die maakten lawaai voor de hele groep. Zou het opvallen dat zij niet veel praatten? Stom eigenlijk, daar had ze anders nooit zo'n last van. Je kent elkaar al ik weet niet hoe lang en toch weet je niks te zeggen. Ze glimlachten wel steeds naar elkaar. Isa moest ook steeds diep ademhalen. En de hele weg van hun dorp naar school bleef het naar hooi en naar zomer en naar geluk ruiken.

'Ruik je het?' kon ze niet nalaten te zeggen.

Jesse begreep het. Hij knikte en grijnsde alweer zo mooi. Zijn ogen glansden net zo prachtig als het late zonlicht om hen heen.

Op het schoolplein trof ze Rachida. Zij en Claudia haakten allebei in en met iets van spijt keek Isa achterom naar Jesse. Ze zou willen... Nee, dat kwam nog wel. De avond was nog maar net begonnen.

Met haar vriendinnen liep Isa de school in. De kantine was omgebouwd tot disco en de muziek knalde de boxen uit. Kadoem ka-doem ka-doem. Boven hun hoofden weerkaatste een grote glitterbal het licht alle kanten op en Isa voelde zich opgenomen in een zee van licht en geluid. Ze zoog zich vol en voelde zich ineens zo groot! Er was een bijzonder jaar voorbij. Ze had het gered in de brugklas! Ze wist zeker dat ze over was en ze was verliefd op Jesse! En ineens wist ze dat Jesse ook op haar was. Mooie, grote, lieve Jesse... Al die keren dat hij naar haar keek... Al dat gegrijns op de fiets... Dat ze ineens niet meer wisten waarover ze konden praten... Isa wist het zeker: dit was hún avond. De vraag was alleen nog hoe. Het leven was begonnen en lachte haar toe. Isa kon het bijna niet omvatten, zo groot was het gevoel dat haar nu overspoelde.

Vanavond zou ze met hem dansen, maar eerst trokken haar vriendinnen haar mee de dansvloer op. De kriebels in haar lijf maakten dat ze wild en fanatiek bewoog. Ze keek steeds om zich heen, maar zag geen Jesse. Waar was hij nou? Wat deden de jongens? Zo veel waren er niet op de dansvloer, die vooral door meiden bevolkt werd.

Toen ze met elkaar op de hapjes afgingen, bleef Isa vanuit haar ooghoeken de kantine in spieden. Ze kletsten een tijd, maar ze had haar hoofd er niet echt bij. Jesse, Jesse, Jesse... dreunde het binnen in haar.

Dáár! Ineens zag ze hem. En ze voelde hem ook in haar maag en in haar buik. Wat een leuke jongen was hij toch! Ka-doem ka-doem ka-doem bonkte de muziek. Ka-doem ka-doem sloeg haar hart mee. Niet eens in de maat en steeds sneller toen ze zag dat Jesse haar kant op kwam. Nee, toch niet. Ja, wel!

Daar was Jesse. Nu stond hij voor haar. 'Dansen?'

Ja, natuurlijk, graag, het liefste van alles! Hier heb ik al die tijd op gewacht! Ik zou jou ook vragen, maar je bent me voor... Dat dacht Isa, maar ze zei niks. Haar stem deed het niet meer. Even was ze bang dat niets het meer deed. Alleen haar hart voelde ze tekeergaan: ka-doem, ka-doem. Maar haar benen zetten zich toch in beweging.

Had ze zich daar zo druk over gemaakt? Je liep op iemand af en je zei: 'Dansen?'

Ze dansten. Tegenover elkaar, tussen alle anderen in. Maar ze danste met Jesse, die grote en een beetje onhandige passen maakte, net niet helemaal op de maat. En steeds als hun blikken elkaar kruisten, grijnsde hij zo lief.

Ineens stopte de muziek. Nu al? Hun bewegingen staakten, maar hun ogen zochten elkaar. Doorgaan? Natuurlijk!

Ze hadden geen woorden nodig, die waren te eng, te onzeker. Dit was oké, samen dansen. En het ging steeds soepeler, Isa zag dat Jesse haar na probeerde te doen. Goed, leuk, ze daagde hem een beetje uit. Ha, hij leerde snel. Hij werd ook steeds roder in zijn gezicht.

Dus na een paar nummers stelde hij voor iets te drinken te halen. En ze bleven als vanzelf samen. Hij ging niet naar zijn vrienden en zij ging niet terug naar Lisa, Rachida en Claudia, die wel van een afstand heftig stonden te gebaren. Ze deden hun best maar, zij bleef bij Jesse.

Ze haalden een colaatje en kletsten wat. Het ging nu wel lekkerder. Een beetje minder zenuwachtig, een beetje meer als vroeger. Want omgaan met Jesse was nieuw, maar toch ook vertrouwd.

Later dansten ze weer. En gingen ze opnieuw een colaatje halen. Zo brachten ze de rest van de avond door. Dansen, colaatje, dansen, colaatje. Maar sámen.

En toen ze net weer met een cola in hun handen aan de kant zaten, werd er langzame muziek gedraaid. Een paar jongens en meiden zochten elkaar op en begonnen te schuifelen. Isa voelde weer het ka-doem ka-doem van haar hartslag toen ze Jesse aan zijn mouw trok. 'Zullen we?'

Samen liepen ze tussen de anderen door. Isa wilde zich een beetje verborgen houden voor de blikken van haar vriendinnen. Midden op de dansvloer draaide Jesse zich naar haar om. Op zijn gezicht was weer die lieve scheve grijns toen hij zijn armen om haar heen sloeg. Isa deed hetzelfde, maar dan legde ze haar handen op zijn schouders. In stilte lachte ze een beetje zenuwachtig, want hij was zo groot... Te groot voor haar, toch? Het zag er vast niet uit.

Maar zijn voorzichtige armen om haar heen voelden fijn aan en hij bewoog zo mooi langzaam en perfect op de maat dat ze dat alles vergat. Ze legde haar hoofd tegen zijn borst en danste met hem.

Natuurlijk fietsten ze naast elkaar terug. Niemand had er een opmerking over, alleen Claudia had driftig geknipoogd. Nou, daar trok ze zich dus niks van aan. Isa was druk aan het praten. Nu wist ze wel wat ze allemaal kon zeggen. Jesse kreeg nauwelijks de kans zelf ook dingen te vertellen. Veel te snel waren ze weer bij het tankstation. Hier moesten ze elk een kant op, want Jesse woonde aan de andere kant van het dorp. Na veel heen en weer roepen hadden de anderen afscheid genomen en sloegen ze ieder hun eigen weg in. Isa had er helemaal geen zin in dat de avond al voorbij was. Jesse had zeker ook geen haast, want hij treuzelde.

'Ik fiets nog even met je mee,' zei hij.

Drie straten, toen waren ze er.

'Hier woon ik,' zei Isa.

Jesse lachte. 'Dat weet ik, hoor.'

O stóm, natuurlijk wist hij dat. Isa voelde dat ze een kleur kreeg. Verliefd zijn was nog zo gemakkelijk niet. Of je weet niks te zeggen, óf je gaat ratelen, óf je zegt het verkeerde. Had ze het nou verknald?

'Het is ook zo anders dan vorig jaar,' probeerde ze uit te leggen. Maar nu zei ze weer het verkeerde. Anders dan vorig jaar? Anders dan alles altijd geweest was, bedoelde ze. Dit was zo spannend, zo nieuw! Pfff! Ze blies hoorbaar haar adem uit. Om hem daarna in te houden, want Jesse boog zich naar haar toe. Hij kwam heel dichtbij met zijn gezicht en drukte zomaar een kus op haar wang.

Toen ging hij weer rechtop staan. Hij keek haar aan. Wilde hij zien hoe haar reactie was? Wat was hij lief! Isa probeerde dat in haar glimlach te laten zien, want ze wist dus echt niet wat ze nu moest zeggen. Ze hief haar hoofd, haar wangen gloeiend van verliefdheid. En weer boog hij zich naar haar toe. Isa ging op haar tenen staan en gaf een kusje terug.

Websites

naardebrugklas.kennisnet.nl
Website over de brugklas met praktische informatie over huiswerk, beroepen en nog veel meer.
www.hoeoverleefikdebrugklas.nl
Website over de brugklas met tips over hoe je alle veranderingen het beste doorkomt.
www.b-zik.nl
Website voor en door scholieren over huiswerk, werkstukken, spiektips en de kantine.
vmbo.kennisnet.nl en **havovwo.kennisnet.nl**
Websites met veel praktische informatie over vakken en werkstukken, maar ook over bijvoorbeeld ruzie hebben.
huiswerk.leerlingen.com
Website die alle huiswerkproblemen oplost.
www.laks.nl
Het Landelijk Actie Komitee Scholieren organiseert diverse activiteiten voor scholieren in het voortgezet onderwijs en behartigt hun belangen. Website over pesten, spijbelen, leerlingenstatuut en leerlingbijdrage.
www.pestweb.nl
Website voor gepeste leerlingen, hun ouders en docenten.

Sanderijn van der Doef & Marian Latour

Het puberboek

Als je net begint te puberen, is dat de start van een spannende periode vol veranderingen. Niet alleen je lichaam gaat er anders uitzien, je gaat je ook anders gedragen. Je verandert aan de buiten-, maar ook aan de binnenkant. Je gaat anders over seks denken, je plek in het gezin verandert en je vrienden en vriendinnen worden steeds belangrijker...

spoedcursus tongzoenen ∗ tampons of maandverband? ∗ hoe verzorg jij je uiterlijk? ∗ nooit meer ruzie met je ouders! ∗ condoomles ∗ weg met puistjes ∗ op wie val jij? ∗ natte dromen ∗ en alle andere dingen die je als beginnende puber wilt weten!

ISBN 978 90 216 1606 3

Caja Cazemier

Survivalgids voor brugklassers

Naar de brugklas gaan is spannend maar ook eng. Alles is anders dan op de basisschool: het grote gebouw, de leraren, de vakken en niet te vergeten je nieuwe klasgenoten. Hoe overleef je dat allemaal?

Zit je in groep 8 en ben je nieuwsgierig? Of zit je al in de brugklas en heb je best veel vragen? *De Survivalgids voor brugklassers* is een handige wegwijzer. Hij leidt je langs alle mogelijkheden, regels en gewoonten op je nieuwe school. Hij geeft je tips voor in de klas en daarbuiten, voor het maken van keuzes en het zoeken van vrienden, voor het plannen van je huiswerk en je vrije tijd.

ISBN 978 90 216 6578 8

Caja Cazemier

Vliegende start

Anne zit nog geen week in de brugklas als ze met zijn allen op kamp
gaan naar Ameland... Met het vlieg-
tuig! Gelukkig kent ze sommige kinderen nog van de basisschool: Daan
bijvoorbeeld, haar beste vriend. Met
de meesten heeft ze lol, maar aan Kir-
sten, een enorme flirt, heeft ze meteen een hekel. Ze verschillen in alles,
maar één ding hebben ze gemeen: ze vinden dezelfde twee-
ling leuk... al zijn die wel wat moeilijk uit elkaar te houden.
Anne voetbalde altijd liever met jongens dan dat ze er verkering mee had. Het is dus wel even wennen dat ze nu verliefd
wordt, en dan ook nog eens op twee jongens tegelijk!

ISBN 978 90 216 1817 3